ENTRE NOUS

TOUT EN UN

MW00397079

4

B2 **MÉTHODE DE FRANÇAIS**
LIVRE DE L'ÉLÈVE + CAHIER D'ACTIVITÉS + CD

AUTEURS :
Audrey Avanzi
Céline Malorey
Lisa Prunières
Neige Pruvost
Charlotte Jade
Grégory Miras
Sylvie Poisson-Quinton

EDITIONS

maison des
langues

www.emdl.fr/fle

ENTRE NOUS, POUR UN APPRENTISSAGE ADAPTÉ ET RÉUSSI !

Proposer à leurs apprenants des cours de français motivants, dynamiques et qui leur permettent de progresser rapidement tout en les éveillant à la culture francophone actuelle ? Tel est le rêve de tous les enseignants de français... Or, préparer des cours de qualité suppose un travail important pour l'enseignant : une séquence didactique construite et efficace ; des documents écrits et oraux, authentiques ou semi-authentiques avec des exploitations pédagogiques de qualité ; une progression grammaticale et lexicale réussie avec un grand nombre d'exercices de systématisation ; des activités de phonétique bien pensées.

ENTRE NOUS est un outil clé en main qui facilite le travail quotidien des enseignants de français... et la vie des apprenants ! En effet, il propose des dynamiques variées (travail individuel, inter-individuel, en groupes, en groupe-classe) adaptées à tous les publics pour que la classe soit véritablement un espace de partage et de travail collaboratif.

UNE MÉTHODE NÉE D'UNE RÉALITÉ DE TERRAIN ET D'ÉCHANGES CONSTANTS AVEC LES ENSEIGNANTS

ENTRE NOUS est un manuel construit à partir de la réalité actuelle de l'enseignement / apprentissage du FLE : cet ouvrage est le résultat de la prise en compte de l'expérience de nos équipes pédagogiques ainsi que des commentaires des enseignants utilisateurs de *Version Originale*.

UNE STRUCTURE ET UNE ORGANISATION DES UNITÉS CLAIRE ET EFFICACE

Chacune des 8 unités est clairement organisée en étapes d'apprentissage et mise en valeur par la mise en page de l'ouvrage :

Étape 1 « DÉCOUVERTE »
- 1 double-page de documents déclencheurs visuels (« Premiers regards ») pour une découverte et une première exposition à la langue française avec des activités de compréhension écrite et orale et des productions orales (« Et vous ? »).
- 1 double-page de documents textuels pour situer les contenus et les thématiques de l'unité (« Premiers textes ») avec un travail sur les compétences de compréhension.

Étape 2 « OBSERVATION ET ENTRAÎNEMENT »
- 2 doubles-pages de travail sur la grammaire et le lexique à partir de documents en contexte amenant les apprenants à observer un fait de langue, à déduire et à construire sa règle, à s'entraîner dans des situations de communication et enfin à le systématiser.
- 1 double-page de travail sur la méthodologie en contexte pour acquérir des techniques utiles pour les apprenants souhaitant passer les épreuves du DELF ou souhaitant suivre des études universitaires en France.
- Pour aller plus loin, des explications grammaticales plus développées sont proposées dans le précis de grammaire.
- 2 pages de lexique complète : 1 page d'activités pour une réutilisation et une systématisation du lexique de l'unité, et 1 carte mentale avec le lexique de l'unité.

Étape 3 « REGARDS CULTURELS »
- 1 double-page culturelle, contenant des documents actuels, originaux et littéraires, ainsi que des activités de compréhension et de production.
- Une fenêtre ouverte sur le monde et la réalité culturelle et sociale francophone.

Étape 4 « TÂCHES FINALES »
- 1 page avec 2 tâches finales distinctes, une à dominante écrite et l'autre à dominante orale. L'enseignant peut réaliser ces 2 tâches avec ses apprenants ou mettre en place une tâche en classe et garder la seconde pour l'évaluation.

C'est parce que nous pensons qu'un enseignant épanoui et sûr de lui est synonyme d'une classe heureuse et motivée que nous avons créé **ENTRE NOUS**. Nous espérons que ce manuel vous aidera dans votre travail et vous accompagnera au quotidien.

La maison d'édition

STRUCTURE DU LIVRE DE L'ÉLÈVE

- 1 dossier de présentation et personnalisation pour l'apprenant
- 8 unités de 16 pages chacune
- 1 dossier culturel
- 1 livret de phonétique
- 1 préparation au DELF

- 1 cahier d'activités
- Un précis de grammaire
- Des tableaux de conjugaison
- Les transcriptions des enregistrements du *Livre* et du *Cahier d'activités*
- La carte de la France

Chaque unité est composée de 16 pages :

LA PAGE D'OUVERTURE DE L'UNITÉ

L'ensemble des rubriques, thèmes et ressources travaillés dans l'unité présenté de façon claire et schématique.

Le thème

Les tâches finales

Les points de langues étudiés

Activités complémentaires disponibles sur notre Espace virtuel (exercices auto-correctifs, carte mentale...)

Activités de réflexion sur la culture et la vie quotidienne

PREMIERS REGARDS

Cette double-page permet à l'apprenant d'aborder l'unité à partir de ses connaissances préalables du monde et, éventuellement, de la langue française.

Les documents déclencheurs de cette double-page sensibilisent l'apprenant au thème et aux objectifs de l'unité de manière très visuelle.

Les vidéos sont disponibles sur www. espacevirtuel.emdl.fr

Petites activités de compréhension globale et de production orale

Ce pictogramme indique que l'activité comprend un audio et donne le numéro de la piste

3. PASSION CUISINE

PISTE 2

A. Écoutez l'interview de Moufida, cuisinière amatrice. Dans quel type de cuisine s'est-elle spécialisée ?

B. D'après le journaliste et Moufida, de quelles f manifeste la passion pour la cuisine en France e

D. Quels conseils entendez-vous depuis votre enfance pour soigner vos maux ? Racontez-les à vos camarades.

- Quand j'étais petit, ma grand-mère me disait qu'il fallait...
- Notre médecin de famille a toujours préconisé de...

Les textes en rouge sont des échantillons de productions et d'interactions orales. Il s'agit d'amorces qui peuvent guider l'apprenant.

DYNAMIQUE DES UNITÉS

PREMIERS TEXTES

Cette double-page permet à l'apprenant d'entrer en contact avec des documents authentiques qui vont lui permettre de découvrir l'emploi de la langue en contexte.

Elle permet un travail sur les compétences de compréhension et débouche souvent sur des interactions.

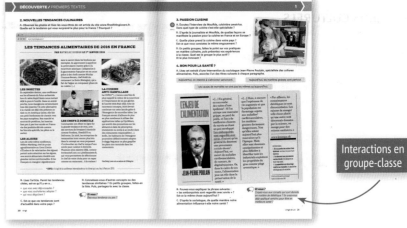

Interactions en groupe-classe

Interactions en binôme

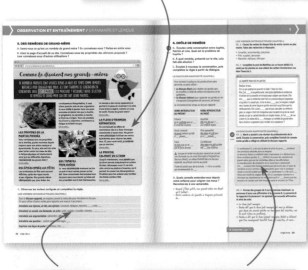

Construction de la règle de grammaire

Une colonne d'exercices permettant l'entraînement et la systématisation des points de grammaire abordés dans la double-page

OBSERVATION ET ENTRAÎNEMENT
Grammaire et lexique

Ces pages vont aider l'apprenant à découvrir un fait de langue en contexte, à construire sa règle et à se l'approprier. Dans un deuxième temps, il va pouvoir le réemployer sous différentes formes.

Lexique

Cette double page propose des activités variées et permet de réutiliser le lexique découvert dans l'unité dans différents contextes. Une carte mentale avec le lexique de l'unité permet de mémoriser le lexique de manière visuelle et de mieux se l'approprier.

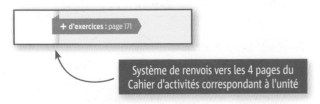

+ d'exercices : page 171

Système de renvois vers les 4 pages du Cahier d'activités correspondant à l'unité

Méthodologie

Cette double-page de méthodologie a été conçue pour aider les apprenants à acquérir des techniques utiles pour passer les épreuves du DELF ou pour suivre des études universitaires en France.

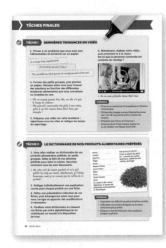

TÂCHES FINALES

Cette page propose 2 tâches distinctes qui permettent de remobiliser les compétences acquises dans l'unité. Des conseils et des exemples de productions vous aideront à mieux les mettre en place en classe.

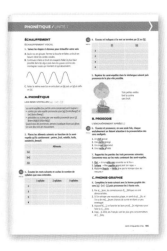

Phonétique

Un livret de 8 pages permet aux apprenants de se familiariser avec la phonétique, la prosodie et la phonie-graphie à travers des exercices d'écoute et de production.

4 quatre

REGARDS CULTURELS

Une double-page permettant de compléter ses connaissances culturelles et sociologiques et de développer ses compétences interculturelles.

DOSSIER CULTUREL

Un dossier de 9 pages pour découvrir la culture et la gastronomie de 3 villes francophones et un DOM.

LE CAHIER D'EXERCICES

32 pages de cahier d'exercices reprenant l'ensemble des points de langue vus dans les unités et structuré de la façon suivante :

- 3 pages d'exercices pour travailler les points de grammaire de chaque unité, en contexte, qui suivent la progression du livre et rebrassent le lexique et les thématiques ;

- 1 page dédiée au travail des activités langagières ;

- les audios sont disponibles en MP3 sur www.espacevirtuel.emdl.fr

Une navigation optimale grâce à un système de renvois entre le *Livre* et le *Cahier d'exercices*.

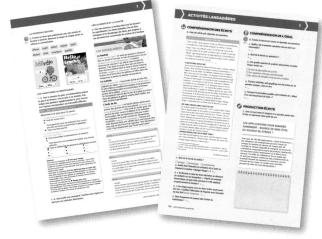

PRÉPARATION AU DELF

Un livret de 6 pages organisé par compétences pour s'entraîner efficacement à l'épreuve du DELF B2.

DOSSIER DE L'APPRENANT

Un livret de 6 pages très visuel, que l'apprenant peut facilement compléter grâce aux exemples donnés. Il permet de personnaliser son apprentissage et de mesurer ses progrès de façon ludique.

TABLEAU DES CONTENUS

UNITÉ	TYPOLOGIE TEXTUELLE	COMMUNICATION	GRAMMAIRE

DOSSIER APPRENANT

UNITÉ	TYPOLOGIE TEXTUELLE	COMMUNICATION	GRAMMAIRE
1 **LA SANTÉ DANS L'ASSIETTE**	• Couverture de magazine • Émission de radio • Interview • Article scientifique • Site Internet • Articles de magazine • Graphiques • Extrait littéraire	• Commenter des données chiffrées • Rapporter des paroles • Rapporter des informations	• Les pronoms relatifs composés • La nominalisation • Le discours rapporté • Les verbes introducteurs
2 **LE CHOC DES GÉNÉRATIONS**	• Graphiques • Articles de magazine • Paroles de chanson • Émissions de radio • Témoignages • Extrait littéraire	• Comparer • Parler du futur • Parler des relations interpersonnelles • Apprendre à résoudre un conflit	• La comparaison et les moyens lexicaux pour comparer • Le futur antérieur • L'expression de l'opposition et la concession
3 **NÉS SOUS LA MÊME ÉTOILE**	• Affiches • Vidéo • Témoignages • Sites Internet • Articles de magazines • Vignettes humoristiques • Extrait littéraire • Interview	• Argumenter • Relever des procédés humoristiques	• Le passif • L'expression de la négation et la restriction
4 **MES AMIS, MES AMOURS**	• Articles de magazine • Lettres • Psycho-test • Émission de radio • Extrait littéraire	• L'expression des sentiments • L'expression des regrets • Raconter une histoire d'amour	• L'expression des sentiments • L'expression du but • L'accord du participe passé • L'expression des regrets

DOSSIER CULTUREL

TABLEAU DES CONTENUS

UNITÉ	TYPOLOGIE TEXTUELLE	COMMUNICATION	GRAMMAIRE	
5 ELLE PLEURE, MA PLANÈTE	• Bande dessinée • Articles • Émission de radio • Extrait littéraire • Lettre ouverte • Témoignage	• Prendre position • Défendre une cause • Proposer des solutions • Exprimer son point de vue	• Les expressions impersonnelles • Les pronoms indéfinis • L'expression de la cause	
6 ENGAGEZ-VOUS !	• Prospectus • Texte littéraire • Articles • Affiches • Données chiffrées • Blog • Lettre de motivation	• Structurer son discours	• Les préfixes • Les mots composés • Les registres de langue • La règle des accents écrits	
7 (RÉ)CRÉATION	• Reproductions d'œuvres d'art • Reportage vidéo • Photographies • Articles • Texte de théâtre	• Défendre des idées • Faire une appréciation esthétique • Décrire une œuvre d'art • Exprimer son opinion, ses goûts	• L'expression de la subjectivité • Le subjonctif passé	
8 VIVRE AILLEURS	• Photographies • Texte littéraire • Témoignage • Site Internet • Émission de radio	• Parler des différentes raisons de partir vivre ailleurs • Synthétiser des informations • Raconter un récit littéraire au passé	• Le passé simple • Les marqueurs temporels : *après que, le jour où, lorsque, depuis que, chaque fois que, avant que...* • L'expression de la conséquence • Les connecteurs logiques pour exprimer la cause, le but, l'opposition, la concession (rappel)	

Parlez-nous de vous

....
....
....
....
....

Le français et vous

Les œuvres que nous allons étudier dans Entre Nous 4

Des défis avant la fin du cours ?

J'aimerais lire un livre en français,
écouter des podcasts pendant les temps
« perdus » (trajets dans les transports).....

....
....
....

Voici des mots courants
de la langue française.

CHARLATAN
architecture dune
cafétéria pyjama
orthographe CINÉMA
jupe pantalon
banane handball
aubergine bistrot

À votre avis, de quelles langues viennent-ils ?

arabe | espagnol | hollandais | allemand | italien | grec | portugais | russe | persan | anglais

Cherchez d'autres mots français qui viennent d'autres langues.

« Humour » vient de l'anglais.

es cartes mentales ça sert à quoi?

MÉMORISER LES MOTS DE VOCABULAIRE :

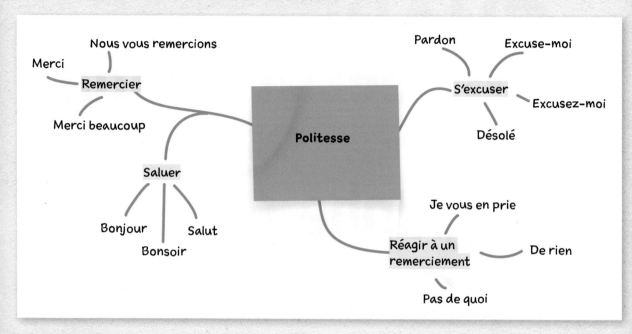

RÉVISER UNE RÈGLE DE GRAMMAIRE :

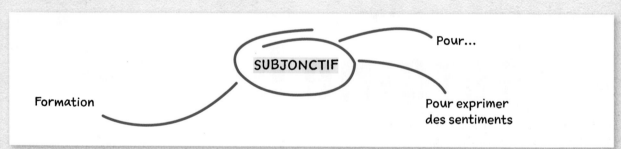

PRENDRE DES NOTES :

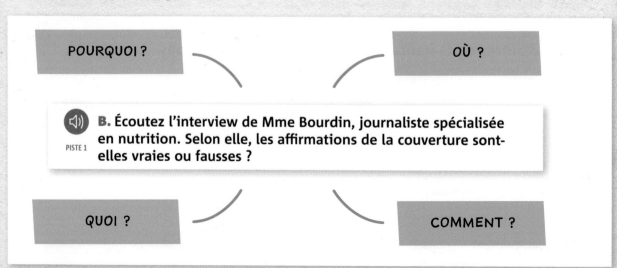

B. Écoutez l'interview de Mme Bourdin, journaliste spécialisée en nutrition. Selon elle, les affirmations de la couverture sont-elles vraies ou fausses ?

PISTE 1

PRÉPARER UNE ARGUMENTATION :

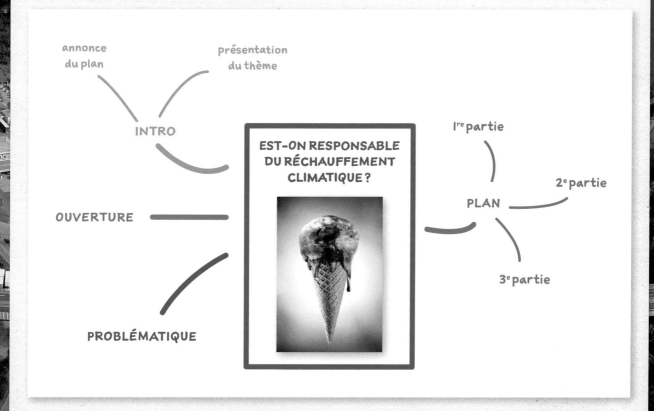

AUTRES EXEMPLES :

- Écrire un récit.
- Prendre des notes dans une réunion.
- Acheter les cadeaux de Noël.
- Préparer une fête d'anniversaire.

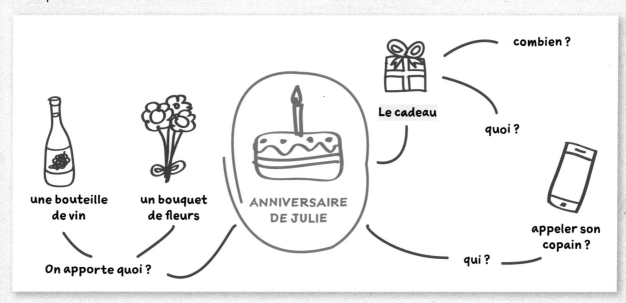

Mon créa-collage

Yu Zhang

Prenez des magazines, journaux, prospectus en français. Découpez des images, des mots et des phrases qui vous plaisent. Assemblez-les en essayant de créer des associations entre les mots et les images. Jouez avec les mots et leur sens. Laissez s'exprimer votre créativité et faites vivre votre français !

Moi : ....

Prenez des magazines, journaux, prospectus en français. Découpez des images, des mots et des phrases qui vous plaisent. Assemblez-les en essayant de créer des associations entre les mots et les images. Jouez avec les mots et leur sens. Laissez s'exprimer votre créativité et faites vivre votre français !

SITES UTILES POUR PROGRESSER EN FRANÇAIS :

- ...
- ...
- ...
- ...
- ...

LIVRES ET BD FRANCOPHONES QUE JE VOUDRAIS LIRE :

- ...
- ...
- ...
- ...
- ...

SÉRIES QUE J'AIMERAIS BIEN REGARDER :

- ...
- ...
- ...
- ...
- ...

FILMS À VOIR :

- ...
- ...
- ...
- ...
- ...

SITES, BLOGS FRANCOPHONES QUE J'AIME :

- ...
- ...
- ...
- ...
- ...

Téléchargez gratuitement ce dossier sur espacevirtuel.emdl.fr

LA SANTÉ DANS L'ASSIETTE

 + DE RESSOURCES SUR
espacevirtuel.emdl.fr

— Des activités autocorrectives (grammaire / lexique / culture / CE / CO)
— La carte mentale de l'unité à compléter

LA REVUE DU BIEN-ÊTRE

N° 18 - OCTOBRE 2016

DOSSIER : LA SANTÉ DANS L'ASSIETTE

La banane fait grossir

Les épinards sont riches en fer

Les crudités sont un excellent coupe-faim

Le basilic aide à lutter contre les troubles digestifs

Le citron acidifie notre organisme

Un verre de vin par jour, c'est bon pour la santé

Le chocolat fait du bien au moral

Les yaourts à 0 % ne sont pas réellement maigres

Le café ne combat pas la fatigue

L'avocat n'est pas diététique

10 IDÉES REÇUES QUI ONT LA VIE DURE DANS NOS ASSIETTES

> **"La nature offre à la fois ce qui nourrit le corps et le guérit, émerveille l'âme, le cœur et l'esprit."**

Pierre Rabhi, agriculteur, écrivain et philosophe français, XXIᵉ siècle

1. UN ESPRIT SAIN DANS UN CORPS SAIN

A. Observez la couverture de *La Revue du bien-être*. Êtes-vous d'accord avec les affirmations présentées ? Sont-elles connues dans votre pays ?

- Oui, c'est ce qu'on dit dans mon pays pour le chocolat et, quand j'en mange, je me sens toujours mieux après.

B. Écoutez l'interview de Mme Bourdin, journaliste spécialisée en nutrition. Selon elle, les affirmations de la couverture sont-elles vraies ou fausses ?

PISTE 1

C. Associez les aliments suivants à leurs vertus, d'après Mme Bourdin.

Le basilic	a / ont des vertus anticancéreuses
L'avocat	donne(nt) une sensation de satiété
Le café	combat(tent) les problèmes cardiovasculaires
Les crudités	favorise(nt) la digestion
Le vin	nous met(tent) de bonne humeur
Le citron	est / sont riche(s) en vitamines B et C
Les épinards	soulage(nt) les brûlures d'estomac

D. En petits groupes, complétez la carte mentale suivante avec des aliments différents de ceux qui font la couverture de la revue. Puis mettez vos cartes en commun.

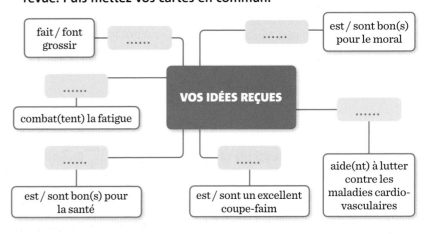

Et vous ?
De quels aliments raffolez-vous ? Sont-ils bons ou mauvais pour votre santé ?

2. NOUVELLES TENDANCES CULINAIRES

A. Observez les photos et lisez les sous-titres de cet article du site www.finedininglovers.fr. Quelle est la tendance qui vous surprend le plus pour la France ? Pourquoi ?

www.finedininglovers.fr

LES TENDANCES ALIMENTAIRES DE 2016 EN FRANCE

PAR MATHILDE BOURGE LE 1ER JANVIER 2016

LES INSECTES

En septembre dernier, une conférence sur les aliments du futur orchestrée lors du salon Rapid Resto nous mettait déjà la puce à l'oreille. Dans un avenir proche, nous mangerons certainement tous des insectes ! Si cette alternative à la viande est déjà très présente en Asie ou en Amérique latine, elle fait son petit bonhomme de chemin vers les pays européens. Bon marché et sources de protéines, les insectes font peu à peu leur entrée en France via des produits dérivés comme les biscuits apéritifs, les pâtes ou le surimi.

LES ALGUES

Lors de cette même conférence, Hélène Marfaing, chef de projet agroalimentaire au Ceva (Centre d'Études et de valorisation des algues) portait notre attention sur les algues, une source alimentaire durable aux grandes vertus nutritionnelles. Si les Français en mangent régulièrement sans le savoir (dans les bonbons par exemple), ils apprennent à apprécier la petite plante marine grâce à la nourriture asiatique. L'adaptation à la gastronomie française est en cours grâce à des chefs comme Nicolas Conraux-Becam, chef étoilé du restaurant La Butte (Bretagne), qui a fait de l'algue un composant phare de sa cuisine. [...]

LES CHEFS À DOMICILE

Commander son dîner en ligne fut la grande tendance de 2015, avec des services de livraison à domicile comme Foodora, UberEATS ou Deliveroo. En 2016, les entreprises de restauration iront encore plus loin dans le concept en vous proposant d'embaucher un chef le temps d'une soirée pour cuisiner à domicile. Plusieurs sites existent déjà, comme Invite1chef.com ou Labelleassiette.fr, qui vous permettent de sélectionner le chef de votre choix pour un repas comme au restaurant... à la maison !

LA CUISINE ANTI-GASPILLAGE

La COP21* [...] nous a une fois de plus rappelé la valeur de la nourriture et l'importance de ne pas gâcher. Si l'année 2015 était déjà riche de nouveaux concepts, 2016 devrait continuer sur cette lancée grâce à l'émergence de nouvelles idées. Les Français seront d'ailleurs de plus en plus nombreux à utiliser des applications telles qu'OptiMiam, qui avertit des promotions sur les aliments à date de péremption imminente ou invite à se rendre dans des restaurants responsables [...]. Enfin, les habitants de l'Hexagone pourraient définitivement adopter le *doggy bag* pour ne plus gaspiller les plats non terminés dans les restaurants.

Fine Dining Lovers est un webzine de S.Pellegrino

* **COP21 :** il s'agit de la conférence internationale sur le climat qui a eu lieu à Paris en 2015

B. Lisez l'article. Parmi les tendances citées, est-ce qu'il y en a...

• que vous avez déjà essayées ?
• que vous souhaiteriez adopter ?
• qui vous dégoûtent ?

C. Est-ce que ces tendances sont d'actualité dans votre pays ?

D. Connaissez-vous d'autres concepts ou des tendances similaires ? En petits groupes, faites-en la liste. Puis, partagez-la avec la classe.

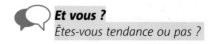

Et vous ?
Êtes-vous tendance ou pas ?

3. PASSION CUISINE

PISTE 2

A. Écoutez l'interview de Moufida, cuisinière amatrice. Dans quel type de cuisine s'est-elle spécialisée ?

B. D'après le journaliste et Moufida, de quelles façons se manifeste la passion pour la cuisine en France et en Europe ?

C. Quelle place prend la cuisine dans votre pays ? Est-ce que vous constatez le même engouement ?

D. En petits groupes, faites le point sur vos pratiques en matière culinaire, puis présentez vos expériences à la classe. Quel est le groupe le plus actif ? Et le plus innovant ?

4. BON POUR LA SANTÉ ?

A. Lisez cet extrait d'une intervention du sociologue Jean-Pierre Poulain, spécialiste des cultures alimentaires. Puis, associez l'un des titres suivants à chaque paragraphe.

Aujourd'hui, on cherche à s'alimenter sainement.

Aujourd'hui, les matières grasses sont partout.

Les causes de mortalité ne sont pas les mêmes aujourd'hui.

L'ENJEU DE L'ALIMENTATION

JEAN-PIERRE POULAIN

« [...] En général, on succombe des suites d'une épidémie[1]. Si l'on attrape une mauvaise grippe, on perd du poids, et l'on a de meilleures chances de survie en étant un peu enveloppé. Les embonpoints sont regardés avec envie, d'autant qu'en général ils dénotent une provenance sociale élevée[2]. Aujourd'hui, on meurt de maladies cardiovasculaires, de cancers, de dégénérescence. Or, dans le cadre de ces maux, l'alimentation joue un rôle dans la préservation de la santé. »

« [...] Mais, à mesure que l'espérance de vie augmente et que la population est davantage sujette aux maladies[3] cardiovasculaires, les matières grasses deviennent dangereuses. Non qu'elles soient aujourd'hui plus mauvaises qu'à l'époque. Mais elles sont devenues omniprésentes et plus difficiles à identifier tant les industriels exploitent les propriétés du gras comme piège aromatique. »

« Par ailleurs, les connaissances diététiques se sont démocratisées. Les raisons de manger telle chose plutôt qu'une autre sont désormais données par la science, on mange pour des raisons sanitaires. »

www.letemps.ch

DÉFINITIONS
1. On succombe des suites d'une épidémie : on meurt à cause d'une épidémie.
2. Ils dénotent une provenance sociale élevée : ils indiquent un haut rang social.
3. La population est davantage sujette aux maladies : la population développe plus de maladies.

Tiré d'un article de Rinny Gremaud
Publié le 28 décembre 2012

B. Pouvez-vous expliquer la phrase suivante : « les embonpoints sont regardés avec envie » ? Est-ce la même chose aujourd'hui ?

C. D'après le sociologue, de quelle manière notre alimentation influence-t-elle notre santé ?

 Et vous ?
Croyez-vous aux conseils qui sont donnés en matière de diététique ? En avez-vous déjà appliqué certains pour être en meilleure santé ?

5. DES REMÈDES DE GRAND-MÈRE

A. Savez-vous ce qu'est un remède de grand-mère ? En connaissez-vous ? Parlez-en entre vous.

B. Lisez la page d'accueil de ce site. Connaissez-vous les propriétés des aliments proposés ? Leur connaissez-vous d'autres utilisations ?

www.commeledisaientnosgrandsmeres.en

Comme le disaient nos grands-mères

DE NOMBREUX PRODUITS SONT UTILISÉS DEPUIS LA NUIT DES TEMPS COMME REMÈDES NATURELS POUR SOULAGER NOS MAUX. ILS SONT TRANSMIS DE GÉNÉRATION EN GÉNÉRATION. VOUS **VOUS DEMANDEZ** S'ILS MARCHENT ? DÉCOUVREZ NOTRE SÉLECTION DE REMÈDES DE GRAND-MÈRE QUI ONT FAIT LEURS PREUVES...

LES POUVOIRS DE LA MENTHE POIVRÉE

Vous connaissez tous les propriétés de la menthe, plante reconnue depuis toujours pour son action tonique et dynamisante. En plus, elle est très utile pour lutter contre les maux de tête, la fatigue physique et intellectuelle ainsi que les difficultés digestives, s'exclamerait ma grand-mère !

Lire la suite...

DES ÉPICES APRÈS LES FÊTES

Les lendemains de fête sont souvent difficiles, après des repas lourds et peu digestes. Nos grands-mères rétorqueront que, pour éviter des conséquences désagréables, il vaut mieux prendre soin de son organisme. Je vous **invite** à ajouter dans vos plats aromates et épices tels que le basilic, le gingembre, la cannelle, le laurier, le thym ou l'origan. Tous ces produits favorisent la digestion, combattent la fatigue et évitent les gaz.

Lire la suite...

DES TOMATES POUR GUÉRIR

Je vous **recommande** vivement de lire ce post si vous voulez passer un bel été. Vous consommez des tomates tous les jours sans vous douter qu'elles ont des propriétés tout à fait intéressantes. La tomate a des vertus apaisantes et permet à la peau de cicatriser à la suite d'une brûlure légère, comme un coup de soleil. Parole de grand-mère !

Lire la suite...

LA FLEUR D'ORANGER RÉPARATRICE

On connaissait les effets de somnolence liés à la fleur d'oranger consommée à haute dose. Ma grand-mère préconisait d'utiliser ses vertus hydratantes pour réparer les pieds secs. Et, pour avoir testé, je **confirme** que ça marche !

Lire la suite...

LE POUVOIR CALMANT DU CITRON

Jusqu'à maintenant, vous pensiez que le citron servait uniquement en cuisine. Eh bien, détrompez-vous ! Il est très utile contre les piqûres d'insectes, car il permet de calmer les démangeaisons. N'oubliez pas d'en acheter pour profiter des belles soirées d'été.

Lire la suite...

C. Observez les verbes surlignés et complétez la règle.

LES VERBES INTRODUCTEURS (RAPPEL)

Dans le **discours rapporté**, on emploie souvent le verbe *dire* pour introduire le discours.
On peut utiliser d'autres verbes pour apporter une nuance à ses propos.

Introduire une réponse, un fait, une opinion : *annoncer, répliquer, répondre, ..., croire, ...*

Introduire un conseil, une demande, un ordre : *prier, supplier, conseiller, interdire, ..., ..., ...*

Introduire une argumentation : *démontrer, affirmer, ...*

Introduire une question : *vouloir savoir, s'interroger, ...*

Exprimer une façon de parler : *chuchoter, crier, ...*

6. DRÔLE DE REMÈDE

PISTE 3

A. Écoutez cette conversation entre Sophie, Patrick et Lola. Quel est le problème de Sophie ?

B. À quel remède, présenté sur le site, Lola fait-elle allusion ?

C. Écoutez à nouveau la conversation, puis complétez la règle à partir du dialogue.

LE DISCOURS RAPPORTÉ (RAPPEL)

Pour raconter à quelqu'un les paroles d'une autre personne, on peut utiliser :

- **Le discours direct** pour répéter ses paroles sans les modifier, à l'aide de verbes introducteurs et de guillemets.
- **Le discours indirect** pour rapporter ses paroles en les transposant (changement de personne, de temps).

La concordance des temps au discours rapporté

VERBE INTRODUCTEUR AU PRÉSENT	VERBE INTRODUCTEUR AU PASSÉ
Présent *Je te confirme que ça .... à cicatriser la peau.*	Imparfait *Elle m'a dit que c'.... une brûlure légère.*
Passé composé *Je pense surtout qu'elle n'....jamais....*	Plus-que-parfait *Ma mère m'a dit que ça n'....jamais....*
Futur *Je crois que ça ne .... pas te faire de mal.*	Conditionnel *[Ma mère m'a dit] qu'elle me .... une cicatrice.*

⚠ Lorsque le verbe introducteur reprend un conseil, une demande ou un ordre (formulés à l'impératif au discours direct), on utilise l'infinitif dans le discours rapporté, au présent comme au passé.

Frotte-toi plutôt avec de la tomate. → *J'ai lu un article qui recommandait de ....*

D. Quels conseils entendez-vous depuis votre enfance pour soigner vos maux ? Racontez-les à vos camarades.

- Quand j'étais petit, ma grand-mère me disait qu'il fallait...
- Notre médecin de famille a toujours préconisé de...

LES VERBES INTRODUCTEURS (RAPPEL)

EX. 1. Classez les verbes de chaque liste du moins neutre au plus neutre. Faites des recherches si nécessaire.

- Conseiller, recommander, préconiser
- Prier, supplier, demander
- Répondre, répliquer, rétorquer

EX. 2. Complétez le post de Matthieu sur ce forum dédié à la santé par les plantes en vous aidant des verbes introducteurs vus dans l'exercice 1.

LA SANTÉ PAR LES PLANTES

Bonjour à tous,
Est-ce que quelqu'un pourrait m'aider ? Voici les faits.
Hier, j'ai ...... à ma petite amie, tout juste diplômée en médecine, d'utiliser de la cannelle en infusion pour soigner son rhume. Elle m'a ...... que la médecine avait fait ses preuves depuis longtemps et qu'elle n'y croyait pas. Je lui ai alors ...... que j'ai toujours soigné mes rhumes de cette façon et qu'elle marchait aussi bien que les médicaments. Elle a alors ...... que ne pas consulter un médecin pour se soigner était très dangereux pour la santé et qu'on ne savait jamais ce qui se cachait derrière un simple rhume. Je l'ai ...... de me croire et j'ai même dû la ...... d'essayer ce remède de grand-mère. Qui a d'autres arguments pour m'aider à la convaincre ?

LE DISCOURS RAPPORTÉ (RAPPEL)

PISTE 4

EX. 3. Marie a assisté à une réunion de professionnels de la santé. Écoutez la conversation, puis complétez l'extrait du compte rendu qu'elle a rédigé en utilisant le discours rapporté.

Le professeur G. a dit que de plus en plus de gens .... (utiliser) des produits naturels pour se soigner.
Le docteur Heras a confirmé cette impression et a déclaré que, dans un futur proche, il .... (falloir) recenser les remèdes de grand-mère qui ont de véritables effets et les officialiser.
Le représentant du ministère de la Santé leur a demandé s'il .... (exister) des études statistiques sérieuses sur ce type de remèdes et les a invités à .... (enquêter) pour voir si quelque chose avait été publié sur le sujet. Le professeur G. a dit qu'il .... (lire) une étude en anglais datée d'il y a quelques années et a rétorqué au représentant du ministère qu'il n' .... (avoir) pas les moyens de mener une telle enquête sans le soutien de l'État.

EX. 4. Formez des groupes de 3 ou 4 personnes maximum. La personne A lance une affirmation à la personne B. La personne B la rapporte à la personne C en ajoutant une nouvelle affirmation et ainsi de suite.

- Le chou fait maigrir.
- Paola dit que le chou fait maigrir, et moi je déclare que dans un avenir proche on mangera des insectes, car ils sont riches en protéines.
- Paola a dit que le chou faisait maigrir, Nabil a déclaré que l'on mangerait bientôt tous des insectes, et moi...

+ d'exercices : page 171

7. UNE NOUVELLE PRATIQUE ALIMENTAIRE

A. Observez le menu et le logo du restaurant Belle Campagne. Est-ce qu'il vous fait envie ? Pourquoi ?

B. Lisez l'article de la revue *Les Gastronomes*. Selon le texte, que signifie « consommer responsable » ? Et pour vous ?

LES GASTRONOMES

UN RESTAURANT ENGAGÉ

Le végétarisme comme le végétalisme sont deux pratiques alimentaires auxquelles nous sommes habitués depuis longtemps. Plus récemment, on a découvert les flexivores, pour lesquels limiter sa consommation de viande permet de préserver sa santé et la biodiversité. Mais connaissez-vous les locavores ?

« Le locavore est une personne prônant la consommation de nourriture produite dans un rayon de 250 kilomètres autour de son domicile pour contribuer au développement durable. » Respectueux de cette citation affichée dans sa vitrine, le restaurant bordelais Belle Campagne, dans lequel nous nous sommes rendus, sélectionne des produits frais de saison auprès des producteurs locaux tout au long de l'année. Manger local et de saison séduit de plus en plus de personnes soucieuses de « consommer responsable ». Ce qui ne signifie pas pour autant abandonner sa vie sociale : les restaurants locavores se développent en France et ils ont de belles années devant eux.

Ce que nous avons aimé :
- les plats savoureux à propos desquels on pourrait discuter des heures tant ils sont raffinés, originaux et excellents ;
- un goût prononcé pour les belles choses : dans votre assiette ou sur les murs.
- le menu, rédigé en français et en gascon, qui change tous les deux mois.

NOTRE PRONOSTIC : On succombera rapidement à cette nouvelle tendance.

AU COMPTOIR - AU TAULÈIR

*plats végétariens

Seteme / Octobre 2016

Frites à la graisse de canard et son aïoli maison - 4,5 €
Famille Marchanseau, la ferme du ruisseau au Haillan (33).

Frites façon Belle Campagne (jus de viande et persillade) - 5,5 €
Famille Marchanseau, la ferme du ruisseau au Haillan (33).

Tomate de plein champs fumée, piment doux des Landes frit et coulis de poivron (v*) - 5 €
Jardin d'Ethan à Eysines (33), Jardin d'Étienne à Bordeaux.

Espuma de maïs acidulée, pain de maïs et maïs grillé (v*) - 5 €
Jon Harlouchet à Bussunarits (64, Marchés du Lot-et-Garonne, Ferme de Tartifume à Pessac).

Rillettes maison ou terrine de cochon fermier du coin, cornichon maison d'Eysines - 6,5 €
Boucherie de la Métropole à Mérignac (33) ou Louis Ospital à Hasparren (64).

Coeurs de canards d'Auros en persillade, déglacés au floc de Gascogne, purée d'oignons grillés - 6,5 €
Coopérative Palmagri à Auros (33).

Tartare de poisson de nos côtes à huile d'olive de Cordes-sur-Ciel - 7 €
Eric Bousquet, collecteur sur petits bateaux à Royan (17), Pascal Legouet à Cordes-sur-Ciel (81).

Magret d'Auros légèrement fumé et cuit doucement, condiment de saison - 8 €
Coopérative Palmagri à Auros (33).

Poulpe de Guetaria grillé, mousse de ratatouille, pickles de légumes - 9 €
Conservas Salanort à Guetaria (Pays Basque Espagnol).

Belle Campagne
cuisine engagée & finger food

C. Observez les formes surlignées. Pouvez-vous expliquer comment elles se construisent ? Puis complétez la règle.

LES PRONOMS RELATIFS COMPOSÉS

Les pronoms relatifs composés sont : ..... / *laquelle* / ..... / *lesquelles*. Il sont souvent précédés de prépositions telles que : *auprès de, chez, contre, de, en, par, sans, sous, ..., ..., ...*

Ils s'accordent en genre et en nombre avec le nom qui les précède.

Ex : *Le restaurant dans .... nous nous sommes rendus...*

⚠ Lorsqu'ils sont précédés des prépositions .... et ....,ils changent de forme.

de : *duquel, ..., ..., ...*

à : *auquel, ..., ..., ...*

D. Choisissez l'une des pratiques alimentaires citées dans l'article et regroupez-vous en fonction de vos choix. Discutez des raisons pour lesquelles cette pratique vous séduit ou non. Puis, rédigez un post pour exprimer le point de vue de votre groupe.

Nous avons décidé de vous parler du végétalisme.

Le végétalisme ne nous plaît pas parce que c'est difficile de l'appliquer en société.

Les plats dans lesquels il n'y a aucun produit issu des animaux sont très rares. La défense des animaux et l'écologie sont des valeurs auxquelles nous croyons, mais...

Et vous ?
Quand vous choisissez un restaurant, faites-vous attention à la provenance des produits ?

8. IL Y EN A POUR TOUS LES GOÛTS

A. Lisez ces extraits d'articles. Pensez-vous qu'on puisse associer la restauration rapide avec une alimentation saine ?

B. D'après ces extraits, qu'est-ce qui fait la popularité des burgers en France ?

C. Observez les titres des articles, puis complétez la règle.

AUGMENTATION DE LA CONSOMMATION DE BURGERS EN FRANCE
La France a franchi le seuil du milliard de burgers consommés par an (1,19 milliard en 2015). Le traditionnel jambon-beurre sera bientôt détrôné par le burger : s'inscrivant dans la tendance du « fast good » (l'art de manger vite et bien), les chefs le déclinent à toutes les saveurs. Ils portent une attention particulière à la qualité des produits qui le composent et n'hésitent pas à faire appel à des nutritionnistes.

BURGERS : LA CRÉATIVITÉ S'EMPARE DES CHEFS
Un zeste d'originalité, et voici des burgers revisités par les grands chefs pour notre plus grand plaisir. Rouges, noirs, bio, il y en a pour tous les goûts et dans la plupart des restaurants. On apprécie la diversité des produits utilisés ainsi que les recettes maison qui font toute la différence, mais aussi la réputation des restaurateurs.

LA NOMINALISATION

- Le nombre de burgers que l'on consomme en France augmente. → *Augmentation de la consommation de burgers en France.*
- Les chefs deviennent de plus en plus créatifs. → *La créativité s'empare des chefs.*

Pour former un nom à partir d'un adjectif ou d'un verbe, on utilise le radical auquel on ajoute un suffixe.

Nominalisation à partir d'un verbe
Les suffixes les plus employés sont : *-age, -ment/-ement, -ition /-ion/ -tion/-ation, -ure.*

Verbe d'action	Radical du verbe	Suffixe	Nom
augmenter	augment-	-....	l'....

Nominalisation à partir d'un adjectif
Les suffixes les plus employés sont : *-ce, -ité/-té, -esse, -ise, -eur, -isme.*

⚠ Les noms issus des adjectifs sont tous féminins, sauf les noms formés avec le suffixe *-isme.*

D. Réfléchissez aux lieux de restauration que vous appréciez, puis formez deux équipes et choisissez l'un de ces lieux. L'équipe A lance l'un des mots suivants à l'équipe B, qui doit défendre son lieu de restauration en utilisant la nominalisation. Puis, c'est au tour de l'équipe B.

original	apparaître	varié	réputer

facile	composer	riche	important

transformer	divers

- Ce qu'on apprécie dans la cuisine de rue, c'est la diversité des plats proposés.

LES PRONOMS RELATIFS COMPOSÉS

EX. 1. Sur son blog, Jérôme donne son point de vue en images sur différentes pratiques alimentaires qu'il a testées. Complétez les légendes de ses photos avec un pronom relatif composé, précédé ou non d'une préposition.

Le régime sans gluten, un régime ... j'ai dû renoncer au pain.
LIRE LA SUITE

Les restaurants locavores, des restaurants .... la cuisine constitue un véritable engagement.
LIRE LA SUITE

Le régime flexivore, le régime alimentaire .... je crois.
LIRE LA SUITE

Le végétalisme, une pratique .... je ne suis pas d'accord.
LIRE LA SUITE

EX. 2. Complétez les questions suivantes avec un pronom relatif composé, précédé ou non d'une préposition, et répondez-y.

- Quelles sont les raisons .... vous défendriez ou combattriez la pratique omnivore ?
- Quels sont les produits .... vous pensez quand on vous parle d'alimentation végétalienne ?
- Quelle est la pratique alimentaire .... vous êtes le plus attaché(e) ?
- Quel est le restaurant .... vous allez le plus souvent ? Est-il locavore ?

LA NOMINALISATION

EX. 3. Donnez un titre aux extraits suivants en utilisant la nominalisation.

1. Le succès de la cuisine de rue est dû aux plats <u>variés</u> qu'elle propose.
2. Les chefs sont attentifs aux produits qui <u>composent</u> leurs burgers.
3. Le concept de fast good <u>s'est développé</u> auprès de consommateurs soucieux de s'alimenter sainement.

EX. 4. Transformez cette critique de restaurant parue sur TripAdvisor en nominalisant les mots surlignés.

> *"Une belle surprise"*
>
> ⦿⦿⦿⦿○ 26 septembre 2016
>
> J'étais sceptique en arrivant, mais j'ai été très agréablement surpris car les serveurs étaient tous très <u>gentils</u> et <u>professionnels</u>, et la cuisine, <u>excellente</u>. Ce que j'ai particulièrement apprécié :
> – le menu qui <u>change</u> toutes les semaines,
> – les plats bien <u>présentés</u>,
> – la cuisine <u>originale</u> et <u>raffinée</u>.

J'ai été très agréablement surpris par la gentillesse et le...

▶ **d'exercices :** pages 172 - 173

9. ANALYSER UN GRAPHIQUE

A. Observez le graphique qui illustre cette étude de l'Insee. Que vous indiquent les éléments suivants ?

couleurs   axe vertical   axe horizontal

B. En petits groupes, répondez aux questions suivantes.

- Qu'est-ce qui a augmenté ?
- Qu'est-ce qui a diminué ?
- Qu'est-ce qu'on consomme le plus et le moins aujourd'hui ? Et en 1960 ?

C. Quelles conclusions pouvez-vous tirer après l'analyse de ce graphique ? Parlez-en en petits groupes.

- On constate que la consommation de plats préparés en France reste faible...

D. Cette analyse est-elle représentative de votre propre consommation ?

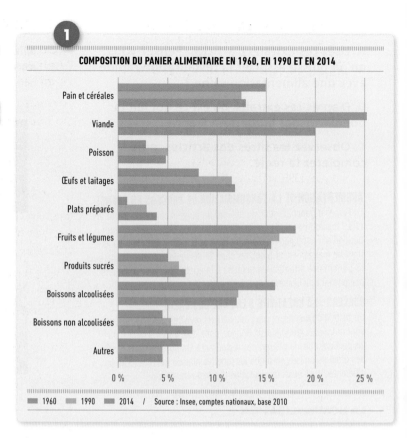

① COMPOSITION DU PANIER ALIMENTAIRE EN 1960, EN 1990 ET EN 2014

Pain et céréales / Viande / Poisson / Œufs et laitages / Plats préparés / Fruits et légumes / Produits sucrés / Boissons alcoolisées / Boissons non alcoolisées / Autres

0 %   5 %   10 %   15 %   20 %   25 %

■ 1960   ■ 1990   ■ 2014 / Source : Insee, comptes nationaux, base 2010

---

② Cinquante ans de consommation alimentaire : une croissance modérée, mais de profonds changements

Depuis 1960, les ménages consacrent à l'alimentation une part de plus en plus réduite de leur dépense de consommation : 20 % en 2014, contre 35 % en 1960. [...] La viande, les fruits et légumes, les pain et céréales et les boissons alcoolisées progressent moins vite que les autres produits alimentaires. Ils cèdent notamment du terrain aux produits sucrés et aux plats préparés. [...]

De moins en moins de viande dans le panier alimentaire

Les ménages ont profondément modifié leur panier alimentaire depuis les années 1960 : la part des trois principaux postes (viande, fruits et légumes, pain et céréales) recule régulièrement. La part de la viande diminue depuis les années 1980 et n'atteint plus que 20 % en 2014, contre 26 % à son apogée, en 1967 ; la viande reste toutefois la principale dépense du panier alimentaire en 2014. Ce recul provient à la fois de volumes et de prix moins dynamiques que ceux des autres composantes du panier. Les crises sanitaires, récurrentes depuis 1996, ont aussi affecté la consommation, mais dans une moindre mesure : les consommateurs délaissent alors la viande incriminée pour se reporter sur d'autres viandes. Ainsi, lors de la crise de la vache folle, en 1996, la consommation de bœuf a chuté (– 8 % en valeur et en volume par habitant), tandis que celle de cheval a bondi de plus de 12 % en valeur et en volume et celle de volaille, de 6 % en valeur (+ 3,8 % en volume). Les boissons alcoolisées et les fruits et légumes occupent, en 2014, une part plus réduite dans le panier qu'en 1960. Il en est de même pour le budget global « pain et céréales » (13 % en 2014, contre 15 % en 1960) : la consommation de pain en volume diminue tandis que celle des autres produits à base de céréales augmente. À l'inverse, certaines dépenses prennent de plus en plus de place au sein du panier alimentaire : c'est le cas des plats préparés, des produits sucrés et des boissons non alcoolisées. Après avoir pris de l'ampleur entre 1960 et 1990 sous l'effet des hausses de prix, la part de la consommation en œufs et laitages ainsi qu'en poisson stagne depuis les années 1990.

Source : Insee Première – N° 1568, paru le 09/10/2015

Brigitte Larochette et Joan Sanchez-Gonzalez, division Synthèses des biens et services, Insee.

10. COMMENTER ET EXPLIQUER DES DONNÉES CHIFFRÉES

A. Lisez le commentaire associé au graphique. Les auteurs donnent-ils un avis personnel ? Pourquoi ?

B. Observez les expressions surlignées en jaune et classez-les selon qu'elles indiquent :

- une augmentation
- une baisse

C. Remplacez chaque mot surligné en bleu par l'un des connecteurs suivants :

par conséquent   au contraire

en particulier   néanmoins

alors que

D. Observez les phrases suivantes. À quelle étape (observer / décrire / expliquer) du commentaire de graphique correspondent-elles ?

- Ce recul provient à la fois de volumes et de prix moins dynamiques que ceux des autres composantes du panier. Les crises sanitaires, récurrentes depuis 1996, ont aussi affecté la consommation, mais dans une moindre mesure.

- La part de la viande diminue depuis les années 1980 et n'atteint plus que 20 % en 2014.

LES ÉTAPES DE L'ANALYSE DE DONNÉES CHIFFRÉES

OBSERVER
- les titres
- les sources
- l'auteur
- les unités de mesure
- les dates

DÉCRIRE
- les faits dominants (ou la tendance globale)
  Ex. : *de moins en moins de viande dans le panier alimentaire*
- les répartitions
  Ex. : *La viande [...] n'atteint plus que 20 % en 2014*
- les écarts significatifs (hausse, baisse, stagnation)

EXPLIQUER
- les causes et les conséquences à partir de connaissances personnelles
  Ex. : *Ainsi, lors de la crise de la vache folle, en 1996, la consommation de bœuf a chuté.*

LE LEXIQUE POUR COMPARER DES DONNÉES CHIFFRÉES

Les chiffres nous montrent que...
On constate que...
On remarque...
On peut voir que...

11. C'EST À VOUS

A. Observez le schéma suivant. De quelle année s'agit-il ? Quels sont les principaux chiffres à retenir ? Comment sont-ils mis en valeur ?

B. Quelle est la tendance générale décrite par ce schéma ? Que pouvez-vous remarquer par rapport aux chiffres de 2015 ?

C. Comment pouvez-vous expliquer cette évolution ? Aidez-vous de vos connaissances sur le sujet et faites des recherches si nécessaire.

D. En petits groupes, choisissez l'un des titres suivants, puis rédigez un commentaire pour le schéma tout en respectant l'orientation donnée par le titre choisi.

> La fin du jambon-beurre ?

> Le jambon-beurre reste le sandwich préféré des Français

> Le sandwich traditionnel a encore de beaux jours devant lui

> Le burger détrône le jambon-beurre

3

Le burger rattrape le jambon-beurre
En France, en 2013
970 millions de burgers sur **2,14 milliards de sandwichs**

655
Restauration rapide
(McDonald's, Quick)

247
Service à table
(restauration traditionnelle)

47
Restauration d'entreprise

21
Restauration d'hôtel

1 burger pour...
... 9 sandwichs, en 2000
... 7 sandwichs, en 2007
... 2 sandwichs, en 2013

75 %
des 110 000 restaurants traditionnels **français** proposent au moins un burger à la carte

CHIFFRES 2015
1,19 milliard **de burgers**, contre 2,26 milliards **de sandwichs** dont 1,23 milliard **de jambon-beurre**

Gira conseil

LA SANTÉ

1. Choisissez un produit ou un aliment que vous consommez, puis justifiez cette habitude en utilisant au moins deux des expressions suivantes. Faites des recherches si nécessaire.

être riche en | avoir des vertus | être constitué de

aider à combattre | être conseillé | être recommandé

permettre de lutter contre | contenir

2. Complétez ces questions avec l'un des verbes suivants. Répondez-y, puis discutez-en entre vous.

alimenter | dégoûter | raffoler | succomber

1. De quels aliments ..... -vous ?
2. Quel aliment vous ..... le plus ?
3. Comment faites-vous pour vous ..... sainement ?
4. À quelle mode alimentaire avez-vous déjà ..... ?

ANALYSER DES DONNÉES CHIFFRÉES

3. Observez ce schéma, puis commentez-le en utilisant les expressions suivantes. Complétez le titre selon vos conclusions.

diminuer | céder du terrain | progresser | augmenter

prendre de plus en plus de place | atteindre

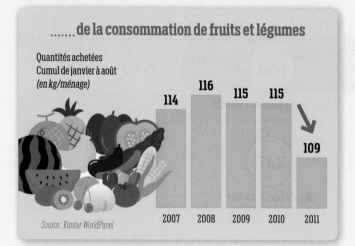

...... de la consommation de fruits et légumes

Quantités achetées
Cumul de janvier à août
(en kg/ménage)

114 | 116 | 115 | 115 | 109
2007 | 2008 | 2009 | 2010 | 2011

Source : Kantar WorldPanel

AU FIL DE L'UNITÉ

4. A. Lisez les expressions idiomatiques suivantes. Cherchez leur signification. Existe-t-il un équivalent dans votre langue ?

manger sur le pouce | depuis la nuit des temps

faire son petit bonhomme de chemin | mettre la puce à l'oreille

avoir de belles années devant soi | continuer sur sa lancée

4. B. Complétez ces affirmations avec les expressions de l'activité 4A.

1. Certains aliments sont mal-aimés. Pourtant, ils sont excellents pour la santé. C'est le cas de l'oignon, qui est utilisé ..... pour ses vertus nutritionnelles et antioxydantes.
2. Testez la cuisine de rue ! L'idée .... grâce au développement des food trucks. On peut désormais ....., ce qui est très apprécié des gens pressés. Un nouveau concept qui .....
3. Un jour, j'avais mal au ventre et j'ai mangé du fenouil chez un ami. Un peu plus tard, je me sentais beaucoup mieux. Ça m'a ..... J'ai fait des recherches et j'ai découvert que le fenouil aide à mieux digérer. Depuis, je ..... et je l'utilise de plus en plus dans ma cuisine.

5. Complétez les expressions suivantes en fonction de vos goûts ou de vos préoccupations en ce qui concerne l'alimentation. Puis, parlez-en entre vous.

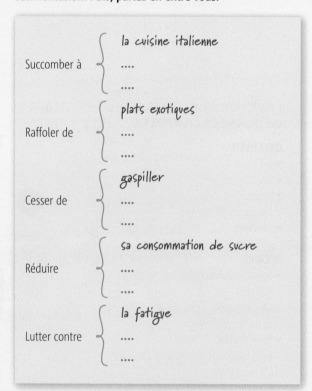

Succomber à
- la cuisine italienne
- .....
- .....

Raffoler de
- plats exotiques
- .....
- .....

Cesser de
- gaspiller
- .....
- .....

Réduire
- sa consommation de sucre
- .....
- .....

Lutter contre
- la fatigue
- .....
- .....

6. Classez ces verbes introducteurs selon leur degré d'intensité.

1. Crier / chuchoter / s'exclamer

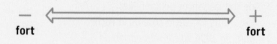

— fort ←——————→ + fort

2. Soutenir / dire / affirmer

— vivement ←——————→ + vivement

3. Interroger / insister / demander

— ferme ←——————→ + ferme

PARLER DE SES HABITUDES ALIMENTAIRES

- Être
  - flexivore
  - végétarien
  - végétalien
  - locavore
- Participer à des ateliers de cuisine
- Essayer, suivre les nouvelles tendances (la restauration rapide, les food trucks, le fast good, etc.)
- Raffoler de quelque chose
- Être dégoûté par quelque chose / Ça me dégoûte
- Avoir un engouement pour quelque chose / Susciter un véritable engouement
- Succomber à une mode
- Gâcher, gaspiller (le gâchis, le gaspillage)
- Faire attention à une date de péremption, la provenance des produits, la composition des aliments

- Consommer
  - des plats préparés
  - des produits dérivés
  - des produits transformés
  - des produits frais

- Consommer de façon modérée…
- Suivre un régime
- Privilégier les aliments …
- Manger de tout
- Remplacer la viande par …
- Adopter de bonnes / mauvaises habitudes
- Éliminer, éviter, limiter les graisses
- Surveiller son alimentation
- Grignoter entre les repas

LA SANTÉ DANS L'ASSIETTE

PARLER DES ALIMENTS ET DE LA SANTÉ

- Avoir des vertus
  - apaisantes, amincissantes, curatives, énergisantes, nutritionnelles, antioxydantes, dynamisantes, anticancéreuses
- Être riche en …
- Contenir du fer, des matières grasses
- Être constitué de …
- Donner une sensation de satiété / Être un excellent coupe-faim
- Être conseillé / recommandé dans un régime
- Favoriser la digestion
- Soulager les maux
- C'est bon / mauvais pour la santé
- Avoir des effets bénéfiques sur …
- Aider à prévenir …
- Réduire le risque de …
- Contribuer au maintien de …
- Améliorer la santé

PARLER DE SA SANTÉ

- Avoir de l'embonpoint
- Être obèse, en surpoids
- Prendre / Perdre du poids
- Utiliser un remède de grand-mère
- Être en forme
- Attraper une maladie, une grippe
- Lutter contre / Combattre une maladie cardiovasculaire, un cancer, une épidémie, un mal (des maux)
- Succomber / mourir des suites d'une épidémie
- Être sujet à des maux de tête
- Guérir

De nombreux écrivains ont évoqué l'art de la table. C'est le cas de **Katherine Pancol,** avec le personnage de Joséphine, une historienne chercheuse au CNRS qui, le temps d'un monologue, nous permet de mieux comprendre nos ancrages culinaires.

1   ❮❮   On n'a rien inventé, ruminait Joséphine en s'écorchant les doigts sur les marrons. Les fast-foods existaient au Moyen Âge. Tout le monde
5   ne possédait pas sa propre cuisine, les logements en ville étant trop petits. Les célibataires et les veufs mangeaient dehors. Il existait des traiteurs, des professionnels de l'alimentation ou
10   « chair cuiters »[1], qui installaient des tables dehors et vendaient des saucisses, des petits pâtés ou des tourtes à emporter. L'ancêtre des hot dogs ou des MacDo. La cuisine représentait un secteur
15   très important de la vie quotidienne. Les marchés étaient bien approvisionnés, huile d'olive de Majorque, écrevisses et carpes de la Marne, pain de Corbeil, beurre de Normandie, lard du Ventoux,
20   tout arrivait aux halles de Paris. Dans les bonnes maisons, il y avait un « maître-queux », qui du haut de sa chaire agitait sa louche pour indiquer à chacun son

travail. Il surveillait les « happe-lopins »
25   ou galopins, ces enfants de cuisine qui arrachaient des morceaux de nourriture pour les avaler en cachette. Les cuisiniers s'appelaient « Poire molle », « Goulu », « Rince-pot », « Taillevent ». Les recettes
30   s'écrivaient en mesures religieuses. On faisait cuisine « de l'heure des vêpres jusqu'au soir », bouillir les raviolis de viande le temps de deux *Pater Noster*, les noix pendant trois *Ave Maria*. Dans les
35   cuisines, les marmitons récitaient des prières, surveillaient la cuisson, goûtaient, priaient à nouveau en reprenant leur chapelet. La haute noblesse utilisait la feuille d'or pour
40   décorer les plats. Le repas donnait lieu à une vraie cérémonie. Les cuisiniers s'efforçaient de préparer des plats en couleurs, le civet rosé, la tarte blanche, la sauce cameline pour accompagner le

Les banquets du Moyen Âge

poisson frit. La couleur aiguisait l'appétit[2],
45 les aliments blancs étant réservés aux
malades qu'il convenait de ne pas exciter.
Chaque plat changeait de couleur selon la
saison : le potage de tripes était brun en
automne, jaune en été. Le comble du
50 raffinement[3] étant la sauce italienne
« bleu céleste ». Et, pour plaire aux
convives, le cuisinier peignait les
armoiries sur les plats en gelée, déposait
des grains de grenade ou des fleurs de
55 violette, inventait des « mets déguisés »
dignes de figurer dans des films
d'épouvante. Il fabriquait des animaux
fantastiques ou des scènes humoristiques
en assemblant des moitiés d'animaux
60 différents. [...] Il y avait aussi les
entremets-surprises : on plaçait des
oiseaux dans une tourte en pain, on
soulevait le couvercle au moment de
servir et les oiseaux s'envolaient,
65 effrayant l'assistance ravie. Je devrais
essayer un jour, se dit Jo en retrouvant le
sourire. »

Katherine Pancol
La Valse lente des tortues, 2008.

VOCABULAIRE

1. **Les « chair cuiters » :** les charcutiers, en
   ancien français.
2. **La couleur aiguisait l'appétit :** la couleur
   donnait envie de manger.
3. **Le comble du raffinement étant la sauce
   italienne :** la plus grande finesse étant la
   sauce italienne.

12. AUTRE ÉPOQUE, AUTRES MŒURS ?

A. Les affirmations suivantes vous semblent-
elles crédibles ? Correspondent-elles à votre
représentation de la cuisine du Moyen Âge ?

	VRAI	FAUX
1. Les fast-foods existaient au Moyen Âge.	☐	☐
2. Les marchés étaient bien approvisionnés.	☐	☐
3. Les recettes s'écrivaient en mesures religieuses.	☐	☐
4. La haute noblesse utilisait la feuille d'or pour décorer les plats.	☐	☐
5. On plaçait des oiseaux vivants dans certains plats.	☐	☐

B. Lisez l'extrait littéraire et comparez-le avec vos
réponses de l'activité précédente. Qu'est-ce qui
vous surprend le plus ?

13. DES COULEURS ET DES SAVEURS

A. Faites la liste de tous les plats ou
accompagnements cités dans l'extrait à partir de
la ligne 40. Qu'ont-ils en commun ?

B. Choisissez l'un des plats suivants,
emblématiques du Moyen Âge, et faites des
recherches sur sa recette. Présentez-la à la classe.

Sauce bleu céleste   Sauce cameline

Tarte blanche   Brochet sauce verte

Blanc-manger

14. ON N'A RIEN INVENTÉ

En petits groupes, choisissez une période
de l'histoire qui vous intéresse et faites des
recherches sur ses habitudes alimentaires.

*Au XVIᵉ siècle, les Aztèques préparaient des sandwichs
à base de feuilles de maïs fourrées aux légumes...*

ÉPOQUE : XVIᵉ siècle	MODES DE CONSOMMATION : cuit à la vapeur, bouilli
CIVILISATION : aztèque	
ALIMENTS, BOISSONS : maïs, piments, haricots, courges, avocats, insectes	DIVERS : Le cacao était utilisé comme moyen de paiement. Consommé en boisson, il était réservé aux nobles...
METS TYPIQUES : tortilla, tamal, ragoût	

TÂCHES FINALES

TÂCHE 1   DERNIÈRES TENDANCES EN VIDÉO

1. Pensez à un problème que vous avez avec l'alimentation et écrivez-le sur un papier.

> Je mange trop rapidement.

> Je voudrais perdre 3 kilos !

> Mon problème, c'est que je ne mange jamais chez moi.

2. Formez des petits groupes, puis piochez un papier. Discutez entre vous pour trouver des solutions en fonction des différentes tendances alimentaires que vous connaissez ou inventez-en une.

- Elle ne mange jamais chez elle, car elle n'a pas le temps de cuisiner...
- Elle pourrait commander des plats à son voisin, grâce à un site comme Menu Next Door, par exemple !

3. Préparez une vidéo sur cette tendance : répartissez-vous les rôles et rédigez les textes du reportage.

4. Maintenant, réalisez votre vidéo, puis présentez-la à la classe. Est-ce que la personne concernée est contente du résultat ?

- On va vous présenter Menu Next Door

CONSEILS

- Donnez un maximum d'exemples pour illustrer votre propos.
- Utilisez des images comme illustrations avec une voix off ou jouez la scène comme des acteurs.
- N'hésitez pas à faire de l'humour !
- Faites le choix d'interviewer quelqu'un ou de réaliser une fausse interview.

TÂCHE 2   LE DICTIONNAIRE DE NOS PRODUITS ALIMENTAIRES PRÉFÉRÉS

1. Vous allez réaliser un dictionnaire de vos produits alimentaires préférés. En petits groupes, faites la liste de vos aliments préférés pour faire la cuisine. Racontez comment vous les avez découverts.

- Ma coloc met du cumin partout et m'a fait goûter les œufs au cumin. Maintenant, je l'utilise beaucoup, mais je ne connais pas les vertus de ce produit...

2. Rédigez individuellement une explication courte pour chaque produit sur une fiche.

3. Faites une présentation collective de vos fiches, puis échangez-les entre vous pour vous corriger et apporter des modifications si nécessaire.

4. Finalisez votre dictionnaire en classant vos fiches par ordre alphabétique et en constituant un recueil à la disposition de tous.

PRODUIT :
Cumin

RÉDACTEUR :
Tiago

ORIGINE :
Moyen-Orient

TYPE DE PRODUIT :
Épice

SAISON :
Toute l'année

VERTUS :
Le cumin a des vertus digestives. Il aurait des propriétés antioxydantes et diurétiques.

PLATS QU'ON PEUT FAIRE AVEC :
Il sert à relever les plats. Ex. : carottes au cumin, houmous, salade de pois chiches, fromage.

CONSEILS

- Organisez vos définitions selon le même modèle.
- Définissez un nombre de lignes ou de mots maximum par produit.
- Illustrez votre dictionnaire avec quelques images ou photos.

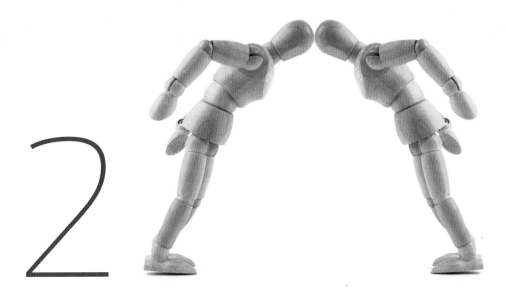

2

LE CHOC DES GÉNÉRATIONS

DÉCOUVERTE

pages 34-37

Premiers regards
- Donner son avis sur ce que signifie « être vieux » et « être adulte »

Premiers textes
- Découvrir des initiatives intergénérationnelles
- Évoquer le lien et la transmission intergénérationnels
- Parler des défis de la jeunesse

OBSERVATION ET ENTRAÎNEMENT

pages 38-45

Grammaire
- La comparaison et les moyens lexicaux pour comparer
- La progression (*plus... plus...*) et l'intensité (*d'autant plus que...*)
- Le futur antérieur
- L'expression de l'opposition et de la concession

Méthodologie
- Faire un exposé

Lexique
- Les âges de la vie et de l'intergénérationnel
- L'entraide et la solidarité
- Les conflits

Phonétique p. 156
- Les consonnes [n] – [ŋ] - [ɲ]
- L'enchaînement après [ŋ] – [ɲ]

REGARDS CULTURELS

pages 46-47

Document
- *Ensemble, c'est tout*, Anna Gavalda

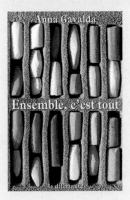

TÂCHES FINALES

page 48

Tâche 1
- Écrire une chanson pour les générations futures

Tâche 2
- Réaliser une publicité qui renverse les clichés

 + DE RESSOURCES SUR
espacevirtuel.emdl.fr

— Des activités autocorrectives (grammaire / lexique / culture / CE / CO)

— La carte mentale de l'unité à compléter

www.actusondage.en

ACTU SONDAGE

ACTUALITÉS > SOCIÉTÉ

Publié le 11/04/2016

Nous sommes toujours le « jeune » ou le « vieux » de quelqu'un !

Plus on vieillit, plus l'âge de la vieillesse nous semble loin. Logique, non ? C'est ce que montre notre sondage, auquel ont répondu des adultes de plus de 18 ans et des enfants de 10 à 17 ans. Comparons les résultats !

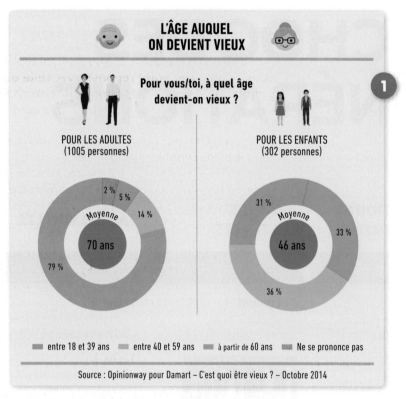

L'ÂGE AUQUEL ON DEVIENT VIEUX

Pour vous/toi, à quel âge devient-on vieux ?

POUR LES ADULTES (1005 personnes)

Moyenne **70 ans**

2 % 5 % 14 % 79 %

POUR LES ENFANTS (302 personnes)

Moyenne **46 ans**

31 % 33 % 36 %

■ entre 18 et 39 ans ■ entre 40 et 59 ans ■ à partir de 60 ans ■ Ne se prononce pas

Source : Opinionway pour Damart – C'est quoi être vieux ? – Octobre 2014

LES ASPECTS DE LA VIEILLESSE

Pour vous/toi, on devient vieux quand... ?

POUR LES ADULTES (1005 personnes)

	Oui	Non	Ne se prononce pas
On n'a plus de rêves à réaliser	55 %	44 %	1 %
On est à la retraite	26 %	73 %	1 %
On ne connaît plus les chanteurs qui passent à la radio, à la télé	22 %	77 %	1 %
On n'est plus amoureux	20 %	78 %	2 %
On a des rides ou des premiers cheveux blancs	18 %	80 %	2 %

■ Oui ■ Non ■ Ne se prononce pas

Source : Opinionway pour Damart – C'est quoi être vieux ? – Octobr

Et le passage à l'âge adulte, c'est quand ? À la majorité ? Une étude Ipsos interroge ce que signifie « être adulte ».

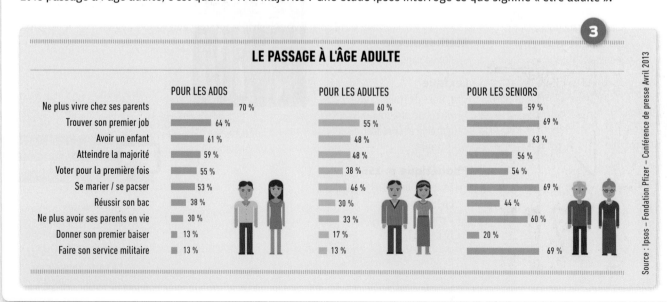

LE PASSAGE À L'ÂGE ADULTE

	POUR LES ADOS	POUR LES ADULTES	POUR LES SENIORS
Ne plus vivre chez ses parents	70 %	60 %	59 %
Trouver son premier job	64 %	55 %	69 %
Avoir un enfant	61 %	48 %	63 %
Atteindre la majorité	59 %	48 %	56 %
Voter pour la première fois	55 %	38 %	54 %
Se marier / se pacser	53 %	46 %	69 %
Réussir son bac	38 %	30 %	44 %
Ne plus avoir ses parents en vie	30 %	33 %	60 %
Donner son premier baiser	13 %	17 %	20 %
Faire son service militaire	13 %	13 %	69 %

Source : Ipsos – Fondation Pfizer – Conférence de presse Avril 2013

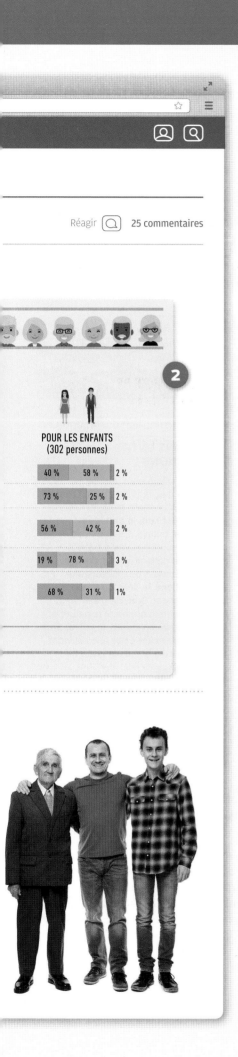

POUR LES ENFANTS (302 personnes)

40 %	58 %	2 %
73 %	25 %	2 %
56 %	42 %	2 %
19 %	78 %	3 %
68 %	31 %	1%

Réagir 25 commentaires

"Il est certaines bêtises que chaque génération doit commettre, ne serait-ce que pour se souvenir des raisons pour lesquelles il ne faut pas les commettre."

Bernard Werber, écrivain français, XXIe siècle

1. T'AS PRIS UN COUP DE VIEUX !

A. À partir de quel âge devient-on vieux, selon vous ? Comparez votre réponse avec celle du premier graphique : êtes-vous plutôt proche de la réponse des enfants ou de celle des adultes ?

B. Observez le graphique 2. Pour quel(s) critères les réponses sont les plus différentes entre les enfants et les adultes ? Puis, observez le graphique 3. Avec quels critères de vieillesse et de passage à l'âge adulte êtes-vous d'accord ? Partagez votre opinion avec la classe.

 C. Écoutez ce micro-trottoir. À quel moment les personnes interrogées ont-elles « pris un coup de vieux » ? Quels critères cités n'apparaissent pas sur les graphiques 2 et 3 ?

PISTE 5

Alain, 63 ans : .... Mamadou, 32 ans : ....
José, 47 ans : .... Amina, 21 ans : ....
Louise, 24 ans : ....

D. En petits groupes, racontez un jour où vous avez « pris un coup de vieux » ou, au contraire, où vous vous êtes senti(e) très jeune.

• Je me suis sentie très jeune le jour où l'on m'a demandé ma carte d'étudiante, alors que j'enseignais déjà depuis dix ans !

 Et vous ?
Pensez-vous que l'âge, c'est « dans la tête » ?
Avez-vous des amis beaucoup plus jeunes ou beaucoup plus vieux que vous ?

trente-cinq **35**

2. SI JEUNESSE SAVAIT, SI VIEILLESSE POUVAIT...

A. Observez les photos, lisez les noms des sites Internet et les titres des articles.
Que pensez-vous de ces initiatives ? Parlez-en entre vous.

ANNUAIRE EN LIGNE

──── INITIATIVES INTERGÉNÉRATIONNELLES ────

www.nostalentspartages.en

SUPER ÉCHANGE DE COMPÉTENCES

Apprenez un savoir-faire manuel (couture, bricolage, tricot, mécanique, jardinage...) et réalisez vos projets avec l'association Nos talents partagés, composée de jeunes retraités dynamiques, passionnés et plus expérimentés que vous.
Ils partageront volontiers leurs compétences et leur enthousiasme !
Le service ne coûte pas très cher : 15 euros de l'heure (parfois légèrement plus, selon les projets). Consultez nos petites annonces sur le site !

En savoir plus...

www.colocsansage.en

GRAND-MÈRE CHERCHE SA FUTURE COLOC !

Grâce au site Coloc sans âge, les plus jeunes et les plus âgés cohabitent sur le principe de l'échange de bons procédés : un logement contre de petits services et une présence au quotidien. C'est beaucoup moins cher qu'une colocation traditionnelle (parfois même gratuit), on retrouve un cocon familial et l'on se sent un peu moins seul !
Nos conseils pour une cohabitation réussie : faites connaissance avec votre colocataire, partagez une activité et surtout soyez vous-même !
Nos plus : nous vous mettons en relation avec un jeune ou une personne âgée et, en cas de problème, nous vous aidons à changer de colocation. Vous ne payez qu'une fois, lors de l'inscription.

En savoir plus...

www.unjardinpourtouslesages.en

JARDINONS ENTRE GÉNÉRATIONS !

Il n'y a pas d'âge pour jardiner ni pour tisser des liens d'ailleurs. C'est pourquoi nous avons conçu cette plateforme de jardins partagés intergénérationnels. Ce que nous cherchons à promouvoir à travers cette action collective ? Le partage et la transmission de savoirs entre les générations, la sensibilisation à l'environnement, bref, de meilleures relations entre l'homme et la nature et un peu plus de solidarité. Inscrivez votre jardin sur notre site pour accueillir des apprentis jardiniers, c'est gratuit !

En savoir plus...

B. Lisez les descriptions des sites Internet. En petits groupes, réalisez un schéma présentant le fonctionnement de chacun.

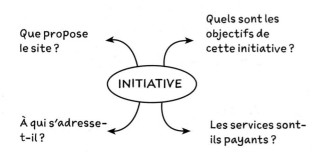

C. Quelle initiative crée le plus de liens entre les générations, selon vous ? Pourquoi ?

D. Connaissez-vous des initiatives similaires près de chez vous ? Faites des recherches en petits groupes sur une initiative de votre choix et présentez-la à la classe en vous aidant du schéma ci-contre.

3. DEUX GÉNÉRATIONS

A. Lisez les paroles de la chanson des Enfoirés. Que représentent les groupes **1** et **2**, à votre avis ?

Toute la vie, Les Enfoirés[1], 2015

(1) Des portes closes et des nuages sombres
C'est notre héritage, notre horizon
Le futur et le passé nous encombrent
Avez-vous compris la question ?
(2) Non !
(1) Vous aviez tout, l'amour et la lumière
(2) On s'est battus, on n'a rien volé
(1) Nous n'avons que nos dégoûts, nos colères
(2) Mais… vous avez, mais vous avez, oui, vous avez
Toute la vie, c'est une chance inouïe
(1) Toute la vie, c'est des mots, ça n'veut rien dire
(2) Toute la vie, tu sais le temps n'a pas de prix
(1) L'utopie, sans avenir
(2) Toute la vie, c'est à ton tour, et vas-y !
À ton tour, et vas-y ! (x 3)
(1) Vous aviez tout, paix, liberté, plein-emploi
Nous c'est chômage, violence et sida
(2) Tout ce qu'on a, il a fallu le gagner
À vous de jouer ! Mais faudrait vous bouger !
(1) Vous avez raté, dépensé, pollué
(2) Je rêve ou tu es en train de fumer ?
(1) Vous avez sali les idéologies
(2) Mais vous avez, mais vous avez, oui, vous avez…
Toute la vie, c'est une chance, un défi
(1) Toute la vie, c'est bidon[2], ça n'veut rien dire
(2) Toute la vie, tu sais le temps n'a pas de prix
(1) L'utopie, sans avenir
(2) Aujourd'hui, j'envie tellement ta jeunesse
(1) Quel ennui, je l'échange contre ta caisse[3]
(2) C'est la vie, la vie qui caresse et qui blesse
C'est ta vie, vole et vas-y !
Vole et vas-y !
À ton tour, et vas-y ! (x 3)

----

1. Les Enfoirés : nom d'un collectif d'artistes célèbres qui chantent au profit de l'association Les Restos du cœur, créée en 1985 pour venir en aide aux plus pauvres.
2. Bidon (familier) : qui n'est pas réel. Qui est simulé, faux, truqué.
3. Une caisse (familier) : une voiture.

B. Quelles sont les accusations de chaque groupe envers l'autre ? Leurs relations sont-elles harmonieuses ou conflictuelles ?

C. Lisez ces tweets parus lors de la polémique qui a suivi la sortie de la chanson. Que pensent les twittos de la chanson ? Avec qui êtes-vous le plus d'accord ?

Chloé Léman — Suivre

Les Enfoirés se voient décerner le prix de la chanson antijeunes de l'année, bravo ! #TouteLaVie
14:20 - 24 Fév 2015   26

Crispi376 — Suivre

J'imagine que le but est de donner une bonne leçon de vie aux jeunes : en a-t-on vraiment besoin en période de crise ? #TouteLaVie
16:24 - 24 Fév 2015   34

Awiti1992 — Suivre

Les jeunes fument et les vieux polluent ? Merci les clichés ! #TouteLaVie
20:20 - 25 Fév 2015   16

Vivileti — Suivre

@Toute la vie est au contraire un message d'espoir, un dialogue entre les générations. #TouteLaVie
00:20 - 26 Fév 2015   24

D. En petits groupes, chacun raconte l'histoire d'une rencontre avec une personne d'une autre génération qui a bouleversé sa vie (pour le meilleur ou pour le pire).

- Je venais d'arriver à Paris et je cherchais un logement. Un jour, j'ai aidé une vieille dame à monter dans le train, elle a alors proposé de m'héberger chez elle gratuitement pendant toute l'année !

Et vous ?
Avez-vous des reproches à faire aux autres générations ?

4. ENTRE GÉNÉRATIONS

A. Lisez les trois résumés d'articles. Quelle est leur thématique commune ?

B. En petits groupes, reformulez chaque article en une phrase. Êtes-vous d'accord avec les points de vue donnés ?

 ENTRE GÉNÉRATIONS ASSOCIATION

Revue de presse n° 53

Comme tous les mercredis, retrouvez notre revue de presse sur un sujet d'actualité choisi par l'association...

GÉNÉRATION « TANGUY »

De nos jours, de plus en plus de jeunes restent chez leurs parents bien après leur majorité. Que ce soit par manque de stabilité professionnelle ou à cause de la crise du logement, ces « adulescents » se scindent en deux catégories : les « Tanguy » qui n'ont jamais quitté le nid familial, et les « boomerang » qui sont obligés de revenir dans le cocon familial après un premier départ.
Pour en savoir plus : stemag.en

LA FAMILLE, VALEUR REFUGE ?

C'est ce que semble montrer notre micro-trottoir, effectué auprès de jeunes Parisiens âgés de 18 à 30 ans. Près d'un tiers d'entre eux qualifient même la relation avec leurs parents d'« idéale ». La moitié pensent qu'elle est « cool », seuls 10 % la jugent « moyenne », voire « conflictuelle ». Les jeunes interrogés se sentent soutenus par leurs parents, qui sont fiers de leur parcours et qui semblent conscients des difficultés que leurs enfants traversent. Vivant eux-mêmes la crise, de moins en moins de parents font des réflexions désagréables. Il se montrent au contraire beaucoup plus solidaires et compréhensifs qu'avant.
Pour en savoir plus : bellevie.en

COHABITATION ENTRE GÉNÉRATIONS = SOLIDARITÉ

Que ce soit dans le monde du travail ou dans les familles, il arrive aujourd'hui que quatre, voire cinq générations se côtoient. Au travail, c'est la génération des baby-boomeurs qui travaille main dans la main avec les générations X, Y et Z. Dans les familles, certains jeunes ont la chance de connaître leurs parents, leurs grands-parents, leurs arrière-grands-parents, et parfois même leurs arrière-arrière-grands-parents. Nous sommes un peu plus solidaires qu'avant au sein des familles, malgré l'indépendance apparente des jeunes, et davantage encore au sein des familles à quatre ou cinq générations. Dans ces familles, les plus jeunes n'appréhendent pas la vieillesse, car ils observent leurs aînés vivre en toute lucidité et de manière autonome, ils envisagent ainsi le vieillissement avec sérénité. Plus la durée de vie s'allonge, plus la famille à cinq générations sera susceptible d'exister à l'avenir.
Pour en savoir plus : sociopsycho.en

C. Complétez les exemples du tableau à l'aide des constructions surlignées.

LA COMPARAISON

La progression et l'intensité
Pour exprimer un rapport de progression ou de régression dans la comparaison, on emploie *plus..., plus... ; plus..., moins ; moins..., plus* et *moins..., moins.*

Ex. : ....

Pour indiquer une augmentation ou une diminution constante, on utilise *de plus en plus* ou *de moins en moins* + adjectif ou adverbe ainsi que *de plus en plus de* ou *de moins en moins de* + nom .

Ex. : ....

Pour nuancer les adverbes *plus* et *moins*, on peut placer devant *à peine, un peu, légèrement, beaucoup,* etc.

Ex. : ....

D. En petits groupes, comparez votre situation et celle de vos parents à votre âge sur les thématiques suivantes.

travail   logement   argent

amour   amitié

vacances   loisirs

- J'ai beaucoup plus d'opportunités professionnelles que ma mère, car j'ai fait des études plus longues.

5. UN AIR DE FAMILLE !

A. Lisez les témoignages. À qui ressemblent ces personnes ?

LA QUESTION DU MOIS

À qui ressemblez-vous dans votre famille ?

👤 **MAHEVA** | Je suis très semblable à ma grand-mère : en cuisine, j'aime innover, trouver de nouveaux ingrédients et inventer des recettes ! C'est elle qui m'a appris tout ça !

👤 **DARIUS** | Avec les années, je ressemble de plus en plus à mon père, à la fois physiquement, mais également dans ma manière de voir le monde. Ma mère en rit : « Tu me fais tellement penser à ton père quand il était jeune ! »

👤 **ÉVA** | Mon grand-père était très généreux. Il donnait toujours de l'argent à ses petits-enfants, et pourtant je sais que c'était difficile pour lui sur le plan financier. Aujourd'hui, je me comporte de la même façon avec mes petits-enfants.

👤 **JADE** | Ma fille et moi sommes pareilles. Même nos voix se ressemblent. Au téléphone, on nous confond toujours.

B. Repérez les expressions pour exprimer la comparaison, puis complétez la règle.

LES MOYENS LEXICAUX POUR COMPARER

Pour comparer, il est possible d'utiliser différents moyens lexicaux.
• Des adjectifs qualificatifs : *identique à, différent(e) de, similaire à, semblable à, pareil(le) à, tel(le), le/la/les même(s) que*, etc.

Ex. : ....
• Des expressions verbales : *ressembler à, se ressembler, faire penser à, avoir l'air de, être semblable à*, etc.

Ex. : ....
• Des expressions : *de la même manière (que), de la même façon (que)*

Ex. : ....

C. Ressemblez-vous à une personne de votre entourage ? Apportez une photographie ou un objet qui vous fait penser à elle et présentez-la à la classe (personnalité, anecdotes...).

• Dans ma famille, je suis la seule à avoir les cheveux frisés et je ne ressemble pas tellement à mes parents. Mais mon grand-père me dit souvent que je lui fais penser à ma grand-mère jeune.

 Et vous ?
Que partagez-vous avec les autres générations ?

LA COMPARAISON ET LES MOYENS LEXICAUX POUR COMPARER

EX. 1. Complétez ces idées reçues en utilisant les expressions *plus..., plus...; plus..., moins ; moins..., plus* et *moins..., moins*.

1. Plus on est âgé, *moins on est à l'aise avec les réseaux sociaux.*
2. Plus on a d'expérience, ...
3. Moins on est jeune, ...
4. Plus on vit dans le passé, ...
5. Moins on se sent âgé dans la tête, ...

EX. 2. Faites des comparaisons entre les membres de votre famille en utilisant les mots suivants.

| à peine | un peu | légèrement |
| beaucoup | vraiment | trop |

Ma grand-mère est beaucoup plus ouverte et moderne que mon grand-père. Je peux lui raconter mes histoires d'amour.

EX. 3. Complétez le post de ce blog avec les expressions proposées, puis donnez votre avis sur cette démarche artistique.

| plus..., plus... | tels que | la même |
| beaucoup plus | plus | plus..., moins... |

PASSERELLE D'ART

Un selfie par jour pendant 24 ans !

par Marie Fleuve, mardi 12 juillet

Noah Kalina, *Everyday*

En 1987, l'artiste photographe américain Karl Baden s'est lancé dans un projet spectaculaire : il s'est pris en photo tous les jours pendant vingt-quatre ans. Les 9 534 clichés montrent que .... l'artiste vieillit, ... les rides se creusent sur son visage. De même, ... il vieillit, ... il a de cheveux.
Depuis la démocratisation des téléphones portables, d'autres artistes .... Noah Kalina se sont lancés dans ... démarche, mais je trouve que l'œuvre de Karl Baden est .... impressionnante que les autres, car il s'est photographié pendant .... longtemps !

+ d'exercices : page 175

6. DANS UN FUTUR PLUS OU MOINS PROCHE

A. Quelles questions vous posez-vous sur l'être humain du futur ? Observez les titres de la frise pour enrichir votre discussion.

B. Lisez la frise. Quelles découvertes vous semblent les plus probables ? Les plus utiles ? Discutez-en avec la classe.

2025
Réparerons-nous le corps ?

En 2025, aussitôt que les premiers tests auront abouti, les organes artificiels, aujourd'hui en cours d'expérimentation, tels que le cœur, la prostate ou les reins seront parmi les premières technologies de lutte contre le vieillissement à être démocratisées. Nous pourrons littéralement réparer le corps.

2030
Aurons-nous un nouveau cerveau ?

Dès que les scientifiques auront découvert comment réparer le corps, ils pourront développer la technique des implants cérébraux permettant d'agir sur la maladie de Parkinson et les troubles obsessionnels compulsifs (TOC). En limitant les effets secondaires tels que les infections, ils pourront même les utiliser pour traiter les dépendances et les dépressions.

2040
Vivrons-nous jusqu'à 120 ans ?

Quand nous aurons compris pourquoi les cellules se dégradent, nous pourrons enrayer le processus de vieillissement. Nous vivrons tous jusqu'à 120 ans ! L'homme devra-t-il alors, comme une voiture, subir une révision de ses organes artificiels tous les cinq ans ?

2050
Aurons-nous une mémoire d'éléphant ?

Une fois que nous aurons développé les implants cérébraux, nous aurons un cerveau « augmenté ». Notre mémoire, en particulier, sera considérable grâce aux nouvelles technologies. Pourtant, à quoi cela servira-t-il une fois que les robots auront pris nos emplois ?

C. Observez les temps du futur dans les phrases surlignées. Quelles actions auront lieu en premier et quelles seront leurs conséquences ? Complétez le tableau.

LE FUTUR ANTÉRIEUR

Le futur antérieur décrit une action qui aura lieu avant une autre dans le futur. On dit que c'est le passé du futur.

Aujourd'hui, nous n'avons pas encore compris.	Quand nous aurons compris pourquoi les cellules se dégradent, nous pourrons enrayer le processus de vieillissement.	Nous sommes en 2040, et nous avons compris.
Aujourd'hui, ...	Une fois que nous aurons développé les implants cérébraux, nous aurons un cerveau « augmenté ».	Nous sommes en 2050, ...

Il se forme avec les auxiliaires *être* ou *avoir* conjugués au ...., et le participe passé du verbe.
Il est généralement précédé de marques temporelles telles : ***dès que, quand, après que, une fois que, aussitôt que,*** etc.

D. En binômes, l'un imagine des avancées scientifiques, et l'autre annonce leurs effets sur notre vie.

- Quand nous aurons découvert comment créer des clones...
- Nous pourrons leur faire effectuer tous les travaux dangereux !

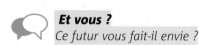
Et vous ?
Ce futur vous fait-il envie ?

7. LE COACH DU FUTUR

A. Lisez la technique de résolution de conflits intergénérationnels du coach Tim. Quelles sont les trois compétences à acquérir pour sortir d'un conflit ?

www.votreexpertconflit.en

Des écarts d'âge de plus en plus grands dans vos relations amicales, professionnelles, familiales ? Des difficultés de communication ? Consultez Tim, expert en gestion de conflits depuis 2032 !

Dépasser un conflit...

Dépasser un conflit entre générations en trois points-clés

1/ Le conflit naît souvent de l'absence d'écoute et de dialogue.
Soyez à l'écoute ! C'est l'une des clés de la gestion de conflits, quoiqu'il s'agisse d'une compétence longue à acquérir. Pas facile me direz-vous lorsqu'on doit dialoguer avec son arrière-grand-père à moitié sourd !

2/ Le conflit tient au fait que nous n'acceptons pas vraiment l'autre.
Malgré vos différends, sachez écouter et accepter le point de vue de l'autre, même s'il vous déplaît. Vous êtes excédé(e) par votre patron de 110 ans ? Gardez néanmoins à l'esprit qu'il est né à l'époque des téléphones portables, d'où son côté un peu *has been* ! Sortir de votre vision autocentrée est la deuxième clé de l'apaisement relationnel.

3/ Le conflit grandit dans l'absence de cocréation.
Bien que vous n'ayez aucun point commun avec une personne, votre capacité à imaginer une solution commune au conflit est la meilleure manière d'en sortir vraiment. Si vous forcez un jeune à adopter votre solution sous prétexte que vous avez plus d'expérience, vous résolvez le problème en l'empêchant toutefois de vous montrer les choses sous un aspect neuf... Dans tous les cas, gardez le sens de l'humour !

B. Complétez la règle avec des exemples tirés du document.

L'EXPRESSION DE L'OPPOSITION ET DE LA CONCESSION

Pour relier deux faits ou idées et montrer qu'ils sont contradictoires, on utilise les structures suivantes :
- Avec l'indicatif : *même si, alors que, quand bien même* (+ conditionnel)

Ex. : ....
- Avec le subjonctif : *bien que, quoique, encore que*

Ex. : ....
- On peut également employer les expressions suivantes :
Malgré + nom
verbe + *quand même*
avoir beau + verbe à l'infinitif.

Ex. : ....
- On peut utiliser aussi des connecteurs tels que *pourtant, cependant, toutefois, néanmoins.*

Ex. : ....

C. En petits groupes, résolvez ce conflit intergénérationnel en appliquant la technique du coach.

Paul, 19 ans, répète dans son salon avec son groupe de rock plusieurs fois par semaine, de 19 h à 21 h.
Germaine, sa voisine de 82 ans, ne supporte plus cette situation.

EX. 1. Claire a imaginé le futur dans la première colonne. Lisez dans la deuxième colonne ce qui s'est réellement passé. À côté de chaque phrase de la première colonne, indiquez si Claire avait raison ou si elle s'est trompée (OUI ou NON).

Ce que Claire avait imaginé	Ce qui s'est vraiment passé
1. Le 3 janvier, j'aurai terminé mes recherches.	Claire a terminé ses recherches sur les robots à forme humaine le 2 janvier. En mars, son collègue Gaétan lui a envoyé un modèle de robot. Ils l'ont testé ensemble le 18 mars. Leur collègue Max est rentré du Canada la veille du test. Ils ont présenté les résultats du test lors d'une conférence en septembre.
2. Le 3 janvier, je terminerai mes recherches.	
3. En avril, Gaétan va m'envoyer un robot.	
4. En avril, Gaétan m'aura envoyé un robot.	
5. Quand Max arrivera, nous aurons testé le robot.	
6. Quand Max arrivera, nous testerons le robot.	
7. En septembre, les résultats du test seront présentés.	
8. En septembre, les résultats du test auront été présentés.	

EX. 2. Complétez les messages du forum *Le monde dans trente ans* en conjuguant les verbes au futur simple ou au futur antérieur. Êtes-vous d'accord avec la vision du futur de ces internautes ?

MÉLINDA

À mon avis, dans trente ans, nos enfants .... (remplacer) la plupart de leurs organes pour ne pas avoir de maladies. Ils .... (devoir) ensuite les changer tous les dix ans et quand ils .... (atteindre) 70 ans, ils les .... (renouveler) tous pour vivre plus longtemps ! Mi-hommes, mi-machines...

IBRAHIM

Pour moi, dans trente ans, nous .... (pouvoir) faire nos courses par téléportation ! Je sais, ça semble fou. Pourtant, aujourd'hui, nous faisons déjà nos courses de manière virtuelle, sur Internet. Aussitôt que les scientifiques .... (découvert) une façon de se téléporter, je suis sûr que nous l' .... (utiliser) pour faire les courses !

EX. 3. À partir de ces débuts de phrases, imaginez l'avenir de votre voisin(e) à la manière d'un(e) voyant(e).

1. Tu trouveras le job de tes rêves dès que ....
2. Tu recevras un cadeau inattendu quand ....
3. Tu gagneras un voyage dans un pays exotique aussitôt que ....
4. Tu rencontreras quelqu'un une fois que ....

L'OPPOSITION ET LA CONCESSION

EX. 4. Le magazine *Entre générations* liste des idées reçues. Donnez votre avis sur ces clichés en utilisant les étiquettes.

néanmoins	cependant	bien que	même si	toutefois

1. Si l'Europe vieillit, c'est parce qu'il n'y a pas assez d'enfants par famille.
2. Les jeunes restent trop longtemps chez leurs parents.
3. Désormais, à 70 ans, on est encore en pleine forme.
4. Il y a trop de personnes âgées qui ne sont pas actives.

+ d'exercices : pages 176-177

8. ÉCOUTER ET ANALYSER UN EXPOSÉ

A. Avez-vous déjà réalisé une présentation orale devant plusieurs personnes ? Comment l'avez-vous préparée ? Partagez vos astuces avec la classe : dites ce qui vous semble le plus important dans une présentation et ce qu'il faut éviter.

 B. Écoutez l'exposé. En petits groupes, répondez aux questions suivantes :

PISTE 6
- Quel est le sujet de l'exposé ?
- Quels problèmes soulève-t-il ?
- La personne qui réalise l'exposé donne-t-elle son avis ?

C. Écoutez de nouveau l'exposé et prenez des notes. Quel est son plan ? Choisissez parmi les trois modèles de plans d'exposé les plus courants détaillés ci-dessous.

1 **L'inventaire** : on parle d'une seule thématique sous plusieurs angles. On liste les arguments, comme dans un inventaire.
Introduction
Développement
      point 1
      point 2
      point 3
Conclusion

2 **La confrontation d'idées** : on parle d'une thématique en présentant un argument, puis son contraire.
Introduction
Développement
      argument 1 (ou avantages)
      argument 2 (ou inconvénients)
      synthèse :
Conclusion :

3 **La progression** : on parle de plan progressif quand on analyse un problème de façon approfondie.
Introduction :
Problème(s) :
Causes :
Conséquences :
Solutions :
Conclusion :

D. Complétez le plan que vous avez choisi avec les idées principales développées dans l'exposé.

9. SE PRÉPARER POUR UN EXPOSÉ

A. Avant de présenter un exposé, échauffez-vous avec les exercices antistress suivants :

- La grimace de visage : contractez très fort tous les muscles vers l'intérieur du visage, puis relâchez-les. Ensuite, ouvrez grand la bouche, puis formez un U avec les lèvres.
- La respiration : inspirez et expirez profondément en comptant jusqu'à cinq.
- La gymnastique : levez-vous, étirez-vous, décontractez vos épaules.
- L'articulation : choisissez trois mots difficiles de l'exposé et lisez-les au ralenti, en articulant au maximum.

B. Cochez les postures les plus appropriées lors d'un exposé. Justifiez votre choix.

☐ ☐ ☐ ☐

LES ÉTAPES DE L'EXPOSÉ

AVANT
- Choisir un sujet
- Faire des recherches et sélectionner les informations pertinentes
- Sélectionner le plan le plus adapté au sujet
- Rédiger des notes synthétiques et organisées
- Faire une présentation agréable, avec un support (PowerPoint, Prezi, affiche, carte mentale...)

PENDANT
- Préparer le matériel : vidéoprojecteur, documents...
- S'échauffer et faire des exercices de respiration
- Poser en introduction une question qui résume le thème de l'exposé
- Annoncer le plan
- Faire des phrases courtes, utiliser un vocabulaire simple, répéter les arguments principaux, faire des transitions
- Conclure

APRÈS
- Réserver un temps pour les questions
- Remercier le public

 LE LEXIQUE POUR FAIRE UN EXPOSÉ :

Pour rectifier ou préciser :
Pour être plus exact(e),
Je voulais dire que...
Je dirais plutôt que...
Pour citer les documents :
Comme le souligne...
Comme le montre...
Comme on le voit sur ce document...
Pour faire une transition entre les parties :
Cela nous amène à...
Venons-en à...
Passons maintenant à...

10. C'EST À VOUS !

A. Choisissez l'un des sujets d'exposé ci-dessous.

1. Les initiatives intergénérationnelles
2. La génération Tanguy
3. La mode des autoportraits pour marquer le temps qui passe
4. La cohabitation avec les robots

B. Effectuez des recherches sur le sujet que vous avez choisi, puis collectez des documents variés pour l'illustrer. Choisissez ensuite trois idées fortes autour de cette thématique et écrivez-les sous forme de questions.

La génération Tanguy : d'où vient cette expression ? Quel âge ont les personnes concernées ? Comment peut-on expliquer ce phénomène ?

C. Regroupez-vous par sujet, puis choisissez le plan d'exposé le plus adapté et notez les idées clés pour chaque partie.

D. Présentez votre exposé à la classe en cinq minutes. Vous pouvez vous filmer pour revoir l'exposé, puis commenter votre performance.

LES ÂGES DE LA VIE ET L'INTERGÉNÉRATIONNEL

1. Associez chaque phrase à l'expression correspondante.

Ma grand-mère a beau avoir 80 ans, elle est très connectée. Elle a même créé un groupe Facebook pour ma famille. => L'âge, c'est dans la tête !

- **A.** Je me suis rendu compte quand mon fils était adolescent que je ne comprenais rien à la mode hipster.
- **B.** Quand j'avais 15 ans, j'ai fait les pires bêtises avec ma meilleure amie de l'époque.
- **C.** Avant, je faisais beaucoup de sport, mais aujourd'hui je préfère les jeux de cartes.
- **D.** Je préfère gagner moins d'argent et avoir un travail souple, qui me permette d'avoir des loisirs.

1. Il faut que jeunesse se passe.
2. Prendre un coup de vieux.
3. Le temps n'a pas de prix.
4. Chaque âge a ses plaisirs.

2. Retrouvez la préposition manquante, puis faites une phrase en réutilisant ces expressions.

1. Se rapprocher .... quelqu'un
2. Se brouiller .... quelqu'un
3. Être énervé .... quelqu'un

3. En faisant des recherches sur Internet, essayez de définir les catégories de personnes suivantes. En connaissez-vous ?

1. Un adulescent
2. Un Tanguy
3. Un senior

LES EXPRESSIONS POUR COMPARER

4. Complétez le contenu de ces petites annonces affichées sur le forum des associations.

| se ressembler | avoir l'air de | être similaire à |

Des courses contre un bon repas !

Ce que je cherche :
Un(e) étudiant(e) qui .... et aime cuisiner ! Nous pourrions faire des recettes asiatiques (ma cuisine préférée) et ensuite partager un bon repas.

Une coupe de cheveux contre un film !

Ce que je cherche :
J'ai .... d'un yéti depuis quelques semaines et j'ai vraiment besoin d'une coupe de cheveux ! En échange, je vous invite au cinéma, qu'en pensez-vous ?

Une chambre pour un étudiant organisé

J'offre une chambre pour un étudiant sous forme d'échange de bons procédés. Ma proposition .... une colocation : j'attends en échange un peu de compagnie et quelques repas partagés.

5. Quelle est l'utilité de ces objets insolites selon vous ? Comparez-les avec des objets que vous connaissez pour imaginer leur fonction.

1. On dirait un piano, mais cela ressemble aussi un peu à un orgue de Barbarie, car on dirait qu'il faut tourner quelque chose. Il y a les mêmes pédales que sur un piano.

AU FIL DE L'UNITÉ

6. Que vous évoquent ces mots ? Complétez les cartes mentales.

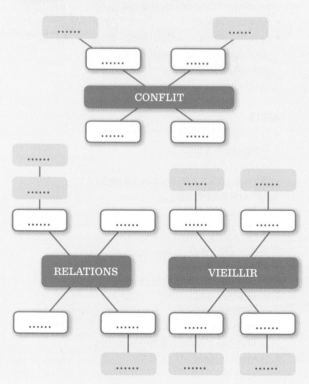

EXPRIMER L'ENTRAIDE ET LA SOLIDARITÉ

- Faire un échange de bons procédés
- Transmettre des savoirs
- Promouvoir une initiative / une action intergénérationnelle
- Une valeur refuge
- Se rapprocher de quelqu'un
- Être solidaire dans la crise
- Avoir des relations complices
- Trouver un terrain d'entente

PARLER D'UN CONFLIT

- Donner une leçon de vie
- Anti jeune / le jeunisme
- Déclencher une polémique
- Avoir un rapport, une relation conflictuel(le) / harmonieux(se) / apaisé(e)
- Des relations (hyper)tendues
- Un déficit de communication
- Se brouiller avec quelqu'un
- Gérer, dépasser un conflit
- Expliquer ses motifs
- Avoir un différend
- Accepter le point de vue de l'autre
- Prendre du recul
- Trouver un terrain d'entente
- Imaginer une solution commune
- Sortir d'un conflit
- Ne pas supporter quelque chose
- Être énervé(e) / excédé(e) par quelque chose ou quelqu'un
- Ça m'énerve !
- Se plaindre
- Entamer un dialogue
- Essayer d'expliquer quelque chose à quelqu'un
- Trouver un compromis
- Résoudre un malentendu

PARLER DU TEMPS QUI PASSE

- L'âge, c'est dans la tête !
- Prendre un coup de vieux / Ne plus être dans le coup
- Le temps n'a pas de prix
- Se sentir / Faire plus jeune / vieux (vieille) que son âge
- Il faut que jeunesse se passe

LE CHOC DES GÉNÉRATIONS

LES ÂGES DE LA VIE

- Atteindre la majorité
- Un(e) adulescent(e)
- Un Tanguy
- Être à la retraite
- Avoir des rides / des cheveux blancs
- Être expérimenté(e)
- Un(e) senior / un(e) aîné(e)
- Des petits-enfants / des arrière-petits-enfants
- Des grands-parents / des arrière-grands-parents
- Avoir des organes artificiels / des implants cérébraux
- Le processus de vieillissement
- Les avancées scientifiques
- La lutte contre le vieillissement

L'INTERGÉNÉRATIONNEL

- Si jeunesse savait, si vieillesse pouvait
- À chaque âge, ses plaisirs / Apprécier les plaisirs de son âge
- Toucher un héritage
- Tisser / Créer des liens entre les générations
- Le cocon / le nid / le toit familial
- Être optimiste / pessimiste par rapport à l'avenir
- Être semblable à / Ressembler à / Avoir l'air de / Faire penser à
- Être identique / similaire / pareil
- Le décalage entre les générations

LITTÉRATURE

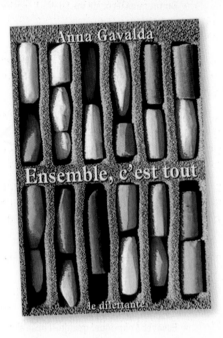

Dans le roman à succès *Ensemble, c'est tout*, publié en 2004 et adapté au cinéma en 2007, Anna Gavalda explore les relations interpersonnelles et s'essaie à une réflexion sur la cohabitation intergénérationnelle. Les personnages principaux (Franck, Camille, Philibert et Paulette) ont des bleus à l'âme et ressentent une profonde solitude. Tout au long du roman, ils vont apprendre à vivre ensemble.

Dans ce premier extrait, Franck rend visite à sa grand-mère Paulette dans une maison de retraite. Paulette refuse de lui parler, alors il s'emporte...

1 « Le Temps retrouvé, pour un endroit où ils allaient tous crever, c'était vraiment bien vu comme nom... N'importe quoi... Franck était de mauvaise humeur. Sa grand-mère ne lui adressait
5 plus la parole depuis qu'elle vivait ici et il était obligé de se creuser le ciboulot dès le périph' pour trouver des choses à lui raconter. La première fois, il avait été pris de court et ils s'étaient observés en chiens de faïence pendant tout l'après-midi... [...]
10 — Ça va ?
— Mmmm.
— Qu'est-ce que tu fais ?
— ...
— Tu fais la gueule ?
15 — ...
Ils se tinrent par la barbichette pendant un bon quart d'heure puis il se frotta la tête, ferma les yeux, soupira, se décala un peu pour se retrouver bien en face d'elle et lâcha d'une voix monocorde :
20 — Écoute-moi, Paulette Lestafier, écoute-moi bien : tu vivais seule dans une maison que tu adorais et que j'adorais aussi. [...] Au lieu de me faire la gueule, tu devrais plutôt penser à la chance que tu as eue de vivre plus de quatre-vingts ans
25 dans une maison aussi belle et...
Elle pleurait.

— ... Et en plus tu es injuste avec moi. Est-ce que c'est de ma faute si je suis loin et si je suis tout seul ? Est-ce que c'est de ma faute si tu es veuve ? Est-ce
30 que c'est de ma faute si t'as pas eu d'autre enfant que ma tarée de mère pour s'occuper de toi aujourd'hui ? Est-ce que c'est de ma faute si j'ai pas de frères et sœurs pour partager nos jours de visite ?

Dans le second extrait, Franck a proposé à sa grand-mère de quitter la maison de retraite pour le rejoindre dans sa colocation...

1 « Les premiers jours, Paulette ne quitta pas sa chambre. Elle avait peur de déranger, elle avait peur de se perdre, elle avait peur de tomber (ils avaient oublié son déambulateur) et surtout, elle
5 avait peur de regretter son coup de tête. Souvent, elle s'emmêlait les pinceaux, affirmait qu'elle passait de très bonnes vacances et leur demandait quand ils avaient l'intention de la ramener chez elle...
— C'est où chez toi ? s'agaçait Franck.
10 — Voyons tu sais bien... à la maison... chez moi...
Il quittait la pièce en soupirant :
— Je vous l'avais dit que c'était une connerie... En plus, elle perd la boule maintenant...
Camille regardait Philibert et Philibert regardait
15 ailleurs.
— Paulette ?
— Ah, c'est toi, mon petit... Tu... Comment tu t'appelles déjà ?
— Camille...

20 — C'est ça ! Qu'est-ce que tu veux, ma petite fille ?
Camille s'adressa à elle sans détour et lui parla assez
durement. Lui rappela d'où elle venait, pourquoi
elle était avec eux, ce qu'ils avaient et allaient
encore changer dans leurs modes de vie pour lui
25 tenir compagnie.
[…] Pour la première fois et tous autant qu'ils
étaient, ils eurent l'impression d'avoir une vraie
famille. Mieux qu'une vraie d'ailleurs, une choisie,
une voulue, une pour laquelle ils s'étaient battus
30 et qui ne leur demandait rien d'autre en échange
que d'être heureux ensemble. Même pas heureux
d'ailleurs, ils n'étaient plus si exigeants. D'être
ensemble, c'est tout. Et déjà, c'était inespéré. »

Extraits d'*Ensemble, c'est tout*, Anna Gavalda, 2004

11. LE VIVRE-ENSEMBLE

A. Lisez le titre du roman et observez sa
couverture. À votre avis, quel en est le thème ?
Lisez la présentation du roman pour vérifier
votre proposition.

B. Lisez les extraits. En petits groupes, choisissez
un personnage et jouez les dialogues de chaque
extrait.

C. Dans l'extrait 1, relevez les expressions
qui indiquent l'absence de dialogue entre les
personnages. Pourquoi Paulette et Franck ne
parviennent-ils pas à communiquer selon vous ?

D. Quel niveau de langue emploie Franck ?
Relevez des expressions dans les deux extraits.
Aidez-vous d'un dictionnaire pour leur trouver des
synonymes.

Tu me fais la gueule → Tu n'es pas contente

E. Dans l'extrait 2, Paulette se sent-elle à l'aise
dans cette colocation ? Comment réagissent
Franck et Camille face à l'attitude de la vieille
dame ?

12. LA COHABITATION INTERGÉNÉRATIONNELLE

A. Connaissez-vous des alternatives aux maisons
de retraite pour les personnes âgées ? Faites
des recherches en petits groupes sur les
options suivantes. Laquelle vous paraît la plus
intéressante ?

l'accueil familial   le béguinage

la colocation entre seniors

B. En petits groupes, élaborez une définition du
« vivre-ensemble ». Comparez-la avec celles des
autres groupes.

C. Au sein des mêmes groupes, imaginez une
journée type au sein de la colocation décrite
dans l'extrait, en intégrant dans votre récit tous
ses protagonistes.

TÂCHES FINALES

TÂCHE 1 CHÈRES GÉNÉRATIONS FUTURES

1. Vous allez écrire une chanson avec trois couplets pour les générations futures. Commencez par choisir la mélodie d'une chanson connue. Observez sa construction pour vous en inspirer : les rimes, les mots employés.

2. Choisissez un thème par couplet en vous inspirant de ceux de l'unité : logement, vieillissement, jeunesse, famille, crise économique…

3. Sur le thème choisi, imaginez et listez les changements de modes de vie entre votre génération et les générations futures.

4. Au sein des groupes, répartissez-vous les couplets à rédiger.

- *Nous, on a connu les disquettes*
  Vous, vous êtes nés avec les tablettes…

5. Photocopiez les paroles. En petits groupes, chantez votre chanson à la classe sur l'air de la mélodie choisie au début.

CONSEILS

- Variez les comparaisons entre aujourd'hui et demain.
- Pour choisir un air, vous pouvez consulter le site de musique : https://www.proudmusiclibrary.com/en/search
- Inspirez-vous de la chanson *Toute la vie*.

TÂCHE 2 UNE CAMPAGNE DÉCALÉE !

1. En petits groupes, vous allez concevoir une campagne de publicité décalée qui renverse les clichés que nous avons sur les jeunes et les personnes âgées. D'abord, choisissez une idée de produit ou de service dans un domaine de votre choix.

| santé | loisirs | vacances | logement | … |

2. Au sein de chaque groupe, listez les clichés sur le produit ou le service choisi. Aidez-vous de la fiche ci-dessous.

> Loisir : tricot
> Public visé en général : femmes âgées
> Public visé par notre campagne : jeunes citadins branchés
> Clichés : activité lente, vieillotte, ennuyeuse, vêtements démodés…

3. Inversez les clichés pour adresser votre publicité à un autre public. Rédigez un slogan. Ensuite, créez votre affiche à l'aide de photographies, de vieux magazines, de journaux, de dessins…

4. Présentez votre affiche à la classe et faites deviner votre démarche aux autres.

c'est moi qui l'ai fait !

Tricoter, c'est pas que pour les mamies

Cours de tricot tout public

tous les mardis, de 19 h à 21 h

Maison des jeunes de Mâcon

03 85 84 79 56

CONSEILS

- Pour trouver une idée de campagne, inspirez-vous de vraies campagnes publicitaires.
- Rédigez des slogans courts.
- Pour trouver des clichés, prenez des exemples de ce que font les jeunes ou les personnes âgées de votre entourage.

3

NÉS SOUS LA MÊME ÉTOILE

DÉCOUVERTE

pages 50-53

Premiers regards
- Donner son avis sur des campagnes de lutte contre les discriminations
- Différencier les termes pour parler de discrimination

Premiers textes
- Découvrir des discriminations surprenantes
- Discuter des préjugés et de leur origine

OBSERVATION ET ENTRAÎNEMENT

pages 54-61

Grammaire
- La voix passive
- Exprimer le passif avec *se faire, se voir* et *se laisser*
- Exprimer la négation et la restriction
- Les procédés et figures de style

Méthodologie
- Élaborer une introduction et une conclusion

Lexique
- Les formes de discrimination
- Les causes de discrimination
- Les solutions contre la discrimination

Phonétique p. 157
- Le *h* français
- La prosodie du passif

REGARDS CULTURELS

pages 62-63

Document
- *Le Racisme expliqué à ma fille*, Tahar Ben Jelloun

TÂCHES FINALES

page 64

Tâche 1
- Réaliser une vidéo antidiscrimination

Tâche 2
- Rédiger la fiche informative d'une association de lutte contre les discriminations

 + DE RESSOURCES SUR
espacevirtuel.emdl.fr

— Des activités autocorrectives (grammaire / lexique / culture / CE / CO)
— La carte mentale de l'unité à compléter

◀ ▶ ↻ | www.discriminations-stop.en

Les discriminations, ça suffit !

Notre équipe a voté pour les meilleures affiches de l'année : celles qui vous feront réfléchir. Découvrez-les et donnez-nous votre avis !

VOUS COMMENCEZ LUNDI

VOUS N'AVEZ PAS LE PROFIL

#LesCompetencesDabord

À compétence égale, le nom et l'origine peuvent obliger à envoyer 4 fois plus de CV pour décrocher un entretien.

Retrouvez conseils et solutions sur travail-emploi.gouv.fr/discrimination

1

"J'ai amené mon équipe de cadets en finale de la Coupe de France."

ALAIN, COMPTABLE

61 ANS

"Pourquoi je ne pourrais pas travailler avec vous ?"

Notre **avenir** se construit à **tout âge.**

www.emploidesseniors.gouv.fr
Info Emploi : 0821 347 347 (0.12 euro/mn.)

2

QUELLE PLACE SOMMES-NOUS PRÊTS À LAISSER AUX FEMMES ?

Laboratoire de l'Égalité

Partager une culture commune de l'égalité entre les femmes et les hommes.

PACTE POUR L'ÉGALITÉ
Liberté · Égalité · Parité

laboratoiredelegalite.org

3

#discrimination

L'APPARENCE PHYSIQUE N'EST PAS UN CRITÈRE D'EMBAUCHE MAIS UN CRITÈRE DE DISCRIMINATION

4

KATIA N'EST PAS SOUVENT À LA HAUTEUR.
SAUF DANS SON TRAVAIL.

5

TOULOUSE
INTERIM

Ouverture de la première agence de travail temporaire dédiée uniquement aux salariés reconnus handicapés.

TOULOUSE INTERIM HANDICAP 1, BOULEVARD LÉOPOLD ESCANDE 31000 TOULOUSE • TÉL 05 61 13 62 86

VOICI UNE FILLE
QUI AIME LES FILLES.
MAIS CETTE FILLE
QUI AIME LES FILLES
**N'AIME PAS
LES FILLES**
QUI N'AIMENT PAS
**LES FILLES
QUI AIMENT
LES FILLES.**

CETTE PHRASE EST COMPLIQUÉE MAIS
MOINS QUE SA VIE D'ÉTUDIANTE HOMOSEXUELLE.

6

L'HOMOPHOBIE MÈNE À L'EXCLUSION ET AU REJET
Les actes et les comportements homophobes peuvent avoir
des conséquences désastreuses pour ceux qui en sont victimes.
LUTTONS ENSEMBLE CONTRE L'HOMOPHOBIE À L'UNIVERSITÉ

> ❝ Étouffez toutes les haines, éloignez tous les ressentiments, soyez unis, vous serez invincibles. ❞
>
> Victor Hugo, écrivain français, XIX⁰ siècle

1. HALTE AUX DISCRIMINATIONS !

A. Observez les affiches proposées sur ce site Internet. D'après vous, quelles discriminations dénoncent-elles ?

B. Lisez attentivement les slogans des affiches. Comprenez-vous le message de chaque campagne ? Laquelle préférez-vous ? Discutez-en entre vous.

C. Existe-t-il des campagnes similaires dans votre pays ? Donnez un exemple.

D. Pouvez-vous définir les termes suivants avec vos propres mots ?

discrimination   préjugé   xénophobie

racisme   homophobie   intolérance

2. SURPRENANTES DISCRIMINATIONS

A. Avez-vous déjà été confronté(e) à une discrimination, soit comme victime, soit comme témoin ? Comment avez-vous réagi ? Parlez-en entre vous.

B. Lisez cet article sur la « malédiction » des Kevin. D'après son auteure, pourquoi les Kevin sont-ils victimes de discrimination ?

SOCIÉTÉ

La malédiction des Kevin

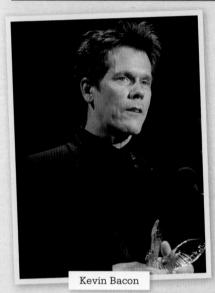
Kevin Bacon

« Un Kevin n'a pas le droit d'être un intellectuel... » Populaire dans les années 1990, ce prénom irlandais serait-il devenu un véritable handicap social ?

Pas facile de s'appeler Kevin... C'est justement le prénom lourd à porter du héros du nouveau roman de Iegor Gran, intitulé *La Revanche de Kevin* (éd. P.O.L). Le protagoniste, qui travaille à la radio, lit *Le Monde* et flâne dans les salons littéraires, fait l'objet de moqueries incessantes depuis la petite enfance. En cause, le mauvais goût de ses parents, qui ont choisi de l'affubler de ce prénom « de beauf »[1]. […]

Signes extérieurs de mépris

Pour le sociologue Baptiste Coulmont, auteur de *Sociologie des prénoms* (éd. La Découverte), ces attributs choisis pour nous par nos parents peuvent constituer de véritables indicateurs de position sociale. Joint par *Lepoint.fr*, il explique que le prénom Kevin a surtout été donné dans les années 1990 à des enfants issus des classes populaires influencées

Kevin Costner

par les séries américaines. Après les Dylan, enfants des fans de la série *Beverly Hills*, le boys band Backstreet Boys lance la vague des Kevin. Idem pour Jessica ou Cindy. Souvent mal perçus par les classes supérieures, ces prénoms suscitent de manière générale le mépris des milieux sociaux qui privilégient les prénoms ayant fait leurs preuves au détriment de la rareté. Les Thomas, Camille et autres Léa, en somme. « Il y a une lecture sociale des prénoms », résume le chercheur […]. « En réalité, Kevin souffre lorsqu'il est confronté à la classe intellectuelle parisienne. » […]

Mais naître Kevin, ce n'est pas seulement subir les mesquineries et les remarques désobligeantes de son entourage. C'est aussi un accès à l'emploi menacé par un concurrent au prénom plus classique. Ainsi, Jean-François Amadieu, le directeur de l'Observatoire des discriminations, a remarqué qu'à CV égal un Kevin voit ses chances de se faire embaucher diminuer de 10 à 30 % par rapport à un Arthur. À moins, bien sûr, de s'appeler Spacey, Costner ou Bacon.

---

1. Beauf : personne de mauvais goût.
PAR Clara Brunel | Publié le 01/04/2015 à 06:10 | www.lepoint.fr

---

C. Quelles sont les conséquences de cette discrimination ? En quoi est-ce surprenant ?

D. Cette discrimination due au prénom ou d'autres discriminations surprenantes existent-elles dans votre pays ?

- Dans mon pays, les gens du Sud ne sont pas bien vus. Certains ont du mal à trouver du travail en dehors de leur région.

3. MÉFIEZ-VOUS DES APPARENCES !

A. Vous allez visionner la vidéo d'une campagne de l'association Emmaüs. Observez d'abord cette photographie. Que vous inspire cette femme ? Comment imaginez-vous sa vie, son caractère, ses passe-temps ?

B. À présent, regardez la vidéo et répondez aux questions.

- Aviez-vous eu les mêmes préjugés que les passants ?
- Aviez-vous imaginé Lilette comme cette vidéo la décrit ?
- Comment aviez-vous imaginé Lilette ?

C. Observez les photos suivantes. Que diriez-vous de ces personnes et de leur caractère ou de leur mode de vie ?

D. Comment expliquez-vous vos réactions ? Pensez-vous qu'il soit naturel d'avoir des préjugés liés à l'apparence ? À votre avis, d'où viennent-ils ?

Et vous ?
Essayez-vous de combattre vos préjugés ? De quelle manière ?

4. LOI ET DISCRIMINATION

A. Observez et lisez cette infographie. Comprenez-vous les vingt critères de discrimination ? Parlez-en entre vous.

B. Lisez les cinq exemples de discrimination. Quels critères illustrent-ils ?

Yaël et Sophie, tous deux fumeurs, désiraient louer un logement. Ils ont pris rendez-vous pour visiter un appartement. Lorsqu'ils se sont présentés à la propriétaire, ils **se sont vu refuser** la location parce qu'ils sentaient le tabac.

Lors de son entretien d'embauche, Guy **s'est laissé piéger** par une question sur son état de santé. Il a signalé qu'il était atteint d'une maladie cardiovasculaire et il **n'a pas été recruté**.

Suite à sa participation à une grève en tant que représentante syndicale, une pression **s'est exercée** sur Danièle qui **a été menacée** de renvoi.

Lorsqu'elle a pris dix kilos puis qu'elle a arrêté de porter des jupes, Véro **s'est fait licencier**. Mais elle **ne s'est pas laissé faire** et a porté plainte. Depuis, son entreprise **s'est vue contrainte** de la réintégrer à son poste.

La maman du petit Darius, 8 ans, **s'est vu refuser** l'inscription de son fils à l'école parce qu'ils sont Tsiganes.

C. Observez les formes surlignées. En général, pour quelle(s) raison(s) emploie-t-on le passif ? Quel est l'effet produit dans le document ? Complétez le tableau.

LE PASSIF

La voix passive se construit avec l'auxiliaire *être* + le participe passé du verbe.
Ex. : ....

On peut aussi exprimer le passif avec d'autres tournures :

D'autres verbes de sens passif
• *Se faire* + ...
Ex. : *Véro s'est fait licencier.*

• *Se voir* + ...
Ex. : *Ils se sont vu refuser la location. Elle s'est vu refuser l'inscription.*

⚠ Attention ! On ne fait jamais l'accord du participe passé avec le sujet quand *se voir* est suivi de l'infinitif.

• *Se voir* + ...
Ex. : *Son entreprise s'est vue contrainte de la réintégrer à son poste.*

On accorde le participe passé avec le sujet.

• *Se laisser / ne pas se laisser* + ...
Ex. : ....
Ex. : ....

Cette construction insiste sur la passivité du sujet à la forme affirmative (idée d'abandon, de résignation), et sur la résistance du sujet à la forme négative.

Les verbes pronominaux de sens passif
Ex. : ....

D. En petits groupes et en vous aidant des cas déjà présentés, choisissez l'un des critères de l'infographie et rédigez un exemple de situation de discrimination.

« L'appartenance ou non à une race » :
Lors de son stage de fin d'études dans une pharmacie, une jeune étudiante s'est vue pendant deux mois assignée à la gestion des stocks dans la réserve. Une précision : elle est noire.

5. GUÉRISSEZ DE VOS PRÉJUGÉS !

A. Observez cette boîte de médicament qui n'est pas comme les autres. À votre avis, de quoi s'agit-il ?

PISTE 7

B. Écoutez la présentation faite par l'inventeur de ce médicament. En quoi Préjugix est-il original ?

C. Complétez le tableau avec des exemples pris dans la transcription de l'enregistrement.

L'EXPRESSION DE LA NÉGATION ET DE LA RESTRICTION

La négation
La négation s'exprime généralement avec *ne... pas*, mais il existe d'autres formes négatives.
- *Ni... ni* (pour exprimer une double négation)
  Ex. : .....
  Dans ce cas, les éléments coordonnés par *ni* sont toujours de même nature (par exemple deux noms).
- *Ne...plus...sans*
  Ex. : ....

La restriction
- *Ne... que* (seulement, uniquement, juste)
  Ex. : ....
  Ne se place avant le verbe et *que* se place devant le terme sur lequel porte la restriction. On pourrait dire :
  Il a uniquement / seulement / juste un an.
- *Rien que* (seulement, uniquement, juste)
  Ex. : ....
- *Sauf* (excepté)
  Ex. : ....

D. Imaginez la notice de Préjugix en vous aidant des informations données par son inventeur.

COMMENT PRENDRE PRÉJUGIX 200 MG ?

> Quand :
....

> Contre-indications :
....

> Effets désirables :
....

 Et vous ?
Quel médicament aimeriez-vous inventer pour soigner quelque chose qui vous dérange ?

LE PASSIF

EX. 1. Pour mieux dénoncer le préjudice subi par ces victimes de discrimination, transformez leurs témoignages laissés sur un forum en utilisant des tournures de sens passif. Repérez à quel critère correspond la discrimination subie.

1. Pierre : On m'a refusé un entretien d'embauche parce que j'habite dans le département voisin.
   Pierre s'est vu refuser un entretien d'embauche parce qu'il habite dans le département voisin. (critère : lieu de résidence)
2. Jean-Christophe : On m'a insulté en raison de ma petite taille.
3. Rachid : Un grand magasin a refusé mon chèque en raison de mon nom à consonance étrangère.
4. Émeline : Une entreprise a préféré ne pas me recruter parce que je suis mère de quatre enfants.
5. Roland : Je n'ai pas obtenu de crédit immobilier auprès de ma banque à cause de mon âge.
6. Charline : J'ai été licenciée à mon retour de congé maternité.

EX. 2. Lisez ces autres témoignages du forum, puis complétez les phrases avec *se laisser* à la forme affirmative ou à la forme négative pour exprimer la passivité ou la résistance des personnes.

1. Manon, jeune femme : Mon patron m'a dit que toutes les stagiaires devaient porter des minijupes, mais je lui ai répondu qu'il n'en était pas question ! (impressionner)
   Manon ne s'est pas laissé impressionner par les menaces de son employeur.
2. Sami, Franco-Algérien : Le videur m'a dit que c'était une soirée privée, et que je ne pourrais pas entrer sans invitation dans la boîte de nuit, alors je suis parti sans demander d'autre explication. Le vrai problème ? Mes origines, bien sûr. (décourager)
3. Miguel, handicapé : Lorsque le directeur d'un hôtel m'a expliqué froidement que l'entrée des chambres n'était pas suffisamment large pour mon fauteuil roulant, j'ai immédiatement contacté Handicap International pour signaler cet établissement ! (intimider)
4. Natacha, fumeuse : Après un entretien pour un poste dans un lycée, j'ai reçu ce courriel, auquel je n'ai pas répondu : *Votre candidature a retenu toute notre attention, mais vous êtes une grande fumeuse, ce qui représente un mauvais exemple pour les jeunes. Ce poste ne vous conviendra pas.* (convaincre)
5. Sophie, enceinte de six mois : Depuis que mon patron sait que je suis enceinte, des dossiers m'ont été retirés. J'ai décidé d'alerter les syndicats, car c'est totalement illégal ! (mettre à l'écart)

L'EXPRESSION DE LA NÉGATION ET DE LA RESTRICTION

EX. 3. Corrigez ces affirmations sur Préjugix en transformant les phrases à la forme négative.

1. Il soulage la migraine, les irritations et la toux !
2. Vous aurez des effets indésirables.
3. Il a déjà dix ans.
4. Il traite uniquement les violences conjugales.
5. Vous pouvez vous le procurer dans un grand magasin.

+ d'exercices : pages 179-180

6. LE MAGICIEN DES MOTS

A. Lisez la présentation de Magyd Cherfi. Comment interprétez-vous le titre de son livre, *Ma part de Gaulois* ?

B. Quelles ont été les difficultés de Magyd durant son adolescence ? Comment a-t-il réagi ?

Magyd Cherfi est un chanteur et écrivain français d'origine algérienne né à Toulouse. Il est membre du groupe Zebda, dont il écrit les chansons. Il a aussi réalisé plusieurs albums en solo et écrit des nouvelles.

Ma part de Gaulois est son troisième livre. Dans ce récit autobiographique, il raconte son adolescence dans une cité de Toulouse. Nous sommes en 1981, et Magyd prépare le baccalauréat, du jamais-vu dans sa cité. Magyd aime étudier, lire, écrire, il se rêve même en poète. Mais, cette envie de s'instruire est incomprise de ses camarades et de ses voisins, qui le considèrent comme un « traître » reniant ses racines pour devenir français. Magyd va devoir concilier son désir de réussite et ses révoltes d'adolescent.

MAGYD CHERFI
Ma part de Gaulois
récit

ACTES SUD

[...] Longtemps, j'ai aimé qu'on me dise :
— Magyd, écris-nous quelque chose ! Un truc qui tue, mets-nous le feu ! On s'ennuie.

Surtout les filles de mon quartier, qui savaient mon écriture inflammable et solidaire. J'aimais dégommer¹ les mecs de ma cité qui me le rendaient bien. Je les croquais en verbe, ils me retournaient la bouche à coups de savate. Les filles, elles voulaient que j'écrive un incendie. Être leur pyromane me chauffait les neurones. Interdites de sorties, je devenais leur passeport pour les étoiles.
— Écris la légende des quartiers.

Tout le monde aimait ça, que j'invente une « histoire ». D'histoire, on n'en avait pas. Ma mère, les filles, les copains, un seul cri : Écris...
— Un truc qui tue !

Comme on dit au djinn « exauce mon vœu » ou à la fée « fais-moi apparaître la plus jolie princesse ». On me sollicitait de partout pour un petit bonheur pépère². J'étais dans ma cité comme un magicien des mots et je m'en léchais la plume. Les copains aussi me demandaient des poèmes pour accrocher une voisine et quand ils revenaient me supplier pour deux ou trois autres quatrains, je la jouais poète pris dans les tourments de l'inspiration, je me prenais la tête à deux mains :
— Attendez il faut que ça vienne.

[...] À défaut d'être « mec », je me suis fait plume et ma haine, plutôt que des poings, s'est servie d'un stylo.

Par bonheur je n'étais pas que flasque et éteint, j'étais aussi fâché et j'ai donc envoyé mon écriture à la salle de gym. J'habitais la banlieue, ça dit tout.

Pourtant j'avoue, pour avoir lu les « meilleurs » que j'étais à l'écriture ce que le mineur est au minerai, bien plus dans le concassage que dans l'épure.

J'en maudis encore le ciel, car écrire et être en colère auraient mérité un scribouillage hugolien³.
Rien de ça chez moi jusqu'à ce que j'assume ce qualificatif qui m'a hanté longtemps. Sympa.
— C'est sympa ce que t'écris.

Oh l'incroyable adjectif qui veut dire à la fois c'est nul et c'est bien. Maudit adjectif passe-partout qui permet le compliment sans affoler son destinataire, qui vous débarrasse d'une position inconfortable en proposant un « pouf », qui vous engloutit, qui flatte sans vous proposer les nues et qui n'est ni désobligeant ni porteur de louanges.

1. J'aimais me battre.
2. Tranquille, confortable.
3. Un texte écrit sans soin.

C. Lisez l'extrait de *Ma part de Gaulois*. Complétez le tableau avec les figures de style surlignées dans le texte. Ensuite, expliquez-les.

LES PROCÉDÉS ET FIGURES DE STYLE

FIGURES DE STYLE	EXEMPLES
La métaphore filée : Elle est constituée d'une suite de métaphores sur le même thème.	....
L'hyperbole : Elle consiste à créer une exagération et à exprimer un sentiment extrême.	....
La litote : Elle consiste à dire moins pour suggérer davantage, à laisser entendre plus que ce que l'on dit.	....
Le jeu de mots : – Il s'appuie sur la différence de sens entre des mots qui se prononcent de la même manière (homophones). – Il joue sur le double sens d'un mot, avec le sens propre et le sens figuré d'un mot.	*C'est bon, c'est fin, ça se mange sans faim !* ....
L'antiphrase : Elle dit le contraire de ce qu'on pense réellement.	*C'est malin ! (= c'est idiot !)*

D. En petits groupes, faites des recherches pour trouver au moins deux exemples de figures de style. Vous pouvez chercher sur Internet des publicités, des paroles de chansons, des slogans, des titres de films, etc.

• Les magasins Monoprix jouent sur le double sens du mot « pressé ». Les oranges sont pressées et les gens sont pressés...

LES PROCÉDÉS ET FIGURES DE STYLE

EX. 1. Voici quelques jeux de mots d'écrivains ou de publicitaires. Expliquez le sens propre et le sens figuré du passage souligné dans ces jeux de mots. Est-ce qu'ils vous font rire ?

1. « La nuit <u>tomba</u>. Je me penchai pour la ramasser. » (Alphonse Allais)
2. « Les miroirs feraient bien de <u>réfléchir</u> avant de nous renvoyer notre image. » (Jean Cocteau)
3. « Notre baguette bio ne coûte pas plus de <u>blé</u>. » (publicité Monoprix)
4. « Il m'est arrivé de <u>prêter l'oreille</u> à un sourd, il n'entendait pas mieux. » (Raymond Devos)
5. « Il <u>suivait</u> son idée, c'était une idée fixe, et il était surpris de ne pas avancer. » (Jacques Prévert)
6. – J'ai la vue qui <u>baisse</u>.
   – Tu n'as qu'à relever la tête ! (Jean-Marie Gourio)

 PISTE 8

EX. 2. Écoutez ces courts dialogues et repérez les antiphrases, les hyperboles et les litotes. Puis, expliquez leur signification.

1. • Allô chéri ! J'ai claqué la porte de la maison, et les clés sont restées à l'intérieur...
   ◦ Ah ben c'est malin ! C'est vraiment intelligent, ça !
2. • J'ai eu zéro sur 20 à mon examen.
   ◦ Bravo ! Félicitations, mon fils ! Tu peux être fier de toi, continue comme ça...
3. • Tu rentres à quelle heure ce soir ?
   ◦ Mais je te l'ai dit mille fois ! Tu n'écoutes jamais rien !!!
4. • Tu as rencontré son nouveau petit copain ?
   ◦ Ouais, il est plutôt pas mal...
5. • Il est mignon, n'est-ce pas ?
   ◦ Tu plaisantes ?! C'est un véritable dieu vivant !

EX. 3. Par deux, trouvez tous les homophones des mots suivants. Vous pouvez faire des recherches si nécessaire.

1. Vert, ...
2. Eau, ...
3. Poil, ...
4. Mer, ...

EX. 4. À partir des homophones de l'exercice 3, formez des phrases ou racontez une petite histoire qui joue sur les mots, comme dans l'exemple.

– Pour Caen ? Prenez le car.
– Il part quand ?
– Il part au quart.
– Mais... le quart est passé !
– Ah, si le car est passé, vous l'avez raté.

(Extrait « Caen », Raymond Devos)

+ d'exercices : page 181

7. ÉLABORER UNE INTRODUCTION ET UNE CONCLUSION

A. Lors d'une épreuve écrite de Delf B2, un candidat a rédigé un texte ayant pour sujet « La féminisation des noms de métier : pour ou contre ? ». Les quatre parties de son introduction ont été mélangées. Lisez le tableau consacré aux différentes parties qui structurent une introduction, puis remettez dans l'ordre celle du candidat.

a. Dans un premier temps, nous verrons que certains critiquent beaucoup cette féminisation et la considèrent comme un faux débat. Nous montrerons ensuite que cette règle n'est pas seulement une question de grammaire, mais un acte social qui remet en cause la domination du masculin sur le féminin. Enfin, nous terminerons en évoquant la nécessaire évolution des mentalités dans ce combat pour le droit des femmes.

b. De nos jours, au Québec, en Suisse ou en Belgique, la féminisation des noms de métier ne pose pas de problème : professeure, auteure, ingénieure sont des termes d'usage courant.

c. Mais, dans un article récent, la journaliste Gaëlle Dupont nous apprend que, pour les Français, l'usage du féminin fait encore débat, trente ans après la publication de la circulaire du 11 mars 1986 prescrivant la féminisation des noms de métier, fonction, grade, ou titre dans tous les textes réglementaires et documents officiels. La France est donc en retard, et il arrive encore régulièrement d'entendre « Madame le député » ou de lire « une professeur ».

d. La question qui se pose est la suivante : dans quelle mesure ce processus sert-il à promouvoir l'égalité entre les femmes et les hommes ?

L'INTRODUCTION

Partie	Définition	Extrait
1. L'entrée en matière	C'est une amorce qui contextualise le sujet. Elle doit accrocher le lecteur et lui donner envie d'aller plus loin dans sa lecture.	
2. La présentation du sujet	Fondée sur l'analyse des mots-clés du sujet, elle permet d'aboutir à une problématique pertinente.	
3. La problématique	Elle explique en quoi le sujet pose problème : elle peut être rédigée sous forme d'une ou de plusieurs questions.	
4. L'annonce du plan	Elle indique clairement et de manière très structurée, à l'aide de connecteurs, les différentes étapes du développement à venir.	

B. Complétez ces deux versions de l'annonce du plan (partie 4) avec les connecteurs et les expressions qui conviennent.

pour terminer   tout d'abord

premièrement   puis   finalement

dans un deuxième temps

a. Nous présenterons ..... les désaccords autour de cette question de la féminisation, ... nous examinerons le lien entre les règles de grammaire et la place des femmes dans la société. ....., nous terminerons en prenant position dans ce débat.

b. ....., nous verrons quels désaccords existent autour de la féminisation. ....., nous montrerons le lien entre cette réforme linguistique et les droits des femmes. ....., nous aborderons la nécessaire évolution des mentalités.

C. Pour terminer son argumentation, le candidat doit rédiger une conclusion. Lisez le tableau consacré aux différentes parties qui structurent une conclusion. Parmi les différentes phrases proposées, quelles sont celles qui peuvent être utilisées ? Complétez le tableau. Attention, plusieurs réponses sont possibles.

a. En conclusion, nous avons vu qu'il est important de prendre conscience de la portée politique et sociale de ce débat grammatical.

b. Certes, la féminisation des noms de métier et des titres de fonction ne réglera pas à elle seule les problèmes d'inégal accès des femmes et des hommes aux postes à responsabilité, mais l'enjeu est d'ores et déjà la visibilité, car comme le disait Ilbhan Berk : « Ce qui n'est pas nommé, n'existe pas. »

c. En définitive, il est important d'ajouter que l'argument qui consiste à dire que la féminisation de certains mots est inutile reste discriminant pour les femmes.

d. Finalement, nous avons montré que les combats pour les droits des femmes et pour la féminisation de la langue française sont intimement liés.

LA CONCLUSION

Partie	Définition	Extrait
1. La synthèse du développement	Elle constitue le bilan du développement et répond aux questions posées dans l'introduction. Attention, il ne faut surtout pas y apporter de nouvelles idées ou de nouveaux arguments.	
2. L'élargissement du sujet	Il peut s'agir d'exprimer une opinion personnelle ou d'utiliser une citation adéquate afin de terminer l'argumentation en étendant le débat.	

LES CONSEILS POUR RÉDIGER UNE INTRODUCTION ET UNE CONCLUSION

- Vous devrez rédiger une introduction et une conclusion pour différents écrits ou présentations orales : exposé, essai argumentatif, synthèse de documents.
- Utilisez les pronoms *nous* et *on* pour conserver un style neutre.
- Respectez les différentes parties de l'introduction :
  – l'entrée en matière.
  – la présentation du sujet.
  – la problématique.
  – l'annonce du plan.
- Respectez les différentes parties de la conclusion :
  – la synthèse du développement.
  – l'élargissement du sujet.

8. C'EST À VOUS !

A. Voici un sujet d'expression écrite de type Delf B2. Surlignez les mots-clés et reformulez le sujet avec vos propres mots.

Avec des collègues, vous êtes préoccupé(e)s de voir que rien de concret ne se fait dans votre entreprise pour faciliter l'accès à l'emploi des personnes handicapées. Vous écrivez au directeur pour lui demander de prendre des mesures en lui exposant vos arguments et les avantages que pourrait en tirer l'entreprise.

Je dois écrire au directeur...

B. Notez toutes vos idées pour traiter ce sujet et organisez-les.

C. Pour répondre à ce sujet, rédigez une introduction en quatre parties.

D. Puis, rédigez une conclusion en deux parties.

LES CAUSES DE LA DISCRIMINATION

1. Rédigez les textes des pancartes des quatre manifestations suivantes.

contre le racisme

pour l'égalité hommes-femmes

contre la xénophobie

pour les droits de l'Homme

Manifestation contre la xénophobie :
« Nous sommes tous des étrangers quelque part.
La xénophobie, ça suffit ! »

2. Cette affiche, réalisée par des étudiants, a remporté un prix à un concours. Sur ce modèle, réalisez vous aussi une affiche pour dénoncer une discrimination.

Discriminer une femme est inadmissible !

LES SOLUTIONS

3. Par deux, chacun(e) à votre tour, poursuivez cette liste avec vos meilleures idées pour faciliter le vivre-ensemble.

- Accepter les autres comme ils sont.
- Ne pas juger quelqu'un sans le connaître.
- ....
- ....
- ....
- ....

LES CONSÉQUENCES DE LA DISCRIMINATION

PISTE 9

4. Écoutez ces témoignages et retrouvez de quoi ces personnes ont été victimes.

5. Lisez cet article paru sur le site d'un journal en ligne et complétez-le à l'aide des expressions suivantes.

être à la hauteur

subir une discrimination raciale

accepter les différences

faire évoluer les mentalités

être victime de rejet

ne pas avoir le profil

Le combat de Fethi, qui a ...... à l'embauche

HISTOIRE – Fethi K. vient de gagner un procès aux prud'hommes contre une société de Loire-Atlantique. La procédure a duré trois ans. Aujourd'hui, ce trentenaire veut témoigner pour .... et inciter à .... .

« J'ai quitté l'Algérie pour faire des études à Nantes, où j'ai obtenu mon diplôme d'ingénieur (bac +5). Pendant mes études, je n'ai jamais .... .

Mais, quand je me suis mis à chercher du travail, j'ai envoyé des centaines de CV et je n'arrivais pas à décrocher d'entretien : on me répondait toujours que je .... .

Un jour, je leur ai envoyé mon CV en changeant mon nom et en retirant la photo. Cette fois, on m'a rappelé. Subitement, ... J'étais écœuré. »

D'après lci.fr, le 1/10/2014

AU FIL DE L'UNITÉ

6. Pensez rapidement à ce qu'est pour vous...

1. Un stéréotype amusant
- Les stéréotypes sur les nationalités... par exemple, les Français portent tous des T-shirts à rayures !

2. La pire injustice
3. La meilleure façon de promouvoir le respect

7. Retrouvez les expressions en associant les noms aux verbes suivants.

l'égalité

un préjudice

des préjugés

des idées reçues

le respect

des moqueries

une injustice

la tolérance

1. Subir ....

....

2. Combattre ....

....

3. Promouvoir ....

....

LES FORMES DE DISCRIMINATION

- Être / Se sentir
  - rejeté(e)
  - méprisé(e)
  - mis(e) à l'écart
  - exclu(e)
  - opprimé(e)
  - victime

- Être victime de
- Être confronté(e) à un(e) / des
- Subir un(e) / des
  - injustice(s)
  - préjudice(s)
  - discrimination raciale / sexuelle / religieuse / physique…
  - stéréotypes
  - rejet
  - exclusion
  - traitement inégalitaire
  - moqueries / blagues stupides / remarques / insultes
  - actes / comportements homophobes / racistes

- Se voir refuser / contraint(e) de…
- Avoir / ne pas avoir le profil
- Être / ne pas être à la hauteur

LES CAUSES DE DISCRIMINATION

- Avoir
  - des préjugés
  - des stéréotypes
  - des idées reçues

- Être
  - raciste
  - xénophobe
  - sexiste
  - homophobe
  - intolérant(e)

- Le racisme
- La xénophobie
- Le sexisme
- L'homophobie
- L'intolérance

NÉS SOUS LA MÊME ÉTOILE

LES SOLUTIONS CONTRE LA DISCRIMINATION

- Lutter contre / Combattre / Dénoncer / Condamner / Éradiquer
  - la discrimination
  - les préjugés
  - les idées reçues
  - les actes racistes / homophobes

- Accepter les différences / les gens comme ils sont
- Promouvoir l'égalité / le respect / la tolérance / l'ouverture d'esprit / le vivre-ensemble
- Privilégier les compétences
- Lancer une campagne de sensibilisation
- Interpeller / Sensibiliser les employeurs, les recruteurs, le grand public
- Faire évoluer les mentalités
- Déconstruire les préjugés
- Faire réfléchir les gens

É crivain, poète et peintre, Tahar Ben Jelloun est né à Fès, au Maroc, en 1944. Il a commencé sa carrière comme journaliste et il publie des textes nombreux et variés, écrits en français. Pour lui, l'écriture sert avant tout à partager ses émotions et ses colères : « ne pas se taire » et dénoncer ce qui est inadmissible. Il s'intéresse en particulier aux problèmes du monde arabe et des communautés immigrées.

C'est pour tâcher de répondre aux questions que lui pose sa fille, Mériéme, 10 ans, qui l'a accompagné à une manifestation contre un projet de loi sur l'immigration, que Tahar Ben Jelloun décide d'écrire *Le Racisme expliqué à ma fille*, en 1998.

« La lutte contre le racisme commence avec l'éducation. On peut éduquer des enfants, pas des adultes. C'est pour cela que ce texte a été pensé et écrit dans un souci pédagogique, en priorité pour des enfants entre huit et quatorze ans, mais bien sûr aussi pour leurs parents. Commençons donc par dire que ce livre sert aux adultes qui veulent répondre aux questions de leurs enfants avec clarté et simplicité. »

Tahar Ben Jelloun

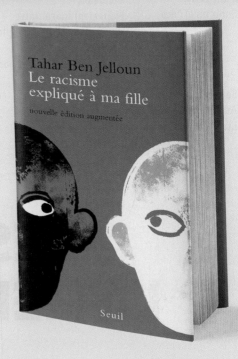

Dis, Papa, c'est quoi le racisme ?
Le racisme est un comportement assez répandu, commun à toutes les sociétés, devenu, hélas, banal dans certains pays parce qu'il arrive qu'on ne s'en rende pas compte. Il consiste à se méfier, et même à mépriser, des personnes ayant des caractéristiques physiques et culturelles différentes des nôtres.

Quand tu dis « commun », tu veux dire normal ?
Non. Ce n'est pas parce qu'un comportement est courant qu'il est normal. En général, l'homme a

tendance à se méfier de quelqu'un de différent de lui, un étranger par exemple ; c'est un comportement aussi ancien que l'être humain ; il est universel. Cela touche tout le monde.

Si ça touche tout le monde, je pourrais être raciste ?
D'abord, la nature spontanée des enfants n'est pas raciste. Un enfant ne naît pas raciste. Si ses parents ou ses proches n'ont pas mis dans sa tête des idées racistes, il n'y a pas de raison pour qu'il le devienne. Si, par exemple, on te fait croire que ceux qui ont la peau blanche sont supérieurs à ceux dont la peau est noire, si tu prends au sérieux cette affirmation, tu pourrais avoir un comportement raciste à l'égard des Noirs.

C'est quoi être supérieur ?
C'est, par exemple, croire, du fait qu'on a la peau blanche, qu'on est plus intelligent que quelqu'un dont la peau est d'une autre couleur, noire ou jaune. Autrement dit, les traits physiques du corps humain, qui nous différencient les uns des autres, n'impliquent aucune inégalité. [...]

C'est quoi un raciste ?
Le raciste est celui qui, sous prétexte qu'il n'a pas la même couleur de peau, ni la même langue, ni la même façon de faire la fête, se croit meilleur, disons supérieur, que celui qui est différent de lui. Il persiste à croire qu'il existe plusieurs races et se dit : « Ma race est belle et noble ; les autres sont laides et bestiales. » [...]

Tahar Ben Jelloun,
Le Racisme expliqué à ma fille

9. LA LITTÉRATURE CONTRE L'INTOLÉRANCE

A. Connaissez-vous Tahar Ben Jelloun ? Lisez le texte de présentation.

B. Observez la couverture du livre et lisez le court texte d'introduction rédigé par Tahar Ben Jelloun. À qui s'adresse l'auteur ? Sur quel thème décide-t-il d'écrire ? Pourquoi, à votre avis ?

10. EXPLIQUER L'INEXPLICABLE

A. Lisez l'extrait du *Racisme expliqué à ma fille*. D'après l'auteur, quelles sont les caractéristiques d'un comportement raciste ? Êtes-vous d'accord avec son explication ? Comment pourriez-vous la compléter ?

B. Ce texte est régulièrement étudié en France dans les écoles. À votre avis, est-ce pertinent ? Expliquez pourquoi.

11. LA MAGIE DU DIALOGUE

A. « On peut éduquer des enfants, pas des adultes », écrit Tahar Ben Jelloun. Êtes-vous d'accord avec cette affirmation ?

B. Dans votre vie, y a-t-il une expérience (rencontre, lecture, voyage...) que vous avez vécue et qui vous a « éduqué(e) » ou « ouvert(e) » à quelque chose qui vous était étranger ? Racontez cette expérience.

C. En petits groupes et en suivant le modèle de l'extrait, écrivez un court dialogue imaginaire pour expliquer une discrimination (homophobie, sexisme...) à un enfant.

TÂCHES FINALES

TÂCHE 1 — VIDÉO ANTI-DISCRIMINATION : FAITES LE BUZZ !

1. Vous allez réaliser un message vidéo pour dénoncer une discrimination réelle ou imaginaire. En petits groupes, pensez à une situation de discrimination qui ne soit pas forcément sérieuse.

- Laurent s'est vu refuser l'entrée du restaurant parce qu'il portait des chaussettes avec des sandales.

2. À la manière d'un sketch, mettez en scène cette situation.

3. Préparez aussi le texte d'une voix off pour décrire la scène.

- Il est 13 heures. Laurent est évacué du restaurant par le vigile. La raison ? Il porte des chaussettes avec des sandales.

4. Imaginez un slogan qui comporte une figure de style pour conclure votre vidéo.

- Si vous voulez éviter de mettre les pieds dans le plat, commencez par enlever vos chaussettes !

5. À l'issue de la présentation des différentes vidéos, votez pour celle que vous avez préférée.

CONSEILS

- N'hésitez pas à interpréter des situations de discrimination saugrenues ou insolites.
- Vous pouvez vous inspirer de cas d'actualité.
- Travaillez vos voix off pour créer du suspense, de l'émotion ou de l'humour.
- Pensez aux figures de style qui favorisent les effets comiques (jeux de mots, hyperbole, ironie...).

TÂCHE 2 — UNE ASSO, UNE ACTION

1. Vous allez rédiger la fiche informative d'une association de lutte contre les discriminations. En petits groupes, choisissez l'association que vous souhaitez présenter, elle peut être réelle ou imaginaire, de votre pays ou d'ailleurs.

2. Définissez les caractéristiques de votre association à partir du modèle suivant.

3. Imaginez une action de sensibilisation en cohérence avec les engagements de votre association. Cette action peut être insolite.

- Nous allons organiser une journée « inversion des genres » : les hommes s'habillent en femme, et les femmes s'habillent en homme, et chacun prend la place de l'autre pour une journée !

4. Présentez votre association au reste du groupe et votez pour celle que vous préférez.

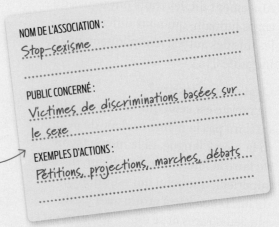

NOM DE L'ASSOCIATION :
Stop-sexisme

PUBLIC CONCERNÉ :
Victimes de discriminations basées sur le sexe

EXEMPLES D'ACTIONS :
Pétitions, projections, marches, débats...

CONSEILS

- Vous pouvez reprendre la liste des critères de discrimination de la page 54 pour vous inspirer.
- Si vous présentez une association qui existe réellement, faites des recherches sur ses actions.

4

MES AMIS, MES AMOURS

 + DE RESSOURCES SUR
espacevirtuel.emdl.fr

- Des activités autocorrectives (grammaire / lexique / culture / CE / CO)
- La carte mentale de l'unité à compléter

L'alchimie de L'am♥ur

Connaissez-vo

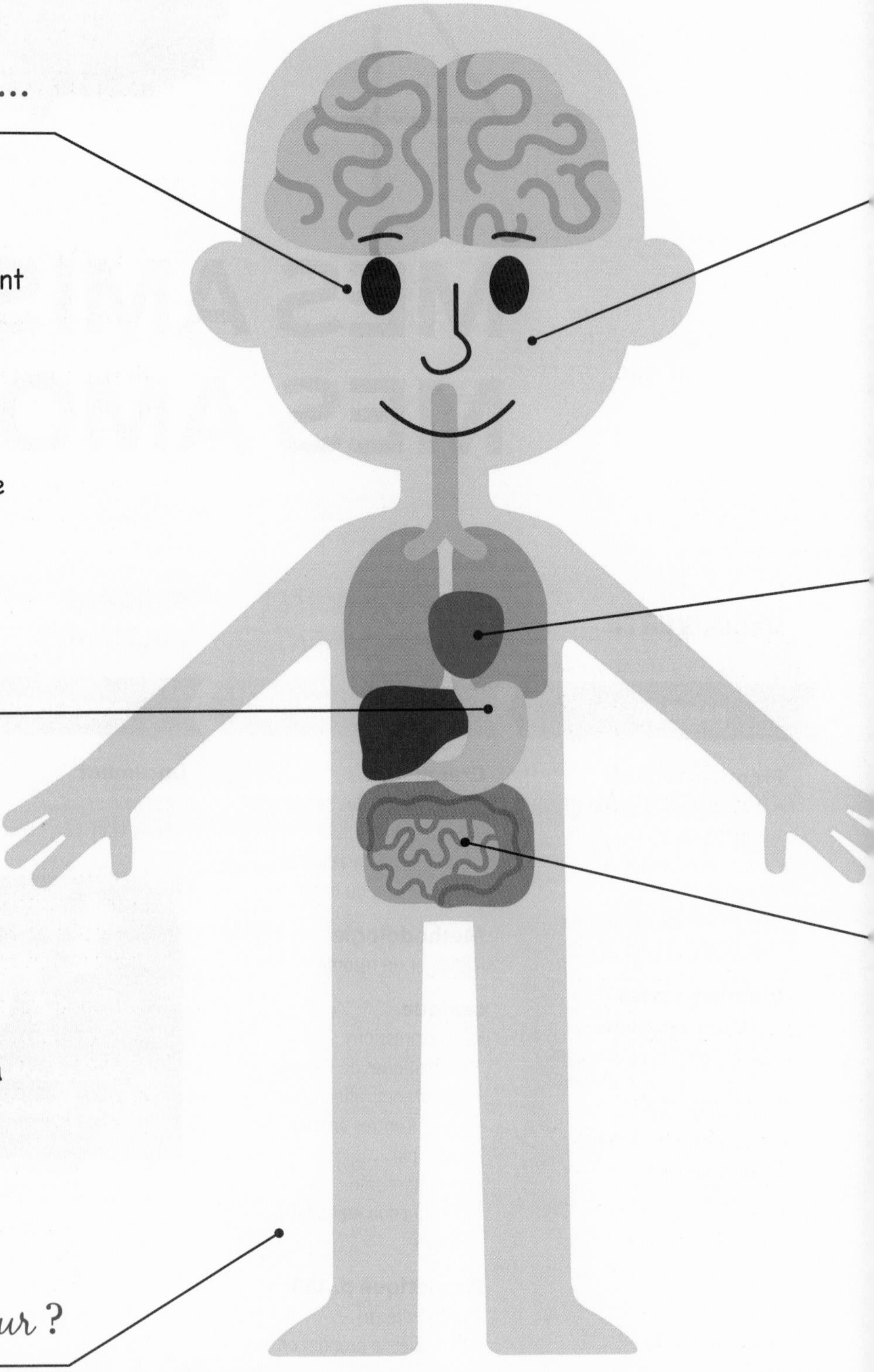

L'amour est aveugle...

1

Puisqu'il est hormonal !
Quand on aime, le corps
produit de l'ocytocine,
l'hormone de l'attachement
entre la mère et l'enfant,
des interactions sociales
et de la confiance. Elle
est également appelée
hormone de l'amour,
puisqu'elle accompagne le
sentiment amoureux.

Vivre d'amour et d'eau fraîche

3

Le cerveau, submergé
d'informations
amoureuses, délaisse
les autres informations
transmises par le corps,
dont celle de la faim. La
perte d'appétit serait
également liée à une
hormone que diffuse
l'amour dans le corps : la
dopamine, l'hormone de
la motivation.

Une question d'odeur ?

5

Des recherches scientifiques récentes montrent l'importance de l'odeur corporelle sur les
rencontres. L'odeur qu'exhale naturellement le corps serait la plus attirante de toutes, ce
qui expliquerait l'euphorie que suscite une nouvelle rencontre : une question de flair !

effets sur le corps ?

Rouge comme une tomate !

2

Le système nerveux , qui commande nos émotions, déclenche des rougissements sur le visage afin d'indiquer que nous sommes gênés. Ainsi, lorsqu'on avoue à quelqu'un qu'on craque pour lui ou elle, on rougit !

Le cœur a ses raisons...

4

...que la raison ne connaît point. Lorsque vous avez un coup de foudre, votre cœur bat la chamade puisque la fréquence de votre rythme cardiaque passe de 60-80 à 120 pulsations par minute. L'amour fait bien battre le cœur !

Un envol de papillons

6

Avez-vous déjà ressenti une impression étrange, comme des papillons dans le ventre, lorsque vous tombiez amoureux ? La libération d'adrénaline, qui fait circuler le sang depuis votre ventre vers vos muscles, en est sans doute la cause. Serait-ce également de là que proviendrait l'expression « l'amour donne des ailes » ?

> **❝ Rien n'existe au monde que l'amour. Quand l'amitié est vraie, c'est qu'elle est amour. ❞**
>
> François Mauriac, écrivain français, XXe siècle

1. LA MALADIE D'AMOUR

A. Quelles sensations a-t-on lorsqu'on est amoureux(se) ? Observez l'illustration et lisez les textes. Est-ce qu'il y a quelque chose qui vous surprend ? Comment décrit-on ces sensations dans votre culture ?

B. Connaissez-vous d'autres sentiments ou des activités qui provoquent les mêmes sensations que l'amour ?

> avoir des papillons dans le ventre

> avoir une accélération cardiaque

> perdre l'appétit   rougir

- Moi, quand je fais quelque chose qui me plaît, par exemple de la peinture, je perds l'appétit !

C. Reliez les expressions suivantes à leur signification en vous aidant de l'illustration. Connaissez-vous d'autres expressions liées à l'amour, en français ou dans votre langue ?

1. L'amour est aveugle.
2. Vivre d'amour et d'eau fraîche.
3. Avoir un coup de foudre.
4. Avoir des papillons dans le ventre.
5. L'amour donne des ailes.

   A. Tomber amoureux(se).
   B. Avoir une énergie décuplée par l'amour.
   C. Ne pas voir les défauts de la personne aimée.
   D. Vivre avec peu de choses.
   E. Tomber amoureux tout à coup, dès qu'on rencontre une personne.

 D. Écoutez cette publicité à la radio. À quoi est comparé l'amour ? Qu'en pensez-vous ?

PISTE 10

 Et vous ?
Pensez-vous, comme l'affirme la citation, que l'amitié est une forme d'amour ? Pourquoi ?

2. JE T'AI DANS LA PEAU

A. Connaissez-vous la Saint-Valentin ? La célébrez-vous dans votre pays, avec votre partenaire ou vos amis ? Donnez votre avis sur cette fête.

B. Lisez les lettres. Quel(s) sentiment(s) expriment-elles ? Connaissez-vous les auteures et leurs destinataires ? Faites des recherches si nécessaire.

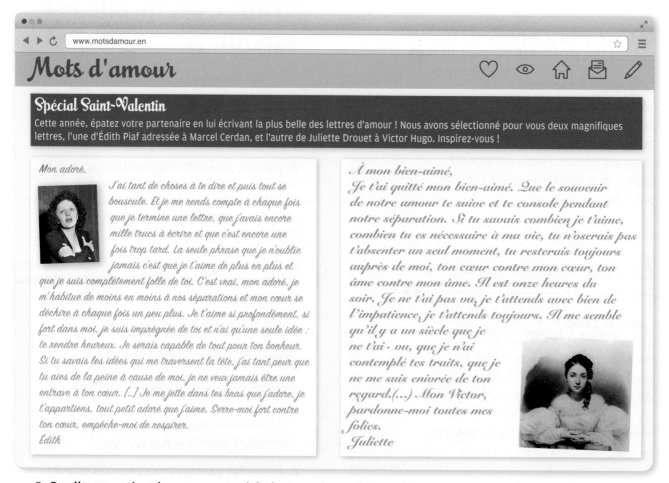

www.motsdamour.en

Mots d'amour

Spécial Saint-Valentin

Cette année, épatez votre partenaire en lui écrivant la plus belle des lettres d'amour ! Nous avons sélectionné pour vous deux magnifiques lettres, l'une d'Édith Piaf adressée à Marcel Cerdan, et l'autre de Juliette Drouet à Victor Hugo. Inspirez-vous !

Mon adoré,

J'ai tant de choses à te dire et puis tout se bouscule. Et je me rends compte à chaque fois que je termine une lettre, que j'avais encore mille trucs à écrire et que c'est encore une fois trop tard. La seule phrase que je n'oublie jamais c'est que je t'aime de plus en plus et que je suis complètement folle de toi. C'est vrai, mon adoré, je m'habitue de moins en moins à nos séparations et mon cœur se déchire à chaque fois un peu plus. Je t'aime si profondément, si fort dans moi, je suis imprégnée de toi et n'ai qu'une seule idée : te rendre heureux. Je serais capable de tout pour ton bonheur. Si tu savais les idées qui me traversent la tête, j'ai tant peur que tu aies de la peine à cause de moi, je ne veux jamais être une entrave à ton cœur. [...] Je me jette dans tes bras que j'adore, je t'appartiens, tout petit adoré que j'aime. Serre-moi fort contre ton cœur, empêche-moi de respirer.

Édith

À mon bien-aimé,

Je t'ai quitté mon bien-aimé. Que le souvenir de notre amour te suive et te console pendant notre séparation. Si tu savais combien je t'aime, combien tu es nécessaire à ma vie, tu n'oserais pas t'absenter un seul moment, tu resterais toujours auprès de moi, ton cœur contre mon cœur, ton âme contre mon âme. Il est onze heures du soir. Je ne t'ai pas vu, je t'attends avec bien de l'impatience, je t'attends toujours. Il me semble qu'il y a un siècle que je ne t'ai vu, que je n'ai contemplé tes traits, que je ne me suis enivrée de ton regard. (...) Mon Victor, pardonne-moi toutes mes folies.

Juliette

C. Quelle sensation éprouvez-vous à la lecture de ces lettres ? Pensez-vous que les gens écrivent ainsi aujourd'hui ?

D. Comment les auteures appellent-elles leur aimé ? Découvrez dans le document ci-dessous d'autres petits noms utilisés en français. Essayez de les traduire dans votre langue. Utilisez-vous les mêmes ? Pour qui pouvez-vous les utiliser ?

www.motsdamour.en

Mots d'amour

Les petits noms, à varier selon l'envie !

Mon lapin — Mon cœur — Ma puce — Mon bouchon — Mon ange — Mon doudou — Mon poussin — Mon soleil — Mon trésor — Ma biche

Et vous ?

Aimez-vous écrire ou recevoir des lettres, des poèmes ou des messages d'amour ?

3. ON NE BADINE PAS AVEC L'AMOUR

A. Lisez le titre de l'article et observez l'illustration. Expliquez le sous-titre de l'article. Pensez-vous que « les réseaux sociaux perturbent la vie amoureuse » ?

B. Lisez l'article. Résumez-le en quelques phrases.

TU SAIS QUE J'TE LIKE ?

#AMOUR
Les réseaux sociaux perturbent la vie amoureuse

Un article de Laure Cometti, *20 minutes*, le 21 septembre 2016

Élément incontournable de notre vie, notamment amoureuse, Internet bouleverse notre rapport à la séduction et au couple en s'invitant à chaque étape de la vie à deux. C'est ce que confirme une étude réalisée par Kantar TNS pour Meetic, révélée ce mercredi par *20 Minutes*.

Le règne de l'e-séduction

Sans surprise, pour faire des rencontres, Facebook est plébiscité par les célibataires interrogés par Kantar TNS pour Meetic. Toutefois, les codes de l' « e-séduction » ne sont pas tout à fait établis. « Un mec m'a ajoutée sur Facebook le lendemain de notre premier verre. À la fois, j'étais contente qu'il reprenne contact, et embarrassée, car je ne pouvais pas refuser son invitation sans que ce soit perçu comme hostile. Mais je n'avais pas envie qu'on se connaisse via nos profils Facebook », raconte Justine (le prénom a été changé), simultanément tiraillée par « la curiosité de voir ce qu'il publie ».

Faut-il ou non ajouter sa nouvelle conquête sur Facebook ou Instagram ? En France, près d'un célibataire sur deux attend « une ou deux semaines » selon le sondage Kantar TNS pour Meetic. Le coach en amour Alexandre Cormont déconseille à ses «coachés» de « s'ajouter trop tôt dans la relation ». Le risque, selon lui : partager très vite beaucoup d'informations en face-à-face virtuel, ce qui peut provoquer des « faux départs ». Accéder aux profils de l'autre, voire les fouiller méthodiquement, les *stalker* (de l'anglais « suivre, traquer »), nous donne accès à tout un pan de sa vie passée. « Le dévoilement de soi se fait de manière abrupte, ce qui peut provoquer des déconvenues, car en général on idéalise l'autre », résume la sociologue Catherine Lejealle. En parallèle, liker ou commenter les publications d'une nouvelle relation peut se révéler un bon outil de drague.

Pourquoi tu n'as pas changé ton statut ?

Lorsque la relation se confirme, son affirmation sur les réseaux sociaux peut poser problème. « Les femmes sont plus promptes à annoncer ce statut sur Facebook tandis que les hommes préfèrent se laisser le temps, compare Catherine Lejealle, sociologue. Il y en a un qui le fait et l'autre qui le constate. » Certains s'affichent ouvertement… et inondent votre fil Facebook de « couplies » (selfies à deux) de leurs week-ends en amoureux.

C. Comment vous sentez-vous lorsque des couples parlent d'eux ou montrent leurs photos en ligne ? Parlez-en entre vous.

D. En petits groupes, discutez des effets positifs et négatifs des réseaux sociaux dans la vie de couple.

- C'est positif, car cela permet de mieux connaître la personne.
- Mais ce n'est pas normal de savoir autant de choses dès le début d'une relation.

4. QUAND ON N'A QUE L'AMOUR

A. Êtes-vous romantique ? Faites le test. Êtes-vous d'accord avec les résultats ?

Êtes-vous romantique ?

I. COMME PREUVE D'AMOUR VOUS SOUHAITEZ...
- A. que votre partenaire accroche un cadenas à un pont.
- B. que votre partenaire vous prépare un petit déjeuner.
- C. ne rien recevoir : l'amour n'a pas besoin de preuves !

2. OÙ AIMERIEZ-VOUS QU'ON VOUS PASSE LA BAGUE AU DOIGT ?
- A. Sur une plage, au coucher du soleil.
- B. Là où vous vous êtes rencontrés.
- C. Heu, vous ne désirez pas vous marier !

3. VOTRE PARTENAIRE PRÉVOIT DE PASSER LA SOIRÉE DE LA SAINT-VALENTIN AVEC SA SŒUR (C'EST AUSSI SON ANNIVERSAIRE).
- A. Vous êtes jaloux(se) qu'il ne passe pas la soirée avec vous.
- B. Vous proposez de l'accompagner à la soirée.
- C. Peu importe, les roses rouges, Cupidon et tout le tralalala, ça n'est pas trop votre truc !

4. AU MOMENT DE LA DÉCLARATION D'AMOUR, VOUS APPRÉCIEZ...
- A. que votre partenaire vous écrive une lettre d'amour, une chanson ou un poème.
- B. une ambiance chaleureuse et un bon repas.
- C. de ne pas être là ! Déclarer sa flamme, ça tue l'amour.

5. QUELLE EST LA MEILLEURE FAÇON DE ROMPRE ?
- A. Par une longue lettre dans laquelle vous lui dites que vous êtes heureux(se) de l'avoir rencontré(e), mais...
- B. Par une discussion en face-à-face pour bien expliquer les raisons de la rupture et écouter ce qu'il / elle pourrait avoir à vous dire.
- C. Par texto.

UNE MAJORITÉ DE A ?
Vous êtes un(e) romantique assumé(e). Vous adorez les films à l'eau de rose, les dîners aux chandelles, les surprises et les cadeaux. Vous espérez que le romantisme des débuts durera éternellement et vous cherchez toujours à mettre de la poésie dans votre couple.

UNE MAJORITÉ DE B ?
Vous êtes un romantique qui s'ignore. Sensible aux actes et aux mots d'amour, vous chérissez le temps passé en couple et les petits riens du quotidien. D'ailleurs, vous êtes heureux(se) que votre partenaire ait conscience de ces petits gestes.

UNE MAJORITÉ DE C ?
Vous êtes un anti-romantique. Réaliste, les pieds sur terre, peu importe le terme qui vous caractérise, on peut dire que vous restez froid(e) face aux évocations de l'amour. Peut-être même qu'ils vous font peur... Attention à ne pas briser les cœurs (y compris le vôtre) !

B. Relevez les symboles et les gestes romantiques mentionnés dans le test et les résultats ? Est-ce qu'ils correspondent à votre vision du romantisme ? À partir de cette réflexion, faites le portrait d'une personne romantique.

C. Complétez les exemples de la règle à l'aide des phrases surlignées dans le quiz.

L'EXPRESSION DES SENTIMENTS

- Pour exprimer des sentiments, on peut utiliser des verbes introducteurs tels que *vouloir, aimer, apprécier, regretter, désirer, souhaiter*...

Quand la phrase a deux sujets	Quand la phrase a un seul sujet
verbe + *que* + subj. Ex. :	verbe + *de* + inf. Ex. : .... verbe + inf. Ex. : ....

- On peut aussi exprimer des sentiments avec les verbes *être* ou *se sentir* + adjectif : *triste, heureux(se), content(e), satisfait(e), jaloux(se), déçu(e), désolé(e)*...

Quand la phrase a deux sujets	Quand la phrase a un seul sujet
être / se sentir + adj. + *que* + subj Ex. :	*être / se sentir* + adj. + *de* + inf Ex. : ....

⚠ On utilise toujours l'indicatif après le verbe *espérer*. Ex : ....

D. En petits groupes, parlez de votre vision du couple. Aidez-vous des expressions du tableau.

- Moi, j'adore que mon copain me téléphone tous les midis pendant sa pause !
- Alors moi, c'est tout le contraire ! Je déteste me sentir envahi.

Et vous ?
Quel est le geste le plus romantique que vous ayez fait ?

5. CÂLIN GRATUIT

A. Observez l'image et sa légende. À votre avis, pourquoi a-t-on institué une Journée internationale du câlin ?

Journée internationale du câlin, le 21 janvier

PISTE 11

B. Écoutez cette émission de radio. Quels sont les effets bénéfiques des câlins ?

C. Lisez le tableau. Utilisez les expressions pour imaginer le but des Journées mondiales suivantes.

sans pantalon   de l'ours polaire   de la lenteur

sans Facebook   de la gentillesse

- À mon avis, on a créé la Journée mondiale sans pantalon de façon à...

L'EXPRESSION DU BUT

Il y a plusieurs façons d'exprimer le but.

connecteurs + infinitif	connecteurs + subjonctif	connecteurs + nom
• *pour* • *afin de* • *de façon à* • *de manière à* • *en vue de* • *dans le but de* • *dans l'intention de* • *de crainte / de peur de* • *avec / dans l'espoir de* • *histoire de* (à l'oral).	• *pour que* • *afin que* • *de façon que* • *de manière que* • *de crainte / de peur que* • *avec / dans l'espoir que*	• *pour* • *en vue de* • *dans le but de*
Ex. : *En hiver, les gens se font des câlins de manière à s'immuniser contre les virus.*	Ex. : *On ne se fait pas de câlins en public de crainte que les autres nous jugent.*	Ex. : *Nous préconisons un câlin par jour en vue d'une meilleure communication.*

De nombreux verbes expriment également le but : *s'acharner à, s'évertuer à, s'efforcer de, chercher à, viser à, tâcher de.*

EX. 1. Solal est un grand romantique alors qu'Arianne ne l'est pas du tout. Imaginez la vision du couple de chacun.

1. Il aime que ....
2. Elle déteste ....
3. Il désire ....
4. Elle apprécie que ....
5. Il est heureux de ....
6. Elle souhaite que ....
7. Il est déçu que ....
8. Elle espère que ....

EX. 2. Louise veut déclarer sa flamme à Julien, mais elle ne sait pas comment faire. Complétez ses pensées. À votre avis, quelle option devrait-elle choisir ?

1. Julien, je suis très heureuse que tu .... (être) là, car je dois t'annoncer quelque chose d'important : je suis dingue de toi !

2. Julien, je suis contente que tu .... (avoir) le temps de prendre un café avec moi pour qu'on discute de nous.

3. Julien, comme je suis contente de te voir ! J'espère que tu .... (aller) bien ! J'ai une lettre pour toi. Est-ce que tu pourrais la lire uniquement quand je serai partie ?

4. Julien, je suis déçue que tu m'.... (ignorer) parce que cela fait presque dix ans que je t'aime à la folie. Oh, mon bibi, comme j'aimerais que nous .... (aller) vivre ensemble à l'autre bout du monde !

L'EXPRESSION DU BUT

EX. 3. Dans l'immeuble de la rue Poisson, les habitants ont des habitudes étranges... Terminez les phrases en exprimant le but.

1. José dépose chaque matin un billet d'encouragement anonyme devant la porte de Carmen pour ....
2. Emma joue un morceau de musique classique tous les soirs à 20 h de manière à ....
3. Diego ne sort jamais de chez lui entre 7 h et 8 h du matin de peur de ....
4. Rodrigue et Chimène n'ont pas garé leur magnifique voiture devant leur immeuble de crainte que ....
5. Jules a peint une rose rouge géante sur la façade de l'immeuble afin que ....

+ d'exercices : page 183

6. SI T'ES MON POTE

A. Lisez les descriptions. Avez-vous ce genre d'amis dans votre entourage ? Certains types d'amis manquent-ils dans le classement ? Si oui, lesquels ? En petits groupes, proposez des types d'amis manquants en précisant leurs caractéristiques.

- L'ami(e) d'enfance : c'est une personne avec qui on a grandi. Elle ressemble au confident car elle sait tout sur nous, mais elle n'habite pas toujours près de chez nous.

www.mademoiselleracontesavie.en

ON A TOUS CE TYPE D'AMIS ! par Mademoiselle · Hier 12h14 · 15 💬 commentaires

Le confident
Vous vous êtes plu dès que vous vous êtes rencontrés. Il ne vous a jamais trahi(e). Il a été présent à toutes les étapes importantes de votre vie. Vous êtes inséparables, même à distance. Vous ne pouvez rien lui cacher car il vous connaît presque... par cœur !

La sportive
Elle a déjà couru dix marathons. Gonflée à bloc, elle est motivée tous les matins pour aller courir... et vous propose même de l'accompagner le dimanche : « Je me suis réveillée à 6 h donc je suis déjà partie courir, tu me rejoins ? » La semaine dernière encore, vous avez dû lui mentir en prétextant un repas en famille. Pourtant, vous aimez son dynamisme constant, ça vous épate !

Le sans-gêne
Il vous a fait honte plus d'une fois en racontant vos pires gaffes à des collègues de travail et ne cesse de clamer : « Nous avons toujours été les meilleurs amis du monde ». Cependant, il est jovial, enthousiaste et toujours content. Vous avez de vrais fous rires avec lui, et il vous met de bonne humeur, surtout quand vous n'avez pas le moral. Et puis, il a un cœur en or !

L'invisible
Elle a déjà rencontré tous vos amis, mais ne les a pas reconnus à votre mariage parce qu'elle a déjà trop de monde dans sa vie ! Après dix ans d'amitié, elle s'est finalement

laissé convaincre une fois de venir en week-end chez vous. L'avantage, c'est que vous pouvez passer plusieurs mois, voire plusieurs années sans l'appeler, elle sera toujours votre amie.

La casanière
Elle vous pose des lapins en permanence... parce qu'elle est indifférente à tout ce qui ne se passe pas chez elle ! Elle a jeté les invitations que vous lui avez envoyées à la poubelle. Par contre, vous pouvez parler de tout avec elle, et pendant des heures.

Le voyageur
Il vous a déjà envoyé 100 cartes postales et des photos WhatsApp des sept merveilles du monde. Ça vous impressionne. Vous lui avez demandé plusieurs fois où il était allé parce que franchement, vous ne vous en souvenez pas toujours. C'est l'ami qui vous raconte le plus d'anecdotes surprenantes et il vous étonne sans arrêt. C'est aussi l'ami que vous admirez le plus.

Laisser un commentaire 📝

B. À votre avis qu'est-ce qui définit le mieux l'amitié dans ces descriptions ?

- Selon moi, l'amitié, c'est le fait de pouvoir parler de tout pendant des heures.

C. Observez les verbes au passé composé. Dans quels cas le participe passé s'accorde-t-il ? Par deux, tentez de proposer une règle d'accord du participe passé, puis vérifiez en vous aidant de la règle ci-dessous. Complétez les exemples à partir des verbes surlignés dans les textes.

L'ACCORD DU PARTICIPE PASSÉ

- Le participe passé employé avec l'auxiliaire *avoir* s'accorde avec le complément direct uniquement quand celui-ci est placé devant le verbe. Ex. : ....
- Le participe passé employé avec l'auxiliaire *être* s'accorde avec le sujet. Ex. : ....
- Les verbes pronominaux s'emploient toujours avec l'auxiliaire *être*, donc le participe passé s'accorde dans la plupart des cas car le pronom est COD du verbe. Ex. : *Vous vous êtes rencontrés* → *se rencontrer = rencontrer quelqu'un.*
- Certains verbes pronominaux (*se plaire, se déplaire...*) et les verbes pronominaux suivis d'un COI (*s'adresser à quelqu'un, téléphoner à quelqu'un...*) sont invariables. Ex. : ....

⚠ Attention ! Les participes passés des verbes *se laisser* et *se faire* restent toujours invariables lorsqu'ils sont suivis d'un infinitif. Ex : ....

D. Rédigez une anecdote pour illustrer quel type d'ami vous êtes.

Un soir, je devais aller avec une amie au concert des Pixies (qu'on avait déjà vus il y a quelques années). Au dernier moment, elle m'a appelée en larmes. Son copain l'avait quittée. Tant pis pour le concert ! J'ai passé la soirée avec elle, normal, nous nous sommes toujours soutenues.

7. HISTOIRES D'AMITIÉ

A. Lisez le document. Vous êtes-vous déjà fait des amis dans une des situations évoquées ?

Les Français et
l'amitié au travail

T TISSOT éditions

SONDAGE ÉDITIONS TISSOT RÉALISÉ PAR OPINIONWAY - NOVEMBRE 2013

Quelles sont les situations les plus favorables pour se faire des amis au travail ?

74 %	64 %	39 %
Les pauses café / cigarettes, les déjeuners	Se voir en dehors du travail	La présence de personnes du même âge dans son équipe
25 %	18 %	10 %
Les séminaires, évènements et actions de team building	L'adversité, les difficultés de l'entreprise	Les open-spaces

PISTE 12

B. Écoutez les témoignages. À quelles situations du document font référence les personnes interrogées ? Que regrettent-elles ?

C. Réécoutez les témoignages et complétez les exemples de la règle. Connaissez-vous d'autres moyens d'exprimer le regret ?

L'EXPRESSION DU REGRET

Pour exprimer un regret,
- On emploie le plus souvent le verbe *regretter*.
regretter + *que* + subjonctif
regretter + *de* + infinitif passé
regretter + nom
Ex. : ....
- Des expressions comme *être désolé(e)/navré(e)*, *déplorer*, *quel dommage/c'est dommage* + *que* + subjonctif.
Ex. : ....
- Ces mêmes expressions avec *de* + infinitif ou infinitif passé.
Ex. : *C'est dommage de ne pas se voir plus souvent.*
- *Malheureusement, hélas, dommage !...*
Ex. : ....
- *S'en vouloir de* + infinitif passé.
Ex. : *Il s'en veut de ne jamais l'avoir rappelée.*

D. En petits groupes, exprimez vos regrets en amitié.

amitié perdue	opportunité ratée
malentendu	dispute	...

EX. 1. Menez l'enquête et trouvez quelqu'un de la classe « qui a déjà... ». Ensuite, rapportez les résultats de votre enquête à l'écrit.

- *Pierre a déjà eu un coup de foudre au travail. Carole s'est déjà disputée avec un collègue...*
1. Avoir un coup de foudre au travail.
2. Se faire un(e) meilleur(e) ami(e) au travail.
3. Inventer une excuse pour ne pas voir un(e) ami(e).
4. Se disputer avec un(e) collègue de travail.
5. Arriver avec deux heures de retard à un repas avec des amis.
6. Ne plus se souvenir de la date d'anniversaire d'un(e) ami(e).

EX. 2. Complétez le mail de Peggy, envoyé à une collègue.

Salut Clotilde,
Comment vas-tu ? Pas trop de regrets d'avoir manqué la journée de séminaire ? Tu .... (rater) l'occasion de rencontrer l'arbre de ta vie ! D'abord, on .... (aller) dans la réserve naturelle de Grand-Lieu, à environ une heure de Nantes. Là, une coach nous .... (demander) de faire un câlin à un arbre. Une expérience incroyable : je .... (se laisser) emporter et je .... (tomber) amoureuse de mon arbre ! Je lui .... (faire) une déclaration en chantant *La Vie en rose*, et tu ne devineras jamais la suite : il me .... (demander) en mariage ! Paul .... (donner) un surnom d'amour à son chêne, car ils .... (se plaire) au premier regard ! Wassily .... (passer) la bague au « tronc » de son arbre. Autant te dire que nous .... (s'amuser) comme des petits fous ! Je t'envoie une photo !
À demain, bise !
Peggy

EX. 3. Vous envoyez un SMS à un ami pour réagir à ces situations. Exprimez votre regret.

1. Votre meilleur ami ne vient pas à votre soirée de Nouvel an parce qu'il a beaucoup de travail.
- *Je regrette que tu ne viennes pas à ma soirée de Nouvel an.*
2. Comme sa voiture est en panne, vous ne pourrez pas partir en week-end. → ....
3. Il ne peut pas garder votre chien pendant les vacances parce que sa copine est allergique. → ....
4. Il ne viendra pas au cinéma ce soir, car il est sorti tard du travail. → ....
5. Il vous annonce qu'il n'a pas été pris pour le poste dont il rêvait. → ....
6. Il a attendu votre coup de téléphone toute la soirée. → ....

+ d'exercices : pages 184-185

8. PRÉPARER UN RÉSUMÉ

A. Lisez le texte. Surlignez les mots-clés, les idées principales et prenez des notes sur ce que vous avez retenu.

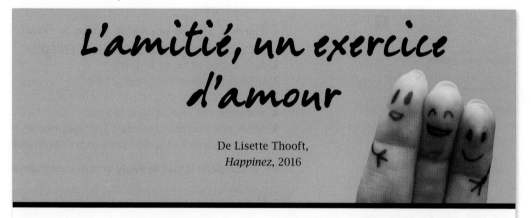

L'amitié, un exercice d'amour

De Lisette Thooft,
Happinez, 2016

L'amitié sincère est un bien précieux dont tout le monde peut faire l'expérience. L'amitié fait partie de la vie ; c'est une notion profondément et fondamentalement humaine.

Se sentir en sécurité

Wil Derkse, professeur, a écrit un livre magnifique intitulé *Sur l'amitié*. Un de ses amis, le philosophe Cornelis Verhoeven, affirme que « l'amitié est une zone sans danger ». Par « zone sans danger », il faut comprendre qu'en amitié, on ne se juge pas. On s'accepte et on s'aime tel que l'on est. Une amitié peut naître et grandir sans que l'on s'en aperçoive. [...]

Affirmer et influencer

D'après le philosophe grec Aristote, il existe trois niveaux d'amitié. Le premier repose sur l'intérêt. Il s'agit d'amis qui peuvent faire des choses pour vous et à qui vous pouvez également être utile. Des gens que vous appelez lorsque vous avez besoin de quelque chose : par exemple pour un conseil de bricolage ou pour trouver du travail. [...] Le deuxième niveau d'amitié repose sur le plaisir et le partage de choses agréables : faire de la musique ensemble, en écouter, faire les magasins, aller au cinéma. Les amis du club de bridge ou d'une association sportive se trouvent dans ce groupe. Le lien personnel et émotionnel est plus fort qu'au premier niveau. Souvent, les amis de cette catégorie se ressemblent et s'assemblent. [...] Mais si les amis sont capables d'accepter les différences tout en continuant à s'aimer, leur relation peut atteindre une nouvelle dimension. C'est le niveau le plus élevé qui, d'après Aristote, ne repose sur rien. [...] Avec cette amitié s'articule quelque chose d'indicible. Vous aimez l'autre simplement parce que vous l'aimez. « Parce que c'était lui, parce que c'était moi », comme le disait Montaigne à propos de son amitié avec La Boétie.

À cœur ouvert

Dans son livre, Wil Derkse donne quelques exemples d'amitiés fortes, telles que celle entre Érasme et Thomas More, qui dura plus de 36 ans. « Il s'agissait de deux personnalités véritablement différentes et Érasme n'était vraiment pas le plus simple des deux. Il était davantage esthète et cosmopolite ; More était dévot et plutôt casanier. Néanmoins, leur longue amitié ne montra jamais aucun signe de faiblesse, bien qu'ils eussent parfois de sérieuses divergences d'opinion. » Derske a ceci de précieux qu'il considère que la définition d' « ami » s'applique à tous. [...] Et les conditions sont toujours les mêmes : l'amitié est une zone sans danger dans laquelle on s'accepte tel que l'on est. [...] Tel est l'aspect spirituel de l'amitié : elle vous rend meilleur. Vous perdez vos préjugés et vous gagnez en ouverture d'esprit. L'amitié est l'amour sans ailes, a écrit le poète Byron. [...]

B. En petits groupes, répondez aux questions suivantes.

1. Quel est le titre du texte ?
2. Quel est le thème général de l'article ?
3. Quelles sont les idées principales et les idées secondaires ?
4. Quel est le point de vue de l'auteure sur le sujet ?
5. Quelle est la conclusion du texte ?

C. Relevez les connecteurs logiques utilisés pour articuler l'article.

9. RÉDIGER UN RÉSUMÉ

A. Individuellement, rédigez le plan de l'article en respectant l'ordre du texte original. Pour ce faire, résumez chaque paragraphe en une phrase.

B. À présent, rédigez un résumé de cet article.

C. Vérifiez votre résumé en cochant les cases suivantes.

☐ J'ai respecté le plan de l'article.

☐ J'ai sélectionné les informations les plus pertinentes.

☐ Je n'ai pas donné mon opinion personnelle, j'ai respecté la pensée de l'auteure.

☐ J'ai utilisé les mêmes connecteurs logiques que le texte original.

☐ J'ai respecté la longueur autorisée (environ 1/3 du texte original)

Introduction : L'amitié fait partie de la nature humaine.

LES ÉTAPES DU RÉSUMÉ

AVANT : S'APPROPRIER LE TEXTE
- Lire attentivement le texte
- Définir le thème, les idées principales et secondaires, l'intention de l'auteur
- Rédiger le plan du texte

PENDANT : COMMENT BIEN RÉDIGER SON RÉSUMÉ
- Reformuler les idées du texte : éviter le copier-coller !
- Faire des phrases courtes
- Ne pas donner son opinion
- Se centrer sur l'essentiel : un bon résumé doit être compréhensible immédiatement
- Utiliser les connecteurs logiques du texte

APRÈS : RELIRE ET COMPARER
- Comparer avec le texte de départ : vérifier que le résumé suit le plan du texte et qu'il respecte le message de l'auteur
- Compter les mots
- Attention à ne pas dépasser la limite autorisée de mots (environ un tiers du texte original)

---

10. C'EST À VOUS !

A. Échangez votre résumé avec celui d'un(e) camarade. Comparez-les et discutez des éventuelles modifications à apporter.

B. Sélectionnez des articles qui vous intéressent et entraînez-vous à la technique du résumé.

LES EXPRESSIONS UTILES AU RÉSUMÉ...

- **Pour introduire le thème :**
  Dans cet article, on aborde la question de...
  Ce texte est relatif à...
  L'article met en évidence...

- **Pour présenter le texte :**
  Daté de/du...
  Paru dans...
  Issu de...
  Extrait de...
  Écrit par...
  Relatif à...

- **Pour articuler le résumé :**
  C'est la raison pour laquelle...
  Comme en témoigne...

- **Pour présenter les idées de l'auteur :**
  L'auteur(e) affirme...
  L'auteur(e) défend un point de vue...
  L'auteur(e) suggère, s'interroger sur...
  L'auteur(e) définit...
  L'auteur(e) démontre...
  L'auteur(e) prouve...
  L'auteur(e) fait allusion à...

LES RENCONTRES AMOUREUSES

1. Le magazine *Amour Toujours* publie vos plus belles rencontres amoureuses. Complétez ce témoignage à l'aide des étiquettes, en conjuguant les verbes.

| battre la chamade | avoir de la peine | craquer |

| tomber amoureux | les mains moites | coup de foudre |

Claude

J'ai épousé mon amour de vacances

Il y a deux ans, en vacances à Mayotte, j'ai rencontré Camille et je suis aussitôt ...· : mon cœur ...·, j'avais ...· et je ne parvenais plus à faire une phrase correcte ! Je crois que j'ai eu un vrai ...·! Heureusement, elle aussi ... pour moi. Nous avons passé une semaine merveilleuse ! Sur le chemin du retour, j'...· parce que je pensais que je ne la reverrais jamais. Depuis, elle m'a appelé, nous nous sommes revus et mariés !

2. Placez ces termes et expressions sur la ligne d'intensité.

| s'entendre avec | être fou/dingue de | être emballé par |

| tomber sous le charme de | avoir un faible pour |

| avoir un coup de cœur/foudre pour |

```
+              + +              + + +
<------------------------------------------>
```

....

....

LES RENCONTRES VIRTUELLES

3. Lisez ces affirmations. Discutez-en en petits groupes.

1. C'est plus facile de rencontrer l'amour en ligne que dans la vraie vie.

2. En ajoutant sa nouvelle relation dans ses contacts sur les réseaux sociaux, on retrouve très facilement les moments de sa vie passée.

3. Les couples se montrent sans arrêt sur Internet.

4. Liker quelqu'un en ligne, c'est un moyen de séduction.

L'AMITIÉ

4. En binômes, listez les caractéristiques d'un vrai ami et celles d'un mauvais ami.

VRAI AMI	MAUVAIS AMI
Il ne me trahit jamais.	Il ment régulièrement.

LES EXPRESSIONS DU CŒUR ET DE L'AMOUR

5. Cherchez les expressions suivantes sur Internet. Essayez de comprendre dans quel contexte elles s'utilisent et donnez la traduction dans votre langue.

| craquer pour quelqu'un | avoir un cœur d'artichaut |

| avoir un coup de foudre | poser un lapin | larguer quelqu'un |

AU FIL DE L'UNITÉ

6. À partir des amorces données, composez une lettre d'amour.

Mon / Ma ....
Je pense à toi quand ....
Et je me sens ....
J'ai envie de ....
Je suis si heureux(euse) que ....
Tu es ....
Avec toi, ma vie est ....
J'espère ....

7. Racontez votre plus belle rencontre amoureuse ou amicale.

J'ai rencontré mon amie Clara au cours d'une fête à laquelle je n'avais pas envie d'aller...

8. Continuez cette liste de clichés sur les couples dans les comédies romantiques.

- *Ils sont toujours beaux, romantiques, et n'ont pas peur d'exprimer leurs sentiments en pleurant.*

- *Ils parviennent toujours à passer les contrôles de sécurité à l'aéroport pour déclarer leur flamme à la dernière minute.*

- ....

LES GESTES ROMANTIQUES

- Dîner aux chandelles
- Passer la bague au doigt
- Prouver son amour
- Accrocher un cadenas
- Fêter la Saint-Valentin
- Apprécier les petits riens du quotidien

TOMBER AMOUREUX/SE

- Être (fou/folle) (éperdument) (follement) amoureux(se) de quelqu'un
- Avoir le coup de foudre pour quelqu'un
- Être dingue / fou (folle) de quelqu'un
- Craquer pour quelqu'un
- Être emballé(e) par
- Avoir un faible/une passion pour
- Être romantique
- Déclarer sa flamme / Se déclarer
- Faire une déclaration d'amour
- Se prendre un râteau
- Admirer quelqu'un

LES SENSATIONS PHYSIQUES

- Rougir
- Perdre l'appétit
- Avoir des papillons dans le ventre
- Avoir le cœur qui bat la chamade
- Se sentir bizarre
- Avoir des frissons

MES AMIS, MES AMOURS

LES RELATIONS

- Ajouter / Liker quelqu'un
- Inviter quelqu'un à
- Se dévoiler
- Actualiser / Changer son statut
- Idéaliser quelqu'un
- Faire des câlins / Câliner
- Prendre quelqu'un dans ses bras / Enlacer
- Poser un lapin / Faire faux bond
- Larguer / Se faire larguer
- S'entendre avec quelqu'un
- Être potes / ami(e)s
- Être les meilleurs ami(e)s du monde
- Être inséparables
- Avoir un fou rire

LES EXPRESSIONS DU CŒUR ET DE L'AMOUR

- Être un cœur à prendre
- Avoir le cœur brisé
- Avoir un coup de cœur
- Ouvrir son cœur
- Porter quelqu'un dans son cœur
- Faire le joli cœur
- Avoir le cœur léger
- Loin des yeux, loin du cœur
- Avoir un cœur d'or
- Avoir la main sur le cœur
- Avoir un cœur d'artichaut
- Vivre d'amour et d'eau fraîche
- Avoir quelqu'un dans la peau
- Les films / Les romans à l'eau de rose

EXPRIMER SES SENTIMENTS

- La joie : être gonflé(e) à bloc, être content(e) / joyeux(se) / enthousiaste
- La colère : être angoissé(e) / énervé(e)
- La tristesse : avoir de la peine / être navré(e) / désolé(e) pour quelqu'un, indifférent(e), ne pas avoir le moral
- La surprise : être étonné(e) / surpris(e) / impressionné(e) (ça m'impressionne) / épaté(e) (ça m'épate)

LiTTÉRATURE

L'Écume des jours

métaphore de l'amour

En 1947 paraît *L'Écume des jours*, « le plus poignant des romans d'amour contemporains » d'après Raymond Queneau. Dans cette œuvre poétique, Boris Vian mêle l'humour, le merveilleux et le tragique pour évoquer les rencontres amicales et amoureuses. Dans la première partie du roman, Colin et Chloé tombent amoureux et se marient, une idylle qui tourne mal, quand un nénuphar s'installe dans le poumon de la jeune femme, l'empêchant de respirer. Adapté au cinéma en 2013 par Michel Gondry, *L'Écume des jours* est également entré dans La Pléiade[1] en 2010.

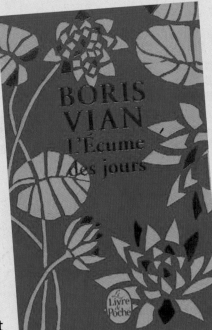

« La main de Chloé, tiède et confiante, était dans la main de Colin. Elle le regardait, ses yeux clairs un peu étonnés le tenaient en repos. En bas de la plate-forme, dans la chambre, il y avait des soucis qui s'amassaient, acharnés à s'étouffer les uns les autres. Chloé sentait une force opaque dans son corps, dans son thorax, une présence opposée, elle ne savait comment lutter, elle toussait de temps en temps pour déplacer l'adversaire accroché à sa chair profonde. Il lui paraissait qu'en respirant à fond elle se fût livrée vive à la rage terne de l'ennemi, à sa malignité insidieuse. Sa poitrine se soulevait à peine et le contact des draps lisses sur ses jambes longues et nues mettait le calme dans ses mouvements. À ses côtés, Colin, le dos un peu courbé, la regardait. La nuit venait, se formait en couches concentriques autour du petit noyau lumineux de la lampe allumée au chevet du lit, prise dans le mur, enfermée par une plaque ronde de cristal dépoli.

« Mets-moi de la musique, mon Colin, dit Chloé. Mets des airs que tu aimes.

– Ça va te fatiguer », dit Colin. Il parlait de très loin, il avait mauvaise mine. Son cœur tenait toute la place dans sa poitrine, il ne s'en rendait compte que maintenant.

« Non, je t'en prie », dit Chloé. Colin se leva, descendit la petite échelle de chêne et chargea l'appareil automatique. Il y avait des haut-parleurs dans toutes les pièces. Il mit en marche celui de la chambre.

« Qu'as-tu mis ? » demanda Chloé.

Elle souriait. Elle le savait bien.

« Tu te rappelles ? dit Colin.

– Je me rappelle...

– Tu n'as pas mal ?

– Je n'ai pas très mal... »

À l'endroit où les fleuves se jettent dans la mer, il se forme une barre difficile à franchir, et de grands remous écumeux[2] où dansent les épaves. Entre la nuit du dehors et la lumière de la lampe, les

11. UNE HISTOIRE D'AMOUR

A. Quel est votre roman ou film d'amour préféré ? Pourquoi ?

B. Observez la couverture du roman et l'affiche du film puis lisez la présentation du roman. À votre avis laquelle des deux illustrations représente le mieux l'histoire ?

C. Lisez l'extrait de *L'Écume des jours*. Quels sentiments éprouvez-vous à sa lecture ?

D. Quels sont les champs lexicaux présents dans cet extrait ? En petits groupes, comparez vos réponses.

12. POUR ALLER PLUS LOIN

A. Relevez toutes les indications qui permettent de décrire les personnages principaux, Chloé et Colin. Comment les imaginez-vous ? Réfléchissez-y en petits groupes.

B. *L'Écume des jours* est un livre qu'on étudie dans les écoles francophones. Qu'en pensez-vous ? Existe-t-il un livre aussi romantique dans la littérature de votre pays ?

C. La musique tient une place importante dans l'œuvre de Boris Vian. Faites des recherches sur l'auteur pour en savoir plus et présentez vos découvertes à la classe.

souvenirs refluaient de l'obscurité, se heurtaient à la clarté et, tantôt immergés, tantôt apparents, montraient leurs ventres blancs et leurs dos argentés. Chloé se redressa un peu.
« Viens t'asseoir près de moi... »
Colin se rapprocha d'elle, il s'installa en travers du lit et la tête de Chloé reposait au creux de son bras gauche. »

L'Écume des jours, Boris Vian

NOTES
1. La bibliothèque de la Pléiade est une des collections les plus prestigieuses de l'édition française, publiée par Gallimard. On dit qu'un(e) auteur(e) « entre dans la Pléiade » quand l'un de ses romans est publié dans cette collection, car c'est une forme de reconnaissance littéraire.
2. « Les remous écumeux » désignent les mouvements de retour de l'eau vers la mer ou l'océan, qui créent de la mousse à la surface de l'eau.

TÂCHE 1   **MARRE DES DÉCLARATIONS !**

1. En petits groupes, vous allez déclarer votre non-amour à quelqu'un. Choisissez une célébrité ou un personnage de fiction.

2. Faites des recherches pour découvrir le plus d'informations possibles sur la personnalité, les goûts, les habitudes de la personne que vous avez choisie.

3. Rédigez votre déclaration de non-amour, en insistant sur les émotions et les sentiments que vous inspirent cette personne.

> *Quand je vois ton visage apparaître sur l'écran, je sens l'angoisse m'envahir...*

4. Lisez devant la classe votre déclaration de non-amour en mimant une grande déclaration d'amour.

C'est merveilleux car, lorsque je pense à toi, les battements de mon cœur n'accélèrent pas, mes mains ne deviennent pas moites !

> **CONSEILS**
> - Cherchez des arguments drôles.
> - Renversez les clichés des déclarations d'amour.
> - Utilisez le générateur de déclarations d'amour pour vous donner des idées : http://bio.gen2box.com/amour/
> - Soignez votre prononciation lorsque vous lisez votre déclaration.

TÂCHE 2   **UN SCÉNARIO INCROYABLE !**

1. Vous allez rédiger une parodie d'histoire d'amour en respectant le style des romans à l'eau de rose. En petits groupes, pensez à tous les clichés que vous pourriez utiliser dans votre récit.

2. En vous aidant de la fiche-scénario ci-contre, définissez les grandes étapes de votre récit et les protagonistes.

> *Le lieu de la rencontre : une plage aux Bahamas. Le moment : l'après-midi. La météo : tempête. Le contexte : il la sauve de la noyade...*

3. Rédigez votre histoire en développant les étapes du récit.

4. Choisissez un titre et une photo pour la couverture.

> - Je propose *L'amour au bout du monde...*
> ○ Moi j'aime bien *Idylle aux Bahamas !*

5. Partagez votre histoire avec les autres groupes pour que tout le monde lise tous les récits. Trouvez-vous des points communs entre vos histoires ?

> *1. SITUATION INITIALE : SOLITUDE DES PERSONNAGES*
>
> *2. RENCONTRE*
>
> *3. COMPLICATION (OBSTACLES, CONFLITS, MALENTENDUS...)*
>
> *4. RÉSOLUTION (DÉCLARATION D'AMOUR)*
>
> *5. SITUATION FINALE*

> **CONSEILS**
> - Imaginez des rebondissements qui vont compliquer le récit.
> - N'ayez pas peur des clichés.
> - Ne faites pas une histoire trop longue.
> - Inspirez-vous des romans Harlequin.

DOSSIER
CULTUREL

MARSEILLE

Le Vieux-Port et Notre-Dame-de-la-Garde

Géographie

La ville de Marseille se trouve dans le sud-est de la France, au bord de la Méditerranée. C'est la deuxième ville française après Paris.

Spécialités culinaires

La bouillabaisse (soupe de poisson).
Les panisses (galettes de farine de pois chiches).
Et à l'apéritif, le pastis, une boisson anisée.

Marseille, c'est...

860 000 habitants et plus de 1,5 million avec la banlieue.
Le premier port français et le premier port méditerranéen.
Quatre savonneries artisanales respectent la recette traditionnelle du savon de Marseille.

Les galéjades

Les Marseillais ont la réputation d'exagérer quand ils racontent des histoires. Par exemple, l'histoire de la sardine tellement grosse qu'elle aurait bouché le port de Marseille.

Expressions marseillaises

« Eh, ton minot, il est tarpin beau » (= Ton petit, il est très beau !)
« T'as vu ce cacou avec ses Ray-Ban en pleine nuit ? Et sa cagole, tu l'as vue ? » (ce cacou = ce frimeur, ce fanfaron / cette cagole = sa copine vulgaire et provocante)
« Y a degun ici ? » (= Il n'y a personne ?)

Marseille, ville cosmopolite

Marseille est une ville tolérante et multiculturelle. Et comment ne le serait-elle pas puisqu'elle a accueilli tout au long de son histoire à peu près toutes les populations du monde : Grecs, Romains, puis Italiens au XIXe siècle, Arméniens après 1915, Espagnols, Portugais, Maghrébins et Africains plus récemment... autant de réfugiés ou immigrés qui, le plus souvent, se sont d'abord installés dans le plus vieux quartier de Marseille, le Panier, en plein centre-ville.

Le quartier du Panier

La bouillabaisse

Une réputation injuste

Marseille n'a pas bonne réputation. On dit parfois que c'est une ville dangereuse où s'affrontent les gangs et où les règlements de compte sont quotidiens. Le nouveau Chicago ! C'est très exagéré : Marseille est d'abord une ville chaleureuse, vivante, extravertie, même si certains quartiers du nord connaissent des problèmes sociaux qui engendrent parfois de la délinquance.

Le savon de Marseille

Le MuCEM

Le MuCEM, musée des Civilisations de l'Europe et de la Méditerranée, « bâtiment de pierre, d'eau et de vent », a été construit à côté du fort Saint-Jean près du Vieux-Port, en 2013, année où Marseille fut Capitale européenne de la culture.

Ce musée consacre magnifiquement Marseille comme capitale du monde méditerranéen.

Le MuCEM et le fort Saint-Jean

La Cité radieuse

À la fin des années 1940, Le Corbusier construit *La Cité radieuse*, sorte de paquebot urbain géant, qui révolutionne le concept d'habitat. Cette unité d'habitations regroupe des logements, mais aussi des bureaux et des commerces (pâtisserie, hôtel, restaurant gastronomique, crèche, librairie spécialisée, etc.). Le toit-terrasse de l'unité, libre d'accès au public, est occupé par des équipements publics : la cour de récréation de l'école maternelle, un gymnase, une piste d'athlétisme, une petite piscine pour enfants et un auditorium en plein air.

Le cinéma de *Plus belle la vie*, dans le quartier du Panier

Plus belle la vie !

Depuis 2004, la série télévisée *Plus belle la vie* fait partager à tous les Français la vie quotidienne de quelques Marseillais. Cette série a contribué à faire connaître la ville de l'intérieur, à démonter les clichés qui persistent à son sujet et à démontrer que c'est une ville chaleureuse où il fait bon vivre.

La calanque d'En-Vau

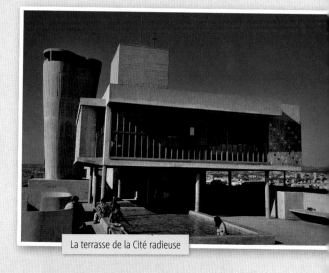
La terrasse de la Cité radieuse

Marseille, une ville lumineuse qui sent bon la mer

Marseille, c'est aussi une rue emblématique, la Canebière, qui descend tout droit vers le Vieux-Port. Du Vieux-Port, on peut s'embarquer pour les îles du Frioul et s'arrêter au château d'If sur les traces du comte de Monte-Cristo. On peut également se rendre, un peu plus loin, dans le magnifique Parc national des Calanques pour nager ou faire de l'escalade.

Marseille, c'est aussi...

- **L'Estaque**
  Pour découvrir le quartier que le cinéaste Robert Guédiguian a immortalisé dans ses films.

- **Le marché des Capucins, près de la Canebière**
  Pour faire vos achats de fruits et légumes dans un vrai marché marseillais.

- **Notre-Dame-de-la-Garde, « La Bonne-Mère »**
  Pour admirer la vue imprenable sur la cité phocéenne.

NANTES

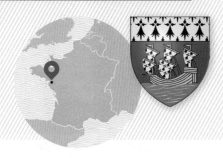

Géographie

Nantes, au sud de la Bretagne, est la capitale du Grand Ouest. Elle se trouve à 50 km de l'océan Atlantique, au bord de la Loire. Associée à Saint-Nazaire, elle dispose d'un grand port maritime, le premier port agro-alimentaire de France.

Spécialités culinaires

Le brochet au beurre blanc, les carottes, la mâche (une salade), le Petit Beurre LU (un fameux biscuit sablé qui existe depuis 1886).
Et pour boire, un muscadet bien frais.

Nantes, c'est...

Environ 300 000 habitants, le double avec la banlieue. Et plus de 50 000 étudiants !
Une ville de France où il fait bon vivre, elle a d'ailleurs été nommée Capitale verte de l'Europe en 2013.

Expressions nantaises

« Vous voulez un pochon ? » (= un sac en plastique)
« Mets ça au bourrier – ou à la jaille. » (= à la poubelle, aux ordures)
« On se voit tantôt ? » (= cet après-midi)

Vue de la ville

La ville du bien-vivre

Nantes est une ville connue pour sa qualité de vie. Son climat doux, son effervescence culturelle, ses aménagements urbains et paysagers sont très plébiscités. Et on le comprend ! Il y a beaucoup d'espaces verts, un fleuve, la Loire, et une rivière, l'Erdre, qui traversent la ville, des pistes cyclables en grand nombre, des parcs, des jardins... Une ville où il fait bon flâner.

Le château des ducs de Bretagne

Le Petit Beurre nantais

Une longue histoire...

Depuis le Xe siècle, Nantes est la capitale des ducs de Bretagne. En 1491, Anne, seule héritière du duché de Bretagne, épouse le roi de France Charles VIII, puis son cousin et successeur, Louis XII : le duché est alors annexé au royaume de France. On voit encore, en plein centre de Nantes, le magnifique château des ducs de Bretagne construit entre le XIVe et le XVIIIe siècle.

Une ville culturelle et festive

À Nantes, on aime s'amuser, et la culture occupe une grande place : Festival des cultures d'ici et d'ailleurs (musique, théâtre), Festival des trois continents (cinéma)...

Royal de Luxe

Cette compagnie de théâtre de rue est née en 1979 et s'est installée à Nantes en 1989. Elle crée des géants aussi réalistes que poétiques qu'elle met en scène un peu partout dans le monde lors de longs séjours : en Amérique latine (*Cargo 92*, 1992), au Cameroun (1997), en Chine (2001) et aussi en Europe. Nantes demeure son port d'attache et chacune de ses représentations y attire des milliers de spectateurs éblouis. Petit à petit, c'est toute une famille de géants qui naît. L'une des dernières créations, *La Grand-Mère*, parle enfin : elle raconte l'histoire de l'humanité (*Le Mur de Planck*, 2014).

Les anneaux de Buren

La Folle Journée

C'est le grand festival de musique classique de la région. Il se déroule dans la Cité des congrès. Chaque édition, qui dure cinq jours, est consacrée soit à une période, soit à un ou plusieurs artistes (Chopin en 2010), soit à un thème transversal (la nature en 2016, l'exil en 2018...).

La Grand-Mère, dernière œuvre du Royal de Luxe

La brasserie La Cigale

...quelquefois très sombre

La ville a connu deux périodes très sombres. Du début du XVe siècle à 1831 (date de l'abolition de l'esclavage), plus de 500 000 esclaves partent de Nantes vers l'Amérique, faisant de la ville le premier port négrier français. Ce trafic favorise le commerce (création de manufactures, chantiers navals) et assure à la ville une très grande prospérité. La population double en un siècle.

Au moment de la Révolution française (1789), la Bretagne est très royaliste. Elle se soulève pour maintenir la monarchie. La répression est féroce : emprisonnements et massacres se multiplient. Des milliers de Nantais sont noyés dans la Loire.

La ville natale de Jules Verne

Nantes a nourri l'imagination de Jules Verne qui y est né et y a passé son enfance et son adolescence. Un musée lui est consacré et, sur l'Île, ont été construites plusieurs machines extraordinaires qui évoquent son œuvre, comme le Grand Éléphant, haut comme un immeuble, clin d'œil au *Tour du monde en quatre-vingts jours*.

Jules Verne

Nantes, c'est aussi...

- **Les anneaux de Buren le long de la Loire**
  Pour se rappeler l'abolition de l'esclavage.

- **Une brasserie fabuleuse, La Cigale**
  Pour admirer la décoration art nouveau et déguster de délicieux plats.

- **Le Hangar à bananes**
  Pour aller boire un verre sur les quais et visiter la HAB Galerie, haut lieu de l'art contemporain.

DAKAR

Géographie

Dakar est la capitale du Sénégal, elle est située à l'extrémité occidentale de l'Afrique sur la presqu'île du Cap-Vert. C'est une des principales métropoles d'Afrique de l'Ouest.

Spécialités culinaires

Le Yassa poulet ou poisson, un plat à base de riz (avec du poulet ou du poisson) accompagné d'une sauce aux oignons.

Le lakh, un dessert à base de mil (une céréale).

Le jus de bissap, une boisson préparée avec des fleurs d'hibiscus sèches.

Dakar, c'est...

Une agglomération de plus de 3 millions d'habitants, ce qui représente la moitié de la population urbaine du Sénégal.

Deux langues : le français, langue officielle enseignée à l'école ; et le wolof, très répandu à Dakar et parlé quotidiennement.

Un rayonnement culturel international dans les domaines de la littérature et de l'art contemporain.

Expressions de Dakar

« Y'a pas de problème ! » (= Il va y avoir un problème)
« Il est long. – Il est court. » (= Il est grand. – Il est petit.)
« C'est un JP ! » (= un jeune premier : il est élégant)

L'île de Gorée

La Maison des esclaves

L'ÎLE DE GORÉE

L'île de Gorée, au large des côtes du Sénégal en face de Dakar, est une lieu de mémoire. En effet, c'était le plus grand centre de commerce d'esclaves de la côte africaine. Sa Maison des esclaves, qui daterait de 1776, n'a sans doute pas eu l'importance historique qu'on lui a donnée, mais c'est un puissant symbole qui nous rappelle le rôle qu'ont joué Gorée et de nombreux ports africains dans la traite négrière. L'île est classée au patrimoine mondial de l'Unesco qui la désigne comme « un lieu hautement symbolique de l'histoire des peuples ».

Les îles de la Madeleine

LES ÎLES DE LA MADELEINE

Il s'agit de deux îles d'origine volcanique, au large de Dakar. Elles constituent l'un des six parcs nationaux du Sénégal. Sauvages et inhabitées, elles offrent des paysages vierges de tout aménagement humain. Il est possible de les visiter. Ces îles sont le refuge de milliers d'oiseaux, tels que les cormorans, les milans et les faucons pèlerins.

Le poulet Yassa

Dakar et ses marchés

À Dakar, il existe de très nombreux marchés. Ils sont colorés, bruyants, vivants... Le plus grand est le marché de Colobane où l'on trouve absolument tout ! La densité de commerçants y est impressionnante. Le plus célèbre – mais aussi le plus touristique – est le joli marché de Sandaga, en plein centre.

Marché artisanal

Une ville où les femmes ont toute leur importance

Au Sénégal, pays démocratique, la parité politique sur les listes électorales existe depuis 2010, et plus de 42 % des députés sont des femmes. Elles sont également chercheuses, chefs d'entreprise, journalistes, stylistes, commerçantes. La société sénégalaise est profondément engagée dans la lutte pour l'égalité hommes/femmes et pour l'éducation des filles.

La styliste Oumou Sy

Des footballeuses sur la plage

Dakar, une ville de culture

On pourrait citer des dizaines d'artistes dakarois : musiciens, peintres, chanteurs, rappeurs... On s'en tiendra à deux, exceptionnels, chacun dans leur domaine :

Ousmane Sembène, à l'origine écrivain, a connu la célébrité en tant que cinéaste en 1966 avec *La Noire de...* Il réalise plus tard deux autres chefs-d'œuvre : *Le Mandat* (1968) et, plus récemment, *Moolaadé* (2003).

Le sculpteur Ousmane Sow expose partout dans le monde ses immenses guerriers, chevaux et scènes de bataille. L'exposition de ses œuvres à Paris sur le pont des Arts en 1999 attira plus de 3 millions d'admirateurs. Il s'est éteint à Dakar le 1er décembre 2016.

Ousmane Sow

Léopold Sédar Senghor

Léopold Sédar Senghor

Grande figure politique et littéraire sénégalaise, Senghor (1906-2001) fut le premier président de la République du Sénégal en 1960. Poète, écrivain, amoureux de la langue française, il a toujours placé la poésie avant son activité politique. Il est à l'origine du premier Festival mondial des arts nègres, en 1966 à Dakar. Dans ses textes, il défend une « civilisation de l'universel » qui unirait les hommes au-delà de leurs différences. Il est également connu pour avoir défini, avec d'autres écrivains, le concept de la négritude : « La Négritude est la simple reconnaissance du fait d'être noir, et l'acceptation de ce fait, de notre destin de Noir, de notre histoire et de notre culture ».

Dakar, c'est aussi...

- **Le phare des Mamelles**
  Pour voir toute la presqu'île de Dakar.

- **Le quartier du plateau**
  Pour admirer l'architecture coloniale.

- **Le lac Rose**
  Pour voir comment se pratique la récolte du sel.

MAYOTTE

Géographie

Mayotte est constituée de deux îles principales (Grande-Terre et Petite-Terre) et d'une trentaine d'îlots. Sa capitale est Mamoudzou. Située dans l'archipel des Comores, au large de l'Afrique de l'est et au nord de Magadascar, Mayotte est entourée d'un récit de corail qui protège les îles.

Spécialités culinaires

Les aliments de base sont le manioc et le riz. On cuisine, par exemple, le mataba, des feuilles de manioc mijotées dans du lait de coco. Pour une petite faim, on peut déguster, à toute heure dans la rue, des brochettes de bœuf, des ailes de poulet épicées ou du poisson grillé chez les « mamans-brochettis ». On boit du jus de baobab ou de noix de coco et de la bière locale.

Mayotte, c'est...

Environ 250 000 habitants.
Presque 8 900 naissances en 2015, la croissance démographique est trois fois plus importante qu'en France métropolitaine.
Un climat tropical avec des températures entre 23 et 30°C toute l'année.

Expressions mahoraises

« Caribou ! » (= Bienvenue !)
« Magnégné » (= mal fait, fait n'importe comment)
« M'zungu » (= c'est le nom qu'utilise les Mahorais pour désigner les Français de métropole)
« Gégé ! » (= Bonjour !)

Fabrication du lait de coco

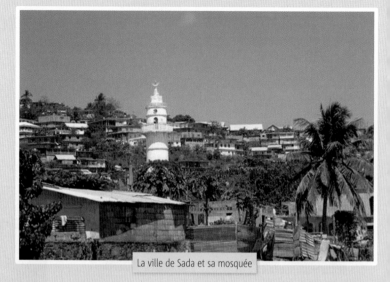
La ville de Sada et sa mosquée

Mayotte, un département français

Mayotte a été achetée par la France au sultan Adrianstoly en 1841. Elle devient alors une colonie française jusqu'en 1946, puis un territoire d'outre-mer jusqu'en 1974. Le reste des Comores n'est qu'un simple protectorat français. Cette distinction explique que Mayotte se sente beaucoup plus « française » que le reste des Comores : lors du référendum de 1974, Mayotte décide d'être française tandis que les trois autres îles choisissent l'indépendance. Mayotte est un département français et une région d'outre-mer depuis 2011.

Mamoudzou, la capitale

Une île surpeuplée et très jeune

La densité de population est très élevée (plus de 500 h/km²) en raison d'une forte immigration venue le plus souvent des autres îles des Comores beaucoup plus pauvres. Plus d'un tiers des Mahorais sont en situation irrégulière. C'est une population jeune, en effet plus de la moitié des habitants +ont moins de vingt ans.

Les bouénis

Mayotte est une société matriarcale. Ce sont les femmes qui sont propriétaires des maisons, les hommes appartiennent donc à une lignée féminine (que ce soit celle de leur femme, leur mère, grand-mère, tante, etc.). Le costume traditionnel des femmes (*bouénis* en mahorais) est le *salouva*, grand tissu de couleur noué par-dessus les vêtements. Elles arborent presque toutes le *msindzano*, masque de beauté au santal, qui sert à les protéger de la chaleur et à garder une belle peau.

Les bouénis au marché

Les makis

De la famille des lémuriens, le maki de Mayotte est une espèce emblématique de l'île probablement issue de spécimens venus de Madagascar à bord d'embarcations de pêcheurs au Xe siècle. On peut les voir, perchés sur les fils électriques ou les arbres, se promenant en groupes de 10 à 20. Ils ne sont pas sauvages du tout, et on peut souvent les observer aux abords des maisons. Ils sont friands de fruits tels que les bananes, les papayes, les jaques, ainsi que de quelques insectes, de lézards et d'œufs.

Un maki

Les parfums de Mayotte : ylang-ylang et jasmin

Outre l'essence de vanille, la principale ressource de Mayotte provient de la cueillette de l'ylang-ylang, fleur très odorante qui entre dans la composition de la plupart des parfums dont le célèbre *N°5* de Chanel, par exemple. L'odeur de jasmin embaume toute l'île, c'est la fleur la plus emblématique de Mayotte. Elle sert notamment à faire des colliers pour accueillir les visiteurs et des broches que les femmes accrochent dans leurs cheveux.

Les îlots des Quatre Frères

L'îlot de Sable Blanc

L'ylang-ylang

La légende des Quatre Frères

Une légende raconte que quatre frères, qui n'en faisaient qu'à leur tête, partirent un jour à la pêche alors que le temps était mauvais. Ils n'écoutèrent les conseils de personne. Dieu, pour les punir, les transforma en rochers. Aujourd'hui, si vous allez au nord de Mayotte, au large de Majicavo, vous y verrez quatre îlots : ce sont les quatre frères transformés en rochers.

Mayotte, c'est aussi...

- **L'îlot de Sable Blanc**
  Pour se relaxer sur des plages paradisiaques et se baigner dans une eau transparente.

- **La passe en S**
  Pour faire de la plongée dans une réserve naturelle, le lit d'une ancienne rivière.

- **La plage de Saziley**
  Pour assister, à la tombée de la nuit, à la ponte des tortues, sous la surveillance d'un garde.

LA FRANCOPHONIE AU NATUREL DE 1 À 5

1 Lagon

Bora Bora
Tahiti

2 Déserts

Le Ténéré
Niger

Le désert de Lompoul
Sénégal

3 Lacs

Le lac Léman
Suisse

Le lac d'Annecy
France

Le lac Tasiujaq
Québec

4 Fleuves

Le Saint-Laurent
Québec

Le Sénégal
Sénégal

La Loire
France

Le fleuve Congo
République du Congo

5 Forêts

La forêt des Landes
France

Le Hallerbos
Belgique

La forêt de Bélouve
La Réunion

Le parc de Mont-Tremblant
Québec

La forêt gabonaise
Gabon

5

ELLE PLEURE, MA PLANÈTE

+ DE RESSOURCES SUR
espacevirtuel.emdl.fr

— Des activités autocorrectives (grammaire / lexique / culture / CE / CO)
— La carte mentale de l'unité à compléter

CYRIL PEDROSA

GRALE

to bio

FLUIDE GLACIAL

❝ Il n'y a pas d'un côté l'homme et de l'autre la nature. Il y a la nature. Toucher à la nature, c'est atteindre l'homme. ❞

Nicolas Hulot, homme politique, écologiste français, XXIe siècle

CYRIL PEDROSA

Né en 1972 à Poitiers, Cyril Pedrosa étudie le dessin animé à l'école des Gobelins, fait ses armes dans les studios français de Disney, puis se lance dans la bande dessinée.
Il est l'auteur d'*Autobio* publié chez Fluide Glacial et de *Portugal*, unanimement acclamé par la critique en 2011.

1. UN FILM « GORE »

A. Connaissez-vous des films qui traitent de l'écologie ou de la relation entre l'homme et la nature ? Recommandez à la classe un film que vous avez vu sur cette thématique.

B. Lisez la planche de bande dessinée (BD). Quel est le sujet abordé ? Comment se sentent les personnages dans la salle de cinéma ? Que font-ils en sortant ?

C. Listez les catastrophes climatiques mentionnées dans le film. En connaissez-vous d'autres ? Cherchez la signification du titre de la planche de BD « *Un film Gore* ». Pourquoi l'auteur Cyril Pedrosa a-t-il choisi ce titre à votre avis ?

D. En petits groupes, imaginez la suite de l'histoire si les personnages avaient choisi l'option A. Qu'auraient-ils pu faire ? Rédigez ou dessinez trois vignettes.

 Et vous ?
Êtes-vous plutôt optimiste ou pessimiste quant à l'avenir de la planète ?

2. L'ÉCOLOGIE ? NON MERCI !

A. Lisez cet article. Listez les raisons pour lesquelles les personnes interrogées se désintéressent de l'écologie. Partagez-vous leur avis ? Parlez-en entre vous.

- Trier, recycler, manger bio ?
- Non. « L'écologie, je m'en fous »

Quand on leur parle bio ou réchauffement climatique, ils sortent leur revolver. Rencontre avec ces « écolos-je-m'en-foutistes »[1] qui sont de plus en plus nombreux.

Le matin, Alice, Parisienne de 36 ans, s'installe confortablement dans sa voiture roulant au diesel pour aller travailler. Elle freine et rétrograde aux feux rouges, dans un subtil nuage de particules fines. Utiliser les transports en commun ? Vous plaisantez. « Je n'ai pas envie d'attraper des maladies dans le métro ou de me faire piquer mon portable ! » rétorque-t-elle. « Ma voiture, c'est ma petite bulle de protection. Quand la circulation alternée a été mise en place lors du pic de pollution, cet été, j'ai prié pour que ça ne me tombe pas dessus. Pas question de m'en passer. Je ne suis pas prête à sacrifier ma liberté. »
La « green attitude », très peu pour elle. Alice est une « écolo-je-m'en-foutiste ». Trier ses déchets, recycler les piles ? Une tannée[2]. Réduire sa consommation de viande ? Une hérésie[3] gustative. Cette juriste est loin d'être seule à braver les injonctions vertes. Benjamin, médecin quadra, reconnaît aussi :
« Les embouteillages et les impôts, ça existe dans mon quotidien. Le réchauffement climatique, non. J'ai juste l'honnêteté d'avouer que je m'en fous. »
[...] Ces « anti » en ont marre que les autorités désignent leurs citoyens comme responsables de tout. Accusé consommateur, levez-vous !
Alice estime :
« On nous culpabilise tout le temps, nous, simples individus. On cherche à contraindre le quotidien des gens en leur rajoutant des tâches. Mais c'est aux pouvoirs publics de faire les premiers efforts ! Par exemple en améliorant les transports. Ou aux constructeurs de fabriquer des véhicules électriques performants, que l'on recharge chez soi. » [...]

---

1. Le « je-m'en-foutisme » : expression familière pour évoquer l'indifférence, le laxisme, la négligence.
2. C'est une tannée : expression familière pour évoquer une chose très compliquée à faire ou qu'on ne veut pas faire.
3. Une hérésie : une idée ou une opinion qui s'oppose aux opinions généralement admises.

2 décembre 2015, *L'Obs,*
Cécile Deffontaines avec Arnaud Gonzague

B. Comme Alice, avez-vous l'impression qu'on vous culpabilise en tant qu'individu ? Pensez-vous que les pouvoirs publics pourraient faire plus pour changer les choses ?

PISTE 13
C. Écoutez cette émission de radio. Quel pourcentage de la population française se désintéresse des sujets liés à l'environnement ? Comment ce chiffre a-t-il évolué depuis les dernières études ? Quelle catégorie de la population est la plus engagée ?

D. En petits groupes partagez l'une de vos habitudes qui n'est pas écolo.
Les membres du groupe vous proposent des solutions.

- Je prends l'avion, même pour des trajets que je pourrais faire en train ou en voiture.
- Tu pourrais calculer ton bilan carbone et faire un don à une association de protection de l'environnement pour compenser...

3. CHACUN DOIT FAIRE SA PART

A. Lisez cet extrait d'entretien. Qu'est-ce que la stratégie du colibri ?
Qu'en pensez-vous ?

Pierre Rabhi

Agriculteur, écrivain et penseur français. Pierre Rabhi défend un mode de société plus respectueux de l'homme et de la nature. Il est à l'origine de l'association Terre & Humanisme et du mouvement Colibris. Il est également l'auteur de nombreux ouvrages.

Pierre Rabhi, semeur d'espoirs, Actes Sud-Colibris
Entretiens avec Olivier Le Naire

— Dites-moi si, selon vous, il est encore temps d'agir ou si l'on s'éveille décidément trop tard.
— Sous le prétexte que le monde est en train de se détruire, faut-il croiser les bras et ne plus rien faire ? Évidemment, non ! [...] D'où la métaphore du colibri qui me tient tant à cœur, [...] invitant chacune et chacun d'entre nous à faire sa part pour construire un monde plus satisfaisant. Cette légende amérindienne raconte ceci : alors qu'un immense feu ravage la forêt, et tandis que tous les animaux assistent impuissants à ce désastre, un petit oiseau va recueillir dans son bec quelques gouttes d'eau et les verse au-dessus des flammes. Un tatou lui demande alors : « Mais pourquoi fais-tu cela ? Tu vois bien que cela ne sert à rien ! » Et le colibri lui répond : « Peut-être, mais je fais ma part. » Moi aussi, je veux faire ma petite part, je refuse de renoncer, parce que je me dis qu'il n'est jamais trop tard.

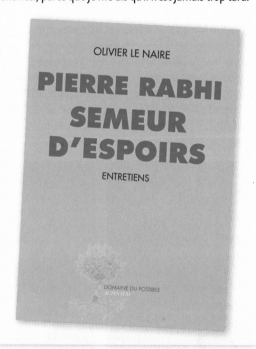

B. Et vous, comment faites-vous votre part ?
En petits groupes, donnez un exemple d'action pour chaque thématique du document suivant.

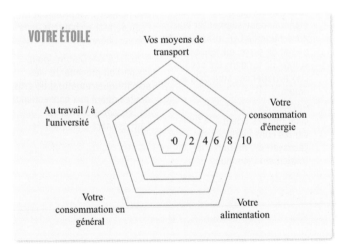

C. Complétez l'étoile en vous auto évaluant de 0 à 10 sur les cinq thématiques (0 : je ne fais rien – 10 : je fais mon maximum). Puis, tracez votre étoile en reliant les points. Y a-t-il des domaines où vous pourriez vous améliorer ?

• Au travail, je sensibilise mes élèves de maternelle en organisant de petits ateliers sur les éco-gestes au moins une fois par semaine.

4. C'EST INCROYABLE !

A. Lisez le titre de l'article et ceux des quatre projets, puis observez les photos. À votre avis, de quoi va parler chaque paragraphe ? Qu'imaginez-vous derrière ces titres ?

B. Lisez l'article. Quel projet vous semble le plus réaliste ? Pourquoi ?

www.revuesciences.en

Les projets les plus fous
pour combattre le réchauffement climatique

Philippe Meignan / www.maxisciences.com / 23 août 2012

Le réchauffement climatique est bien présent et ses conséquences, de plus en plus visibles. Des scientifiques proposent des solutions folles. Mais le remède ne pourrait-il pas se révéler pire que le mal ? La fonte de la calotte glaciaire arctique, de plus en plus rapide, atteint, cette année encore, un nouveau record. Et plus de doute : le responsable en est le réchauffement climatique. Des scientifiques américains se sont penchés sur ce grave problème et ont imaginé des moyens de lutte. Des projets fous, dont les conséquences pourraient se révéler dangereuses pour la planète puisqu'on parle ici d'actions à l'échelle planétaire !

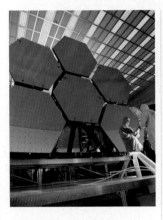   

1 – LE PARASOL SPATIAL

L'une des façons imaginées par les scientifiques pour réduire le rayonnement solaire arrivant sur Terre est assez simple... sur le papier : mettre en place, entre la Terre et le Soleil, un « parasol spatial » sous forme de milliards de petits miroirs qui seraient envoyés par conteneurs dans l'espace. Ceux-ci renverraient alors le rayonnement solaire dans l'espace et refroidiraient la Terre.

PROBLÈME – Le coût de ce projet est estimé à 5 000 milliards de dollars. Un peu trop cher !

2 – DU SOUFRE DANS L'ATMOSPHÈRE

Les scientifiques l'ont remarqué : après une éruption volcanique, le rayonnement solaire diminue à cause des millions de tonnes de poussières et de gaz [...] envoyées dans l'atmosphère. Ces scientifiques en ont donc déduit qu'envoyer du soufre dans l'atmosphère avec des ballons-sondes limiterait le rayonnement solaire. Ce projet est sérieusement étudié et pourrait voir le jour d'ici une dizaine d'années.

PROBLÈME – Quid[1] des conséquences sur le climat de la présence de ce soufre dans l'atmosphère ?

3 – DU FER DANS LES OCÉANS

Les océans sont les puits de carbone les plus importants de la planète. Une solution serait d'accélérer l'activité du plancton pour augmenter leur absorption de CO_2, principal gaz à effet de serre, en injectant du sulfate de fer dans les océans. Des expériences sont déjà en cours.

PROBLÈME – Certains scientifiques crient à la folie, car les conséquences sur l'écosystème marin sont totalement inconnues.

4 – FABRIQUER DES NUAGES AVEC DE L'EAU DE MER

Le projet le plus avancé, selon France 2[2] , serait de fabriquer des nuages... en projetant de l'eau de mer en hauteur dans l'atmosphère.

PROBLÈME – Comme pour la solution précédente, des scientifiques émettent de gros doutes quant aux conséquences de tels agissements sur l'atmosphère de la planète.

Mais le principal défaut de ces solutions demeure celui de combattre les conséquences du réchauffement climatique et de ne pas traiter le problème à la source : la pollution de la planète.

---

1. Quid signifie « qu'en est-il de ? », c'est une façon de poser une question.   2. Chaîne de télévision publique française.

C. Observez le tableau de grammaire ci-dessous, puis reformulez les phrases issues de l'article en utilisant ces constructions.

> Et plus de doute : le responsable en est le réchauffement climatique.

> Le coût de ce projet est estimé à 5 000 milliards de dollars. Un peu trop cher !

> Une solution serait d'accélérer l'activité du plancton pour augmenter leur absorption de CO_2.

> Des scientifiques émettent de gros doutes quant aux conséquences de tels agissements sur l'atmosphère de la planète.

> Certains scientifiques crient à la folie, car les conséquences sur l'écosystème marin sont totalement inconnues.

- Il est impensable d'injecter du sulfate de fer dans les océans, car les conséquences sur l'écosystème marin sont inconnues.

LES CONSTRUCTIONS IMPERSONNELLES

Une phrase de forme impersonnelle se caractérise par l'emploi d'un verbe conjugué à la troisième personne du singulier et du pronom sujet à valeur neutre *il* ou *c'*. On peut l'employer pour exprimer une opinion, pour donner son avis.

- **Les verbes impersonnels** fréquents sont :
– *s'agir, convenir, importer* généralement suivis de *de* + infinitif
Ex. : *Il s'agit de proposer des solutions innovantes.*

– *suffire* suivi de *de* + infinitif ou de *que* + subjonctif
Ex. : *Il suffit de réduire notre consommation.*
Il suffit que nous réduisions notre consommation.

⚠ Le verbe *falloir* (*il faut*) est suivi par *que* + subjonctif ou par l'infinitif sans la préposition *de*.
Ex. : *Il faut que nous trouvions des solutions au plus vite.*
Il faut trouver des solutions au plus vite.

- **Le verbe être** + adjectif ou adverbe.

Il est	+ adjectif ou adverbe	+ *de* + infinitif
C'est		+ *que* + subjonctif

Pour exprimer une réaction face à un événement ou à une situation, on utilise des adjectifs ou des adverbes tels que *impensable, inimaginable, révoltant, navrant, surprenant, stupéfiant, décevant, inadmissible, insensé, sensationnel, fantastique, génial, incroyable, bien…*

⚠ *Il est clair que* et *il est évident que* sont toujours suivis de l'indicatif.
Ex. : *Il est clair que nous devons réagir au plus vite.*

D. En petits groupes, mettez-vous à la place d'un inventeur qui imagine un projet fou destiné à lutter contre le changement climatique. Présentez votre projet aux autres groupes pour qu'ils expriment leurs opinions, leurs doutes, ou leur enthousiasme.

LES CONSTRUCTIONS IMPERSONNELLES
EX. 1. Complétez cet article sur l'éco-conception.

> Il est | Il faut x2 | Il suffit | Il importe

L'éco-conception, c'est une nouvelle manière d'envisager la conception des produits. Rien de très compliqué : …. de les imaginer comme le cycle de la vie ! D'abord, on extrait les matières premières, on les transforme, on les utilise, puis les produits redeviennent de la matière première.

Bien entendu, …. de faire attention à chaque étape pour limiter les déchets, sans quoi le produit ne pourra pas revenir à la terre sans polluer ! …. que nous prenions conscience de notre empreinte environnementale, et cet outil peut nous y aider. …. évident qu'…. y réfléchir avant la conception du produit !

EX. 2. Complétez ces phrases en proposant des solutions aux problèmes évoqués. Partagez-les avec la classe et élisez la plus créative.

1. Gaspillage de l'eau : *il est indispensable de collecter les eaux de pluie !*
2. Sacs plastiques : la poubelle du Pacifique ! Il faut …. !
3. La vérité derrière les étiquettes : c'est …. que …. !
4. Contre la déforestation, il suffit que …. !
5. Pour aider les petits agriculteurs, il suffit de …. !

EX. 3. Dans la famille Chawarma, chacun a sa vision de l'écologie. Imaginez l'opinion de ses membres sur les thèmes suivants à l'aide d'une carte mentale, comme dans l'exemple.

> Il vaut mieux utiliser des détergents biologiques.

> La voiture est inutile quand on habite dans une grande ville.

> *Il importe d'être conscient, mais il ne faut pas exagérer.*

LE PÈRE, ÉCOLO-SCEPTIQUE

LES ABEILLES SONT EN VOIE DE DISPARITION

LE FILS, ÉCOLO-JE-M'EN-FOUTISTE

LA MÈRE ET LA FILLE, ÉCOLO-CONVAINCUES

> *Pff, c'est navrant que vous vous inquiétiez pour des abeilles !*

> *Il est inadmissible qu'on utilise encore des pesticides chimiques.*

+ d'exercices : pages 187-188

5. AGIR SUR LE PLAN LOCAL

A. Lisez l'article. À votre avis, qu'est-ce que l'économie collaborative ? En quoi ces initiatives d'ordre économique sont-elles également respectueuses de la planète ?

B. Quelle initiative vous semble la plus intéressante ? Pourquoi ?

L'ÉCONOMIE COLLABORATIVE quand écologie rime avec économie !

Les incroyables comestibles

À Yverdon-les-Bains, des jardins citoyens ont été mis en place dans divers quartiers de la ville. N'importe qui peut participer : voisins, commerçants, adultes, enfants… Les produits de ces jardins sont destinés à tous : quiconque peut prendre ce dont il a besoin. C'est ouvert et gratuit, car la démarche est fondée sur l'envie de partager et sur le principe que ce qui appartient à tout le monde n'appartient à personne.

Le magasin pour rien : et si tout devenait gratuit ?

Le principe est simple : chacun peut venir ici une fois par semaine et prendre entre un et trois objets. Pas besoin de déposer quelque chose en échange ! L'association qui gère le magasin a fait le constat que

la société de consommation produit des tonnes de déchets et que, dans le même temps, beaucoup vivent dans la pauvreté. Ne jetez plus, donnez !

Gratiferia, un marché gratuit

Ce nouveau concept, appelé « gratiferia » en Amérique latine, rencontre un succès grandissant dans le monde entier. L'idée est simplissime : appeler les gens à déposer sur une place publique des objets en bon état dont ils ne se servent plus afin que d'autres puissent les récupérer.

Une monnaie locale : la MIEL

Une monnaie locale est destinée à être échangée dans une zone restreinte et permet de favoriser l'économie de proximité. Certains l'appellent « monnaie complémentaire », car elle ne remplace pas la monnaie nationale. La MIEL est la monnaie utilisée dans la région de Bordeaux, elle vous permet de payer n'importe quoi : votre baguette comme votre cours de yoga !

C. Complétez le tableau de la règle à l'aide des mots soulignés dans l'article.

LES PRONOMS INDÉFINIS

Les pronoms indéfinis servent à désigner une quantité indéterminée de personnes ou de choses.

En général, ils s'accordent en genre et en nombre avec le groupe nominal remplacé, mais certains pronoms sont invariables.

Pronoms indéfinis avec accord	Pronoms indéfinis invariables
aucun/e	nul
....	....
....	plusieurs
....	....
le / la / les même/s	....
....	rien
quelqu'un/e	autrui
quelques-un/e/s	....
l'un/e / les un/e/s	....
	....

⚠ Certains adverbes de quantité (combien, assez, peu, ...) jouent d'ailleurs parfois le rôle de pronoms.

D. Au sein de la classe, cherchez :

– quelque chose que tout le monde fait
– quelque chose que chacun fait
– quelque chose que plusieurs personnes font
– quelque chose que certains font
– quelque chose que nul ne fait
– quelque chose que n'importe qui peut faire
– quelque chose qui ne sert à rien

B. À partir de vos réponses à la question A, tentez de définir ce qu'est une lettre ouverte.

C. Quelles formules de politesse sont utilisées ? Comprenez-vous le jeu de mots dans la seconde formule ? Les formules les plus utilisées sont : *cordialement, salutations distinguées, salutations respectueuses, salutations cordiales, sincères salutations, amicalement...* À partir des mots suivants, inventez des formules de politesse originales et décalées.

animal   chocolat   écologie   militant

D. Quel événement a motivé l'écriture de cette lettre ouverte ? Quels sont les arguments qui y sont développés ? Que demandent ses auteurs ?

8. C'EST À VOUS !

A. En petits groupes, choisissez un sujet, déterminez un objectif et le destinataire d'une lettre ouverte.

- *Et si on écrivait une lettre ouverte aux responsables de la mairie pour qu'ils repeignent les poubelles en rose avec des motifs de fleurs afin qu'on les voie mieux ?*

B. Appuyez-vous sur des faits et des situations concrètes, puis listez vos arguments et exprimez vos souhaits.

C. Rédigez votre lettre ouverte, puis lisez-la à la classe. Laquelle est la plus drôle la plus utile ? La plus marquante ?

CONSEILS POUR RÉDIGER UNE LETTRE OUVERTE

- Respectez les règles formelles de la lettre (destinataire, date, lieu, expéditeur...)
- Structurez-la en paragraphes (faits, arguments, propositions...)
- Choisissez soigneusement vos arguments
- Illustrez vos arguments par des exemples
- Faites des phrases courtes
- Adaptez votre style au destinataire
- Prenez le temps de faire un brouillon
- Utilisez des connecteurs logiques pour structurer votre lettre

LE LEXIQUE DE LA LETTRE OUVERTE
Nous tentons de vous alerter sur...
Nous tenons à rappeler que...
C'est dans ce contexte que...
Nous pensons que... doit être une priorité pour...
À ce manque de... s'ajoute...
Ce qui motive cette lettre ouverte...
Nous demandons que...
Nous souhaitons que...

LES INITIATIVES ÉCOLOGIQUES

1. Complétez le tableau suivant.

CE QUE FAIT UNE VILLE ÉCOLO	CE QUE FAIT UNE VILLE ÉCOLO-JE-M'EN-FOUTISTE
Elle développe les transports en commun.	Elle ne crée pas de pistes cyclables.

2. Complétez ces cartes mentales en trouvant les causes et les solutions pour chaque problème.

LA DÉFORESTATION

LES CAUSES — LES SOLUTIONS

....

LA POLLUTION ATMOSPHÉRIQUE

LES CAUSES — LES SOLUTIONS

....

LA DISPARITION DES ESPÈCES

LES CAUSES — LES SOLUTIONS

....

LA FONTE DES GLACES

LES CAUSES — LES SOLUTIONS

....

DONNER SON AVIS

3. Quelle est votre opinion sur les actions suivantes.

1. Faire « des achats » dans les magasins gratuits.
2. Prendre l'avion toutes les semaines.
3. Utiliser les monnaies locales en plus de la monnaie nationale.
4. Tenter de parvenir à zéro déchet à la maison.
5. Remplacer la voiture par le vélo.

4. Vincent et Anna ont des opinions très différentes sur l'écologie. Imaginez leurs réactions après la lecture d'une interview de Pierre Rabhi, qui dit que « chacun doit faire sa part » pour préserver l'environnement. Écrivez un dialogue.

Vincent, écolo engagé

Anna, écolo-je-m'en-foutiste

AU FIL DE L'UNITÉ

5. Lisez les séries et barrez l'intrus. Utilisez ensuite les intrus pour rédiger un court texte.

1. Se mobiliser pour quelque chose – passer à l'action – ne pas se sentir concerné(e)
2. Consommation responsable – économie collaborative – société de consommation
3. Produire des déchets – recycler – réutiliser
4. Déforestation – énergies renouvelables – réchauffement climatique

6. Par groupes de deux, choisissez un problème environnemental. Puis, en utilisant les étiquettes suivantes, écrivez un petit texte pour présenter ce problème à la classe.

se pencher sur un problème

se désintéresser de quelque chose

se mobiliser pour quelque chose

obliger quelqu'un à faire quelque chose

émettre des doutes sur

avoir un impact sur

DONNER SON AVIS

- C'est
  - choquant
  - inadmissible
  - stupéfiant
  - navrant
  - étonnant
  - révoltant
  - décevant
  - impensable
  - inimaginable
  - insensé
  - sensationnel
  - fantastique
  - génial
  - incroyable
- C'est une catastrophe / un scandale / une aberration écologique

- Hors de question !
- Pas question de faire quelque chose
- Je ne suis pas prêt(e) à...
- Je me fous de... (familier)
- Être indifférent(e) à...
- Se désintéresser de quelque chose
- J'en ai marre de... (familier)
- Être optimiste / pessimiste quant à quelque chose
- Être préoccupé(e) par...
- Être / se sentir concerné(e) par...
- Émettre des doutes sur...

PARLER D'UNE INITIATIVE ÉCOLOGIQUE

- Produire / limiter / trier les déchets
- Le recyclage
- Recycler / récupérer des objets, des déchets
- Réduire sa consommation
- Fonctionner à l'énergie verte
- Rouler au biocarburant / au diesel
- Se déplacer à vélo
- Se pencher sur un problème
- Instaurer une taxe
- Avoir un impact à l'échelle locale / planétaire
- Le cycle de vie d'un produit
- Un système alternatif
- Les éco-gestes / les gestes écologiques
- Une démarche fondée sur quelque chose
- L'économie collaborative
- La consommation responsable / durable
- La société de consommation
- Une monnaie locale / complémentaire
- Un circuit court
- Le commerce de proximité
- La circulation alternée

ELLE PLEURE, MA PLANÈTE

PARLER DE SON IMPLICATION

- Se mobiliser pour quelque chose
- Avoir une conscience écologique
- Passer à l'action / agir
- Défendre une cause
- Avoir une cause qui nous tient à cœur
- Être engagé(e) / mobilisé(e) / impliqué(e)
- Se désengager
- Calculer son empreinte écologique
- Mener une action de sensibilisation
- Inciter / encourager quelqu'un à faire quelque chose

- Obliger quelqu'un à faire quelque chose
- Avoir envie de changer les choses
- Croiser les bras / être passif(ive)
- Faire sa part
- Être écologiste
- Un produit / une action écologique
- Être écolo-sceptique
- Être écolo-je-m'en-foutiste
- Lutter pour / contre
- Désigner quelqu'un comme responsable
- Culpabiliser quelqu'un

L'ENVIRONNEMENT

- Dominer / exploiter la nature
- Extraire des matières premières
- Préserver l'environnement / la vie
- Sauver la planète
- Se révéler dangereux(se)
- Réduire les émissions de CO_2 / la pollution / les gaz à effet de serre
- Les embouteillages / les bouchons (familier)
- Les énergies renouvelables
- La crise écologique / environnementale

- Les enjeux environnementaux
- Le changement climatique / le réchauffement / le dérèglement climatique
- Les catastrophes climatiques / naturelles / écologiques
- La déforestation
- La fonte des glaces
- Les espèces en voie de disparition
- La disparition des espèces
- L'espérance de vie
- L'agriculture intensive / biologique

ART

REGARD SUR LES ÉCO-ARTISTES

par Loïc Fel & Joanne Clavel

Robert Smithson, *Spiral Jetty*, 1970, au bord du Grand Lac Salé, États-Unis

Face à la crise écologique sans précédent que nous traversons, [...] les artistes ne peuvent rester indifférents. Loin des galeries et du marché de l'art pour l'art, loin de l'artiste-auteur, figure de génie qui prévaut depuis des décennies, confinant l'art à un milieu socialement déterminé et se distinguant de la culture populaire, certains redeviennent partie prenante de la société, remettant la pratique de l'art au centre des préoccupations quotidiennes. Ces artistes ne sont pas seulement des producteurs de représentations. Ils imaginent plutôt des dispositifs de médiation qui interviennent activement dans l'espace public, parfois au-delà du champ de l'art, que ce soit en mobilisant des citoyens autour d'un programme agricole urbain partagé, comme l'a fait Thierry Boutonnier à Lyon pour la réhabilitation du quartier du Grand Mermoz ; ou encore en créant une économie solidaire locale, avec un système de troc de déchets (recyclage) contre nourriture (potager), tel le projet *Pedogenesis* proposé par Andrea Caretto et Raffaella

https://www.sfecologie.org

Spagna à Turin, en Italie [...] ; que ce soit en imaginant des dispositifs publics de collecte des eaux de pluie, comme *Topique-Eau*, d'Isabelle Daëron [...] ; ou qu'il s'agisse de construire un village au confort moderne en utilisant seulement des matériaux trouvés sur place, comme le proposent les *Architectures transitoires* de Laurent Tixador.

Christo et Jeanne-Claude, *The Umbrellas*, 1984, des milliers de parasols jaunes dans le désert californien, États-Unis

LA NATURE EST MON ATELIER

par Birgitta de Vos

Sable, pierres ou eau sont des matériaux que Strijdom van der Merwe utilise pour exprimer son art. L'idée n'est pas de passer à la postérité, mais simplement de vivre avec les éléments. Rencontre avec cette icône du land art en Afrique du Sud.

« L'aspect que je préfère dans mon travail de land artist, est que je ne sais jamais à l'avance ce que je vais réaliser. Je sors de chez moi sans savoir ce que je trouverai : des pierres, des branches, des feuilles ou un petit ruisseau. J'observe les couleurs et les ombres, l'équilibre, puis je me mets à l'œuvre. L'essence de mon art ? La joie du non-savoir. » [...] Chaque œuvre d'art est une surprise : « Je ne veux pas rester chez moi à réfléchir à ce que je vais faire, car dans ce cas, je m'imposerais à la nature. Les choses se révèlent d'elles-mêmes. Elles viennent à vous lorsque vous êtes là.

Strijdom van der Merwe, *Sculpting circles in the sand by using my hand*, 2014, Weltevrede, Namibie

Le land art est une forme d'art qui ne s'accomplit que dans l'action, qui naît parce que vous établissez un contact avec votre environnement. » [...] Le land art est une forme d'art apparue dans les années 1960. Les œuvres sont réalisées à partir des éléments naturels présents sur place : sable, pierres, eau, arbres, feu ou pigments naturels. Les objets ne sont pas placés dans l'espace, ils font partie du paysage. Cet art repose avant tout sur l'intention de créer. Par son travail et son mode de vie, Strijdom espère, en outre, aider à une prise de conscience sur la façon dont nous devons traiter la Terre.

Happinez, n°5, 2011

9. ART ET ENVIRONNEMENT FONT-ILS BON MÉNAGE ?

A. Observez les photographies. Est-ce que ces œuvres vous plaisent ?

B. Lisez les articles. Pouvez-vous définir le land art et l'art écologique ? Quels sont leurs différences et leurs points communs ?

C. Par deux, relevez les projets artistiques mentionnés dans l'article sur l'art écologique. Faites des recherches sur ces projets pour trouver des illustrations et comprendre de quoi il s'agit. Lequel vous paraît le plus intéressant ?

10. LA BEAUTÉ DE LA NATURE

A. Que trouvez-vous beau dans la nature ? Quels sont les éléments naturels et les paysages que vous préférez ?

B. Aimez-vous être en contact avec la nature ? De quelles façons vous mettez-vous en relation avec l'environnement ?

11. À VOTRE TOUR

Connaissez-vous des artistes ou des œuvres de land art et d'art écologique ? Faites des recherches, puis présentez une œuvre ou un artiste à la classe.

Bill Vazan, *La Nouvelle Norme*, 2012 Mont-Saint-Hilaire, France

TÂCHES FINALES

 TÂCHE 1 **UNE *BATTLE* 100 % ÉCOLO !**

1. Nous allons organiser une *battle* sur l'écologie. D'abord, rédigez individuellement sur un Post-it un ou plusieurs comportements peu écologiques dont vous n'êtes pas fier ou que vous constatez autour de vous. Affichez-les au tableau.

Je ne trie pas mes déchets

2. Divisez la classe en deux : l'accusation et la défense. Choisissez un Post-it. Selon son équipe, chaque groupe liste des arguments pour ou contre ce comportement.

3. Un participant de l'accusation annonce un argument, puis un participant de la défense y répond. Un autre membre du groupe de l'accusation prend la parole et ainsi de suite.

• Accusation : aujourd'hui, c'est impardonnable de ne pas trier ses déchets alors que chaque quartier est équipé pour le tri sélectif.
○ Défense : ça ne sert à rien de trier, car tout est ensuite mélangé dans le camion-poubelle.

4. Lors d'une *battle*, c'est le groupe qui a le dernier argument qui marque un point. Ensuite, on passe à un nouveau thème.

CONSEILS

• La mauvaise foi et la dérision sont conseillées pour rendre la *battle* plus drôle.
• Choisissez un arbitre.
• Soyez créatifs !
• Vous pouvez décider de limiter le temps de réflexion pour rendre le jeu plus vivant.

TÂCHE 2 **NOTRE ÉCO-CLASSE !**

1. Nous allons constituer le réseau de nos bonnes pratiques et le présenter sous forme de carte mentale ou de Prezi.

2. Chacun partage avec la classe l'un de ses éco-gestes.

• J'utilise du savon solide ; il est plus écologique, car il n'est pas emballé dans du plastique et il dure plus longtemps !

3. Dressez la liste des éco-gestes les plus originaux et les plus intéressants. Ensuite, classez-les dans des catégories (transports, consommation énergétique, consommation en général, alimentation, etc.).

4. Réalisez une carte mentale ou un Prezi pour présenter vos éco-gestes organisés en catégories. Illustrez-les avec des photos, des dessins etc.

5. Cette carte mentale ou ce Prezi sera votre charte écologique. À partir d'aujourd'hui, votre classe sera une éco-classe.

CONSEILS

• Essayez de ne pas répéter les éco-gestes, car l'objectif du réseau est de s'enrichir des pratiques des autres !
• Si l'un(e) d'entre vous dessine très bien, il/elle peut représenter les éco-gestes sous forme de dessin.
• Prezi est un logiciel simple, téléchargeable à l'adresse suivante : https://prezi.com/fr/

6

ENGAGEZ-VOUS !

 + DE RESSOURCES SUR
espacevirtuel.emdl.fr

— Des activités autocorrectives (grammaire / lexique / culture / CE / CO)
— La carte mentale de l'unité à compléter

PENSÉES D'UNE ENGAGÉE

Ma vision de l'engagement • 12 déc 2016 / 15h02

L'engagement est multiple et prend des formes variées : amoureux, artistique, humanitaire, citoyen, spirituel, politique, etc.

Je vous ai fait une petite sélection de photos qui représentent ma vision de l'engagement…

Et pour vous, c'est quoi ? J'attends vos commentaires !

1

2

3

4

FLORIAN, 12 déc. 2016, 15h44

C'est surtout donner en espérant faire bouger les choses. Donner de soi et de son temps pour une cause qui nous est chère et que l'on croit juste, pour des valeurs auxquelles on adhère.

FRÉDÉRIC, 12 déc. 2016, 15h55

C'est le fait de s'impliquer dans un projet, de s'investir pour des causes que l'on défend, être force de propositions. Agir !

PALOMA, 13 déc. 2016, 14h00

C'est s'investir auprès de personnes, d'associations pour apporter ma vision, une sorte de fil conducteur dans mon quotidien.

> " Ce n'est pas être,
> pour un homme,
> que de ne pas agir. "

Paul Claudel, poète, dramaturge
et diplomate français, XXe siècle

1. S'ENGAGER ? OUI, MAIS COMMENT ?

A. Observez le blog et les photographies. Quelles sont les différentes formes d'engagement dont le blog parle ? En connaissez-vous d'autres ?

B. Sur une feuille de papier, répondez à cette question en une phrase : « Pour vous, c'est quoi l'engagement ? ». Puis, collez votre définition sur un mur de la salle de classe.

C. Lisez les commentaires sur le blog. Vous retrouvez-vous dans certaines définitions ? Parlez-en entre vous.

D. Si vous deviez vous engager dans une association, que feriez-vous ?

- J'aimerais aider les réfugiés. Je pourrais, par exemple, m'occuper des tâches administratives.

 Et vous ?
Quelles formes d'engagement sont les plus faciles pour vous ?

2. CRISE DE L'ENGAGEMENT...

A. On entend régulièrement parler de la « crise de l'engagement ». Croyez-vous que cela existe ?

B. Lisez les deux articles. Dans quels domaines apparaît la crise de l'engagement ? Comment se manifeste-t-elle ?

SOMMES-NOUS DEVENUS ALLERGIQUES À L'ENGAGEMENT ?

Notre société a-t-elle peur de l'engagement ? La question est souvent posée à propos des relations amoureuses. Mais le désengagement se manifeste aussi dans d'autres domaines. Découvrez notre dossier spécial « engagement ».

Au secours, je ne veux pas me marier !

Les jeunes tombent amoureux, comme ceux et celles des générations précédentes. Mais ils font un pas de plus dans la dissociation entre la relation amoureuse et l'engagement institutionnel. Ils ne veulent pas confondre les deux niveaux. Contrairement au modèle dominant jusqu'aux années 1970, l'entrée dans l'amour, même sérieux, l'entrée dans la vie conjugale sous le même toit, le passage devant monsieur ou madame le/la maire, l'installation dans la vie parentale sont très différenciés ! Ce qui les distingue, c'est le fait de ne pas se précipiter à faire tout très vite. Non, le mariage, lorsqu'il vient, ne se fait pas avant trente ans. Non, le premier enfant a aussi des parents souvent trentenaires. Ces jeunes ne veulent pas être enfermés trop vite dans les traites d'une maison ou d'un appartement, dans les lourdeurs des tâches domestiques. Ils rêvent – et c'est leur droit le plus strict – d'un monde privé, léger.

François de Singly, Professeur de sociologie
Source : http://www.atlantico.fr

Alerte au désengagement !

Le désengagement est la diminution de l'implication de l'individu vis-à-vis de son entreprise et de son travail. Ne trouvant plus de sens à sa tâche, brimé par l'image que le monde du travail lui renvoie de lui-même, découragé d'avoir le sentiment de faire des efforts en vain, las d'être déresponsabilisé par des contrôles toujours plus fréquents, frustré de ne pouvoir prendre des initiatives ou de participer aux décisions qui le concernent, le salarié va progressivement se sentir libéré de l'engagement moral qui donnait du sens à son travail par une entreprise dont il ne voit venir en retour que sources de mécontentement.
Au lieu d'une contestation forte, il va choisir une passivité discrète, laisser faire… La colère s'exprimera sournoisement, parfois même sans que l'individu en ait conscience. Or ce phénomène prend des proportions de plus en plus alarmantes depuis quelques années. Continuer de l'ignorer serait une grave erreur car le désengagement est justement invisible, toxique et… très coûteux.

Thomas Labregère, Responsable ressources humaines
Source : http://www.rhinfo.com

C. De votre point de vue, cette crise se manifeste-t-elle dans d'autres domaines ?

 Et vous ?
Pensez-vous qu'il y ait une « crise de l'engagement » dans votre pays ?

3. ...OU CRISE DU TEMPS ?

A. Selon vous, quelles sont les motivations des gens pour s'engager ?

B. Lisez et observez l'infographie. Y a-t-il quelque chose qui vous surprend ? Croyez-vous vraiment qu'il y ait une crise de l'engagement ?

C. Lisez cet article expliquant le point de vue du sociologue H. Rosa. D'après lui, qu'est-ce qui explique le désengagement dans le monde associatif ? Quelle relation pouvez-vous établir entre l'infographie et l'article ?

MUTATIONS DE L'ENGAGEMENT : UN CHANGEMENT DE RAPPORT AU TEMPS ?
Juliette Didier Champagne

Dans la société actuelle, nous ressentons un phénomène d'accélération du temps. D'après Hartmut Rosa, sociologue et philosophe allemand contemporain, les avancées technologiques se développent si vite qu'elles modifient notre perception du temps et de l'espace : face à toutes les possibilités qu'elles permettent – échanges en direct à l'autre bout du monde, déplacements ultra-rapides, etc. –, nous avons l'impression de sans cesse manquer de temps. Et principalement, de manquer de «temps libre».

En effet, les frontières entre temps personnel et temps professionnel, temps public et temps privé se resserrent voire se confondent. Toujours « connectés », nous tendons vers une indifférenciation entre journée et soirée, semaine et week-end, etc. Enfin, le temps semble devenir une valeur marchande, si bien que chacune de nos actions est envisagée sous le prisme de cette interrogation : combien de temps ?

Source : http://www.pro-bono.fr

D. Êtes-vous d'accord avec toutes les idées développées dans les documents de cette double page ? Avez-vous vos propres raisons de ne pas vous engager ?

4. L'ENGAGEMENT AU QUOTIDIEN

A. Lisez l'article. Quels gestes faites-vous déjà ? Quels sont les gestes qui vous semblent les plus faciles à intégrer dès maintenant dans votre quotidien ? Pourquoi ?

www.aiderlesautres.en

5 GESTES DU QUOTIDIEN POUR AIDER LES AUTRES

Par Dorothée André-Micolon- Le 30 juillet 2016 à 15 h- 💬 4 commentaires

Il existe de nombreux moyens de contribuer au bien-être des autres. Tour d'horizon de quelques gestes du quotidien qui peuvent apporter bien-être et bonheur aux personnes que l'on côtoie ou que l'on rencontre. [...]

METTRE SES VÊTEMENTS DANS LES BENNES DÉDIÉES PLUTÔT QU'À LA POUBELLE

Marre de ce T-shirt ? Cette chemise est devenue trop petite ? Plutôt que de se débarrasser des habits qui ne nous conviennent plus en les mettant à la poubelle, on les dépose dans une benne de collecte dédiée. [...] Les associations les récupèrent pour les distribuer aux plus démunis. Évidemment, les habits doivent être propres, et en bon état. Idem pour le linge de maison !

FAIRE UN DON À LA BANQUE ALIMENTAIRE

Chaque année, lors du dernier week-end de novembre, les banques alimentaires organisent leur collecte nationale des denrées récoltées dans les lieux de dépôt (écoles, mairies, magasins, il y en a plus de 9 000 en France). Qu'il s'agisse d'une bouteille d'eau, d'un paquet de pâtes ou d'un gâteau,

ces repas sont redistribués dans le département de collecte aux personnes démunies. Ça ne nous coûte presque rien, et ça peut permettre à une famille dans le besoin de partager un bon repas. Sinon, on peut aussi proposer un coup de main (les bénévoles sont toujours les bienvenus, ne serait-ce que pour une heure ou deux !) ou faire un don aux Restos du cœur et aux épiceries solidaires.

DONNER SON SANG

Donner son sang est un acte citoyen par excellence. Passée l'appréhension de la piqûre, on en ressort avec une grande satisfaction. Et pour cause : les hôpitaux désemplissent rarement, et les besoins en produits sanguins sont, eux, quotidiens. [...]

FAIRE PREUVE DE SAVOIR-VIVRE ET DE CIVISME

Qu'il s'agisse d'aider une personne malvoyante à traverser la route, de porter les sacs de courses d'une personne âgée ou bien de laisser sa place dans les transports en commun à une femme enceinte, ces petits gestes de civisme sont autant de choses qui se perdent. [...]

DONNER UNE SECONDE VIE À NOS OBJETS

De nombreuses associations comme Emmaüs récupèrent des objets divers (téléphones, stylos, jouets, paires de lunettes...) à destination des pays en voie de développement ou des personnes dans le besoin. Ces derniers, selon leur état et leurs caractéristiques, sont remis en état puis acheminés jusqu'à ces pays. Pour ce faire, il faut les déposer dans des lieux de collecte dédiés. [...]

Source : http://www.bibamagazine.fr

Sidonie Bravo pour votre empathie et pour cet article extraordinaire qui redonne le moral ! En effet, ce sont des gestes super simples et à la portée de tous. J'ai toujours eu ultra peur des piqûres, mais vous m'avez convaincue, je vais aller donner mon sang !

Edgar_49 Vous avez bien raison, le manque de civisme de nos jours est insupportable ! Les gens sont tellement désengagés que changer les choses me paraît impossible.

Grincheux_92 Je ne suis pas archi convaincu... Ras-le-bol de cette morale bien pensante ! Moi, je n'aime pas rendre service et j'assume ! Commencez par vous aider vous-même, et les choses iront mieux !

Marion Oui à l'anti-gaspillage, non à la surconsommation ! Et vive le partage et la solidarité !

B. Lisez les commentaires laissés par les internautes. Certaines réactions vous surprennent-elles ? Pourquoi ?

C. Observez les formes surlignées pour compléter le tableau.

LES PRÉFIXES

Les préfixes se placent en début de mot (adjectif, verbe, nom) et modifient leur sens.

préfixe	sens du préfixe	exemples	mots sans préfixe
in- / im- / il- / ir-	négation		
mé(s)-	négation, mal	*mécontent*	*content*
anti-	contre	....	....
dé(s)-	négation, privation	...., ..., ...	...., ..., ...
re-	répétition	....	....
sur- / super-	intensité, au-dessus	..........,	..........,
extra-	intensité	....	....
archi-		....	....
ultra-		....	....
hyper-		*hypermarché*	*marché*

Les préfixes *hyper*, *super*, *archi*, *méga* et *ultra* sont fréquemment employés à l'oral (familier) pour marquer l'intensité et l'exagération.
Ex. : *La soirée d'hier était méga cool, y'avait plein de gens super sympas !*

D. Par groupe de deux, notez trois autres gestes simples à faire au quotidien pour aider les autres. Ensuite, écrivez sur des morceaux de papier tous les préfixes du tableau précédent. Choisissez un geste, puis tirez au sort deux papiers et exprimez-vous en utilisant des mots qui contiennent ces préfixes.

5. PAROLES D'ENGAGÉS

A. Observez les logos de ces associations. À votre avis, dans quel domaine interviennent-elles ? Faites des recherches si nécessaire.

B. Écoutez ces bénévoles qui parlent de leur engagement. Pouvez-vous déduire dans quelle association ils sont impliqués ?

PISTE 14

C. Écoutez à nouveau les témoignages et lisez les transcriptions pour compléter le tableau suivant.

LES MOTS COMPOSÉS

Les mots composés peuvent être formés de plusieurs façons.

	verbe + nom	adverbe + nom + adjectif + verbe	préposition + nom
mots soudés	*un portefeuille*	....	*une entrevue*

	verbe + nom + verbe	adverbe + nom + adjectif + verbe	préposition + nom	adjectif + nom
mots reliés par des traits d'union	....	*le mal-logement*	....	....

LES PRÉFIXES

EX. 1. Associez les préfixes aux mots pour former d'autres mots. Aidez-vous d'un dictionnaire si nécessaire.

> IN   IM   IL   IR

> possible   régulier   légal   supportable   récupérable
> lisible   réel   limité   connu   formel   actif
> prudent   logique   poli

> MÉ(S)   DÉ(S)

> illusion   content   aventure   passer   dire
> faire   monter   enchantement   connu

EX. 2. A. Écoutez le témoignage de Gustave. Notez toutes les expressions avec des préfixes d'intensité.

PISTE 15

EX. 2. B. À votre tour, racontez une expérience qui vous a enthousiasmé(e) en utilisant ces mêmes préfixes.

LES MOTS COMPOSÉS

EX. 3. Formez des mots avec les éléments proposés. Aidez-vous d'un dictionnaire si nécessaire.

> pour   sans   mal   bien   libre

EX. 4. Les mots que vous avez formés dans l'exercice 3 sont-ils des mots composés dans votre langue ou dans une langue que vous connaissez ? Traduisez-les et comparez.

- « Bienvenue » se dit « bienvenido » en espagnol et « welcome » en anglais ! C'est pareil !
- « Bedroom » en anglais est un mot composé, alors que « chambre » en français ne l'est pas !

+ d'exercices : pages 191-192

6. S'ENGAGER POUR SA LANGUE

A. Pensez-vous que l'orthographe française soit difficile ?

B. Lisez l'article. Quelles sont les trois modifications importantes recommandées par cette réforme ? Qu'en pensez-vous ? Existe-t-il une réforme de la langue similaire dans votre pays ?

Finis (certains) accents circonflexes dans les manuels scolaires qui vont appliquer la réforme de l'orthographe de 1990

Par Maxime Bourdeau

25 ans après avoir été approuvée par l'Académie française et publiée au Journal officiel, la dernière réforme de l'orthographe va de nouveau être sous les feux des projecteurs à la rentrée prochaine. Ces modifications, qu'enseignants et éditeurs de manuels scolaires seront encouragés à suivre, touchent environ 2 400 mots.

Souvent vestige d'un *s* qui a disparu avec l'évolution de notre langue, ce symbole va progressivement disparaître sur les *i* et *u* (sauf sur les noms propres, quand il marque une terminaison ou quand il apporte une distinction de sens). **Disparaitre**, donc. Les élèves qui apprendront à écrire avec les manuels de 2016 qui ont choisi de suivre la réforme de 1990 verront aussi ~~boîte~~ devenir **boite**, ~~coût~~ **cout**, ~~goûter~~ **gouter**, ~~piqûre~~ **piqure** ou encore ~~maîtresse~~ **maitresse**.

L'autre modification graphique passe par la suppression du trait d'union. Avec ces règles, davantage de mots sont « soudés », à l'instar d'**entretemps**, **portemonnaie**, **millepattes** ou **weekend**. La simplification de la langue française passe aussi par des modifications calquées sur la prononciation actuelle des mots. ~~Nénuphar~~ peut ainsi être écrit **nénufar**, ~~oignon~~ **ognon**, ~~réglementaire~~ **règlementaire** et ~~événement~~ **évènement**.

Source : Huffington post

Relou_pro 🐦 Suivre

Attention un homme mûr n'est pas un homme mur ! #JeSuisCirconflexe

16:24 - 24 Fév 2016   ♥ 1000

C. Lisez les deux premiers couplets de la chanson *Le Circonflexe (ou Le Sîre qu'on Flex')*. De quelle modification proposée par la réforme orthographique parle cette chanson ?

D. Cette chanson est écrite dans un registre familier. Retrouvez dans les paroles surlignées :

- deux mots écrits en verlan (inversion des syllabes d'un mot)
- une négation à laquelle il manque le « ne »
- une phrase incorrecte grammaticalement
- des synonymes pour les mots suivants : *travail, désordre, s'évader*

E. Cherchez des exemples (dans des mails, revues, livres, bandes dessinées, lettres, etc.) pour illustrer chaque registre décrit ci-dessous.

LES REGISTRES DE LANGUE

En français, il y a **trois registres** ou niveaux de langue.
Le **registre familier** qui s'utilise dans un contexte informel. Le langage est relâché avec parfois des fautes, des grossièretés ou des vulgarités.
Le **registre courant** est le plus utilisé, au quotidien, avec des gens que l'on connaît ou non (milieu scolaire, professionnel, relations sociales…).
Le **registre soutenu** est utilisé dans un contexte formel, en littérature ou pour des échanges officiels ou protocolaires.

> **PIÂF EDIT**
> **Le Circonflexe**
> **(ou Le Sîre qu'on Flex')**
>
> [...]
> C'est la guerre à la grammaire
> Vénère contre le ministère
> Nous les chercheurs d'orthographe
> On est pionniers, on fait notre taf
> On est pour le chapeau chinois
> Mais c'est pas nous qu'on fait la loi
> Sortez tous vos Kleenex
> Pleurons l'accent circonflexe
>
> Madame Clément, prof de çais-fran
> Sait plus comment éduquer les enfants
> C'est le bordel dans les manuels
> Depuis que l'accent s'est fait la belle
> Pas si complexe, même quand je texte
> J'ai le réflexe de l'accent circonflexe
> [...]

7. #JEMENGAGE

A. Lisez les trois tweets. De quoi parlent-ils ?

 Vivileti [Suivre]

– Il sert à quelque chose l'accent circonflexe ? T'es sur ?
– Ben une chaise, pourquoi ? #JeSuisCirconflexe

00:20 - 25 Fév 2016   ↩ ⟲ ♥ 2400

 Hannah _Moore [Suivre]

Comment je fais pour distinguer les tâches et les taches, hein ??? #JeSuisCirconflexe

14:20 - 24 Fév 2016   ↩ ⟲ ♥ 145

B. Comprenez-vous les jeux de mots des twittos ? Que révèlent-ils sur l'un des rôles de l'accent circonflexe en français ? Vérifiez vos hypothèses en lisant la règle.

C. Complétez la règle avec des mots que vous connaissez.

LES ACCENTS ÉCRITS

L'accent circonflexe
Il s'emploie sur *a, e, i, o, u*. Il remplace souvent un *s* venant du latin. Ex. : *hôpital –> hospitalis*
Il différencie des homonymes.
Ex. : ...., ..., ...

L'accent grave
Il s'emploie sur *a, e, u*.
Sur le *a* uniquement dans les mots suivants : *à, au-delà, voilà, déjà*.
Sur le *u* uniquement dans le mot *où*.
Sur le *e*, uniquement sur le *e* qui se prononce [ɛ]

L'accent aigu
Il s'emploie uniquement sur le *e* qui se prononce [e].

è ou é ?
• è (accent ....)
Quand la voyelle *e* est l'avant-dernière lettre d'un mot terminé par un *s* qui n'est pas la marque du pluriel. Ex. : ....
À l'intérieur d'un mot, quand la voyelle *e* est suivie d'une syllabe avec un *e* muet. Ex. : ....
• é (accent ....)
Quand la voyelle *e* est la première lettre du mot et la dernière lettre de la syllabe. Ex. : té-moin, ...
La voyelle *e* est la dernière lettre du mot, éventuellement suivie d'un *e* muet, d'un *s* du pluriel ou des deux. Ex. : ....
⚠ Quand la voyelle *e* n'est pas la dernière lettre de la syllabe et qu'on entend le son [e] ou [ə], on ne met pas d'accent.
Ex. : mer-cre-di, ter-ri-ble, ...

D. Avez-vous déjà utilisé le hashtag pour marquer votre engagement ? Pensez-vous que ce soit utile ? En petits groupes, proposez de nouveaux hashtags sérieux ou décalés.

LES REGISTRES DE LANGUE

EX. 1. Lisez la suite des paroles de la chanson *Le Circonflexe*. Repérez les mots appartenant au registre familier et trouvez leur équivalent dans le registre courant.

Dans une décennie on parlera tous cain-ri
Tchao l'accent, on fera sans
Avec nos cerveaux déficients
Simplification, uniformisation
On nous prend pour des cons
Cortex H.S., j'ai le réflexe de l'accent circonflexe
[...]

EX. 2. Complétez le tableau, puis écrivez un court texte dans le registre de langue de votre choix en utilisant ces mots.

REGISTRE FAMILIER	REGISTRE COURANT
pote	....
...., ..., ...	travail
bouffer	....
....	rire
....	homme
kiffer	....
....	enfant
....	ça m'est égal
....	(se) fâcher
gueuler	....
se casser	....
c'est ouf !	....
piger	....
avoir la dalle	....

LES ACCENTS ÉCRITS

 EX. 3. Écoutez cet article lu et replacez les accents dans le texte.

PISTE 16

De nombreux changements ont enormement fait reagir sur les reseaux sociaux, notamment Twitter avec l'apparition du mot-cle #JeSuisCirconflexe pour denoncer la disparition de cette particularite graphique et autres simplifications. Rappelons neanmoins que cette reforme n'en est pas vraiment une. Ces modifications ne s'appliqueront qu'aux livres scolaires qui en font le choix. L'Academie française continuera d'accepter les deux orthographes comme elle le fait depuis plus de 25 ans : « Aucune des deux graphies ne peut etre tenue pour fautive. L'orthographe actuelle reste d'usage, et les recommandations du Conseil superieur de la langue française ne portent que sur des mots qui pourront etre ecrits de maniere differente sans constituer des incorrections ni être consideres comme des fautes. »

Du cote du ministere de l'Education, on se veut rassurant. « Cette reforme de 1990 etait deja en vigueur dans les programmes de 2008 et elle est facultative. Certains avaient deja pris en compte cette reforme, il semble que d'autres ont decide de la mettre en œuvre pour la rentree 2016. Voila pourquoi on en parle aujourd'hui », explique au *HuffPost* l'entourage de la ministre.

Source : Huffington post

+ d'exercices : pages 192 - 193

De   vivileti@entre_nous.fr

À   contact@medecinspourtous.en   Cc   Cci

Objet   proposition de bénévolat

Madame, Monsieur,

Ayant eu connaissance de l'existence de votre association par un ami infirmier, je me permets aujourd'hui de prendre contact avec vous.

En effet, étant étudiante en soins infirmiers, je souhaiterais consacrer quelques heures de mon temps libre à du bénévolat dans votre association. Aider des personnes et des familles confrontées à la maladie et la précarité a motivé mon orientation professionnelle. Je suis convaincue de l'importance de la solidarité, de l'écoute de l'autre et du partage pour un monde meilleur et plus humain, c'est pourquoi je souhaite apporter ma participation à Médecins pour tous.

Je suis sérieuse et responsable et j'ai longuement réfléchi à ce que peut représenter cet engagement au niveau personnel. Ainsi, je me sens prête à me consacrer à toute tâche qui vous serait utile.
Au-delà de mes compétences médicales, j'ai également des connaissances en psychologie et je m'engage à suivre toute formation qui serait dispensée pour les bénévoles ou à me rendre à des réunions d'information, si nécessaire.

Vous trouverez en pièce jointe mon CV où vous aurez le détail de ma formation.

Je reste à votre disposition pour toute information complémentaire et serais heureuse de vous rencontrer au cours d'un entretien.
Dans l'attente d'une réponse de votre part, je vous prie de recevoir, Madame, Monsieur, mes sincères salutations.

Viviane Letis

8. ANALYSER L'E-MAIL

A. Lisez cet e-mail. Qui écrit à qui ? Pourquoi ?

B. À l'aide des étiquettes, retrouvez la structure de la lettre.

conclure et prendre congé	se présenter et parler de ses compétences
donner ses motivations	préciser la raison de sa candidature

C. Quel(s) document(s) l'expéditrice joint-elle à son e-mail ? La démarche de candidature est-elle la même dans votre pays ?

LES ÉTAPES DE L'E-MAIL (OU LETTRE) DE MOTIVATION

• Indiquer l'objet de sa candidature
*Ayant eu connaissance de l'existence de votre association par...,
je me permets de prendre contact avec vous.
Suite à l'annonce parue dans... je vous écris pour vous adresser
ma candidature.*

• Donner ses motivations
*Étant..., je souhaiterais.../ j'aimerais...
Ce poste correspond à mes aspirations professionnelles / à mes
savoir-faire
Je souhaiterais mettre à profit mes connaissances... au service
de / dans le domaine de...*

• Se présenter et parler de ses compétences
*Je suis d'une nature organisée / optimiste...
Je suis capable d'une grande adaptabilité...
Je fais preuve de rigueur et de méthode dans mon travail...
Je suis dynamique et motivé(e) / persévérant(e) / sérieux(se) /
responsable ...*

• Conclure et prendre congé
*Vous trouverez en pièce(s) jointe(s) mon CV où vous aurez le
détail de ma formation.
Veuillez trouvez en pièce(s) jointe(s)...
Je vous joins...
Ci-joint...
Dans l'attente d'une réponse de votre part...
En vous remerciant de votre attention...
Dans l'attente de vous rencontrer...
Je vous prie de recevoir, Madame, Monsieur, mes sincères
salutations.
Veuillez agréer Madame, Monsieur, l'expression de mes
salutations distinguées.
Bien / Très cordialement*

9. C'EST À VOUS

A. En petits groupes, réfléchissez à vos diverses expériences et à ce qu'elles vous ont apporté. Listez les compétences, connaissances et qualités que vous souhaitez mettre en valeur.

- • J'ai souvent travaillé en équipe et j'adore les sports collectifs. Je joue au basket depuis mon adolescence ! Je sais être à l'écoute et je suis une personne altruiste.
- ○ Moi, je déteste les sports d'équipe, mais pourtant je crois être aussi une personne altruiste et j'aime travailler avec les autres...

B. Individuellement, choisissez une association dans laquelle vous seriez prêt(e) à vous investir. Pensez aux motivations que vous allez donner et à ce que vous pourriez apporter à l'association.

C. Rédigez votre e-mail de motivation.

S'ENGAGER

1. Comment traduisez-vous dans votre langue les expressions suivantes ?

s'investir dans quelque chose	donner de soi
défendre une cause	s'engager dans / pour
contribuer au bien-être de quelqu'un	

2. Voici deux projets en ligne sur un site de financement participatif. Complétez leur présentation à l'aide des expressions suivantes.

donner un coup de main	faire bouger les choses	
récolter des fonds	contribuer au bien-être	s'investir
s'impliquer dans le projet	donner de son temps	

1. Le but de l'association « Je chante pour qu'ils mangent » est de .... à ceux qui n'ont rien. Nous organisons des concerts à 2 euros pour .... de ces personnes grâce à la musique. Rejoignez-nous pour .... et aidez-nous à ....!

2. Le Camion Douche a pour but de lutter contre la pauvreté et l'exclusion sociale en proposant aux sans-abris et aux mal-logés un dispositif d'hygiène mobile. De nombreux bénévoles .... et .... auprès de l'association en .... .

3. Voici une liste d'associations françaises reconnues d'utilité publique. Choisissez le nom qui vous inspire le plus et faites des recherches pour découvrir son domaine d'action. Remplissez la fiche suivante.

La Ligue de protection des oiseaux	Action contre la faim
L'école à l'hôpital	Handichien	Sol en Si
À chacun son Everest	SOS racisme	Emmaüs

Nom

Date de création

Objectifs

Personnalité(s) liée(s) à cette association

Organisation d'événements

Logo

LES RAISONS DE S'ENGAGER

4. Essayez de faire deviner à un camarade les idées suivantes en les dessinant.
- Quelque chose qui vous tient à cœur
- Quelque chose qui vous indigne

5. Lisez ces hashtags de gens engagés et essayez d'imaginer dans quel domaine ils agissent et ce qu'ils peuvent faire.

#JESUISVERT

#JAIDELESAUTRES

#JESUISPARRAIN

#JEDONNE

#JEFAISBOUGERLESCHOSES

#TOUSEGAUX

AU FIL DE L'UNITÉ

6. À partir des mots suivants, formez le plus d'expressions possible.

1. Donner : ....
2. Faire preuve de : ....
3. Une cause : ....

7. Trouvez des mots appartenant à la même famille.

1. Bénévole : ....
2. Engagement : ....
3. Solidarité : ....
4. Association : ....
5. Don : ....
6. Investissement : ....

S'ENGAGER

- S'investir auprès de personnes / d'associations / pour des causes
- Changer / Faire bouger les choses
- Faire un acte citoyen / des efforts
- S'impliquer dans un projet
- Soutenir activement une association
- Prendre position
- Défendre une cause
- Contribuer au bien-être des autres
- S'occuper des autres
- Aider les autres
- Apporter de l'aide
- Proposer / Donner un coup de main
- Rendre service
- Donner de soi / de son temps
- Être
  - bénévole
  - mobilisé(e)
  - actif(ve)
  - impliqué(e) dans son travail
  - membre d'une association
  - porteur(se) d'espoir
  - parrain / marraine d'une association
- Exercer une activité bénévole / caritative
- Travailler bénévolement
- Agir
- Récolter des fonds
- Organiser une collecte
- Créer / Relayer un hashtag

LES RAISONS DE S'ENGAGER

- Croire en quelque chose
- Trouver / Donner du sens à sa vie
- Acquérir des compétences
- Prendre des initiatives
- Rencontrer / Côtoyer des personnes
- Participer aux décisions
- Faire un don
- Faire preuve de civisme
- Avoir
  - un fil conducteur
  - quelque chose qui nous tient à cœur
  - une cause qui nous touche / qui nous est chère / qu'on croit juste
- Avoir envie d'être utile / Se rendre utile
- Se mettre au service d'une cause humanitaire
- Œuvrer pour la protection de l'environnement
- Être en quête d'authenticité / de lien social
- Ressentir une grande satisfaction
- Redonner le moral
- Apporter du bien-être aux personnes démunies / dans le besoin

ENGAGEZ-VOUS !

LE DÉSENGAGEMENT

- Manquer de temps
- S'occuper de soi-même
- Ne pas vouloir se précipiter
- Être enfermé(e) dans quelque chose
- Rêver d'un monde léger
- La peur / La crise de l'engagement

LES VALEURS DE L'ENGAGEMENT

- Adhérer à des valeurs :
- L'amitié
- La solidarité / Être solidaire
- Le partage
- L'entraide
- L'écoute / Être à l'écoute
- L'empathie / Être empathique
- Le respect / Être respectueux(se)
- Le militantisme / Être militant(e)
- La convivialité
- L'altruisme / Être altruiste
- La bienveillance / Être bienveillant(e)
- La générosité / Être généreux(se)
- L'espoir
- Le don de soi

HISTOIRE

**Déclaration des droits
de la femme et de la citoyenne**

~

• Septembre 1791 •

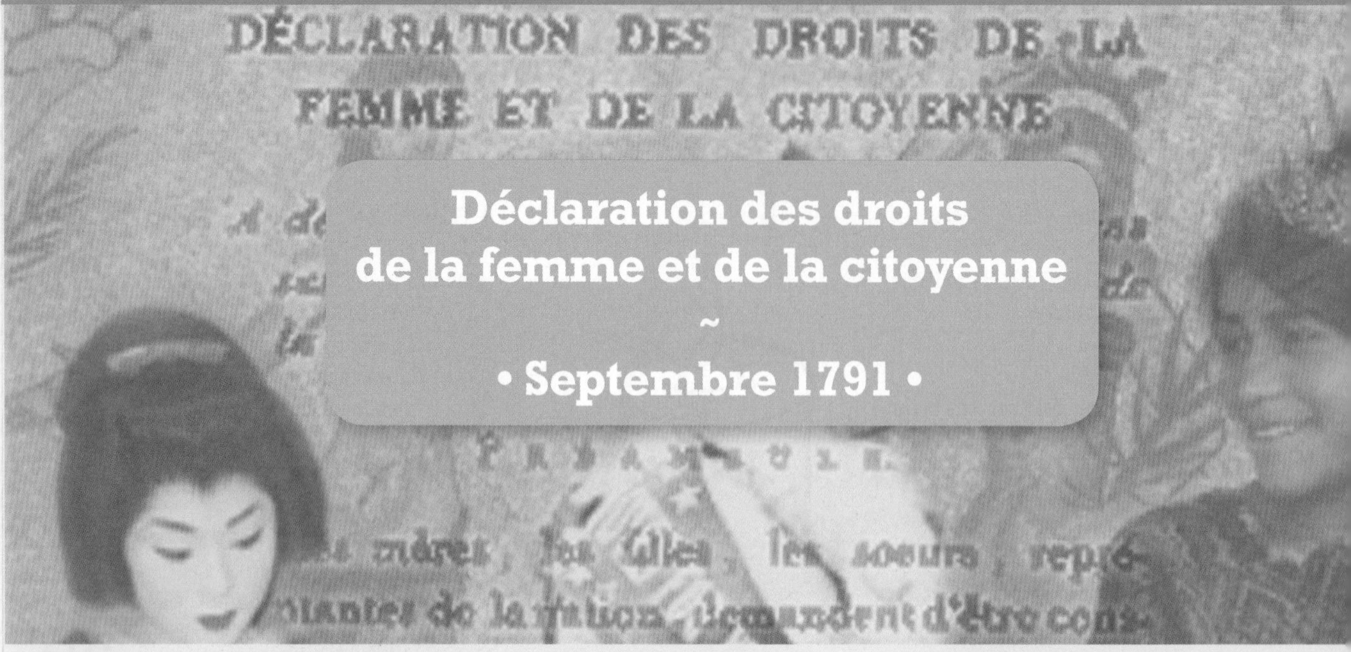

La Déclaration des droits de la femme et de la citoyenne a été rédigée en 1791 par Olympe de Gouges (1748-1793). Élaborée d'après la Déclaration des droits de l'homme et du citoyen de 1789, elle en imite le style et le ton en énumèrant tous les droits qui ne s'appliquaient alors qu'aux hommes.

Femme, réveille-toi ; le tocsin[1] de la raison se fait entendre dans tout l'univers ; reconnais tes droits. Le puissant empire de la nature n'est plus environné de préjugés, de fanatisme, de superstition et de mensonges. Le flambeau de la vérité a dissipé tous les nuages de la sottise et de l'usurpation. L'homme esclave a multiplié ses forces, a eu besoin de recourir aux tiennes pour briser ses fers. Devenu libre, il est devenu injuste envers sa compagne. Ô femmes ! Femmes, quand cesserez-vous d'être aveugles ? Quels sont les avantages que vous avez recueillis dans la Révolution ? Un mépris plus marqué, un dédain plus signalé.

Dans les siècles de corruption vous n'avez régné que sur la faiblesse des hommes. Votre empire est détruit ; que vous reste t-il donc ? La conviction des injustices de l'homme. La réclamation de votre patrimoine, fondée sur les sages décrets de la nature ; qu'auriez-vous à redouter pour une si belle entreprise ? […] Craignez-vous que nos législateurs français […] ne vous répètent : femmes, qu'y a-t-il de commun entre vous et nous ? Tout, auriez vous à répondre.

S'ils s'obstinent, dans leur faiblesse, à mettre cette inconséquence en contradiction avec leurs principes ; opposez courageusement la force de la raison aux vaines prétentions de supériorité ; réunissez-vous sous les étendards de la philosophie ; déployez toute l'énergie de votre caractère, et vous verrez bientôt ces orgueilleux, non serviles adorateurs rampants à vos pieds, mais fiers de partager avec vous les trésors de l'Être Suprême. Quelles que soient les barrières que l'on vous oppose, il est en votre pouvoir de les affranchir ; vous n'avez qu'à le vouloir.

1. le tocsin : Bruit d'une cloche qu'on sonne de façon répétée et prolongée pour donner l'alarme.

Olympe de Gouges, également écrivaine et auteure de pièces de théâtre, souhaitait que les femmes participent pleinement à la vie sociale et politique du pays et dénonce les grandes oubliées de l'histoire : les femmes.

ARTICLE 1

La femme naît libre et demeure égale à l'homme en droits. Les distinctions sociales ne peuvent être fondées que sur l'utilité commune.

ARTICLE 10

Nul ne doit être inquiété pour ses opinions même fondamentales ; la femme a le droit de monter sur l'échafaud[1], elle doit également avoir celui de monter à la tribune, pourvu que ses manifestations ne troublent pas l'ordre public établi par la loi.

_____
1. Monter sur l'échafaud : être condamné à mort

10. LE CONTEXTE HISTORIQUE

A. Observez le portrait d'Olympe de Gouges et le titre du document. Savez-vous de qui et de quoi il est question ? En petits groupes, faites des suppositions.

B. Lisez le texte d'introduction. Que s'est-il passé en France en 1789 ? Faites des recherches si nécessaire. Pourquoi Olympe de Gouges considère-t-elle que les femmes sont les grandes oubliées de l'histoire ?

11. LA DÉCLARATION DES DROITS DE LA FEMME ET DE LA CITOYENNE

A. Lisez le texte. À qui est-il adressé ? Que dénonce Olympe de Gouges ? Qu'encourage-t-elle à faire ?

B. Pourquoi écrit-elle à propos des hommes : « Devenu libre, il est devenu injuste envers sa compagne » ?

C. Lisez les deux articles extraits de la Déclaration des droits de la femme et de la citoyenne. Olympe de Gouges était-elle une femme respectueuse de la loi ? Justifiez votre réponse.

D. Selon vous, ce texte a-t-il été accepté par les institutions politiques de l'époque ? Faites des recherches pour vérifier vos hypothèses.

12. VERS UNE ÉGALITÉ DES DROITS ?

A. Le combat pour l'égalité de traitement entre hommes et femmes vous semble-t-il encore d'actualité ?

B. La Déclaration universelle des droits de l'homme a été adoptée par l'ONU en 1948. Selon vous, devrait-elle mentionner les droits des femmes ou d'autres personnes ?

C. Existe-t-il dans votre pays de grandes figures historiques qui ont lutté pour les droits des femmes ?

TÂCHE 1 — PORTRAIT DU PARFAIT (DÉS)ENGAGÉ !

1. Vous allez réaliser le portrait illustré du parfait (dés)engagé. En petits groupes, faites un dessin ou un collage de ce personnage et définissez ses qualités ou défauts (personnalité, caractère, attitude, valeurs...).

- *Il est absolument irrespectueux et indifférent ! Il détourne les yeux quand il croise une femme enceinte debout dans le bus et reste assis !*

2. Imaginez les accessoires qui le caractérisent et rédigez des petits textes pour légender votre illustration.

- *Il n'a jamais de petites pièces sur lui pour éviter de les donner aux sans-abri.*

3. Présentez votre personnage au reste de la classe. Un vote élira le meilleur représentant de chaque catégorie : « engagé » et « désengagé ».

Il n'a jamais de petites pièces sur lui pour éviter de les donner aux sans-abri.

CONSEILS

- Inspirez-vous de personnes que vous connaissez et n'hésitez pas à exagérer pour créer une caricature.
- Soignez vos légendes.
- Utilisez l'humour et l'ironie.

TÂCHE 2 — À LA RENCONTRE DES MILITANTS

1. Vous allez faire un état des lieux de l'engagement associatif dans votre ville en allant à la rencontre des bénévoles. En petits groupes, faites des recherches sur les associations présentes dans votre ville.

2. Chaque groupe choisit une association représentative d'un domaine d'action (santé, protection des animaux, éducation, environnement, égalité...) et prépare des questions pour réaliser un reportage.

- *Combien de membres a votre association ? Depuis quand en faites-vous partie ?*
- *Quel est votre rôle ?*
- *Organisez-vous des événements ?*
- *...*

3. Chaque groupe va à la rencontre des associations et de leurs militants. S'ils sont d'accord, vous pouvez les enregistrer.

4. Dressez un portrait de l'association et de ses militants. Préparez votre support de présentation avec les informations que vous avez recueillies.

CONSEILS

- Pensez à transcrire les interviews que vous avez réalisées et à les traduire si besoin.
- Mettez-vous d'accord pour que les différents groupes présentent des associations variées.
- Lors de la rencontre avec les militants, n'oubliez pas de récupérer tous les documents qui peuvent appuyer votre présentation (affiches, tract, infographie, etc.).

7

(RÉ)CRÉATION

 + DE RESSOURCES SUR
espacevirtuel.emdl.fr

– Des activités autocorrectives (grammaire / lexique / culture / CE / CO)
– La carte mentale de l'unité à compléter

www.artsmag.en

arts mag

L'art public dans nos villes

L'art est partout, nous le croisons au quotidien, parfois sans y prêter attention. Il pimente notre vie, embellit l'espace public. Avez-vous croisé sur votre chemin une œuvre que vous avez aimée un peu, beaucoup ou pas du tout ? Faites-nous découvrir l'art dans votre ville en nous envoyant vos clichés.

Le confident, œuvre présentée square du Doyen Lépine à Nice à l'arrêt de tramway de la station Valrose par Jean-Michel Othoniel (France) 2007

La Fontaine Stravinsky, réalisée en 1983 par Jean Tinguely et Niki de Saint-Phalle. Elle se trouve à côté du Centre Pompidou à Paris (France).

Habiter sa couleur, installation réalisée par Dominique Pétrin dans le cadre de la manifestation Aires Libres en 2013 à la station de métro Beaudry, à Montréal (Québec).

Zinneke Pis, créée par Tom Frantzen en 1999. Elle est installée à l'angle de la rue des Chartreux et de la rue du Vieux-Marché-aux-Grains à Bruxelles (Belgique). 🇫 🇹 ❤

" Faisons de notre vie une œuvre d'art. "

Marcel Duchamp, artiste français, XXᵉ siècle

Banc-nana, installation réalisée par l'équipe de DIX au carré en 2015, place Gérald-Godin, à Montréal (Québec). 🇫 ❤ ❤

Œuvre réalisée par Jauna et JS dans le cadre du parcours 2009 des LéZarts de la Bièvre, à Paris (France). 🇫 ❤ ❤

1. L'ART DESCEND DANS LA RUE

A. Observez ces photographies prises dans des villes francophones. Quelles formes d'art sont représentées ? Connaissez-vous d'autres formes d'art que l'on peut rencontrer au quotidien ?

> sculpture   architecture   peinture
>
> installation   ...

B. Regardez cette vidéo sur l'art public à Montréal. Pourquoi ces personnes sont-elles interviewées ? Qu'a mis en place la ville de Montréal ?

C. Regardez à nouveau la vidéo puis complétez le tableau.

Personne	Profession	Idées
Nathalie Bondil	....	....
Marie-France Brière	....	....
Linda Covit	....	....
Annie Gérin	....	....

D. Allez explorer le site artpublic.montreal.ca. Qu'est-ce qui a retenu votre attention ?

 Et vous ?
Y a-t-il des œuvres d'art dans les espaces publics de votre ville ?

2. MARGUERITE

A. Lisez les extraits de dialogues tirés de la bande-annonce du film *Marguerite* et observez l'affiche. À votre avis, de quoi parle le film ? Vérifiez vos hypothèses en faisant des recherches.

Un homme dans une pièce à côté de la salle de concert :
Entrez ou sortez monsieur mais ne laissez pas la porte ouverte, c'est insupportable !

Un autre homme :
Elle a toujours chanté comme ça ?

Le premier homme :
Ah non, elle a beaucoup progressé.

Marguerite :
Je travaille toute seule, je vais à l'opéra, j'écoute de la musique, je chante au moins quatre ou cinq heures par jour vous savez.

Une jeune chanteuse d'opéra :
Vous pensez qu'elle sait pas qu'elle chante complètement faux ?

Un artiste :
Faux, mais sublimement faux !

Un autre artiste :
Divinement faux !

Marguerite :
Y'a que la musique qui compte pour moi. C'est ça ou devenir folle.

B. Selon vous, est-il nécessaire de dire aux gens qu'ils sont mauvais dans leur pratique ?

C. Marguerite rêvait d'être une cantatrice célèbre. Si vous étiez un(e) artiste connu(e) qui seriez-vous ?

3. AVIS AUX AMATEURS

A. Pratiquez-vous des activités artistiques ? Lesquelles ?
Que vous apportent ces activités artistiques au quotidien ?

B. Lisez cet article au sujet des pratiques artistiques amatrices.
Êtes-vous surpris par les chiffres donnés dans cet article ?

C'est aussi la rentrée pour les amateurs !

[...] Cette rentrée sera la bonne. Fini les renoncements et les découragements prématurés ! À moi le frisson de la scène, les bienfaits de la danse, ces cours de piano repoussés depuis dix ans... Telle est, en substance, la résolution de plusieurs milliers de Français, décidés à grossir les rangs des amateurs. [...]

Un Français sur quatre joue d'un instrument

Combien sont-ils ? Difficile de répondre, tant les domaines sont divers, les structures nombreuses et les abandons, reprises et cumuls fréquents. En 2008, date de la dernière étude du ministère de la Culture, un Français sur quatre de 15 ans et plus (environ 12 millions de personnes) déclarait avoir pratiqué au moins une discipline de spectacle : musique, théâtre ou danse.

La musique demeure la plus répandue. Un quart (23 %) des Français déclarait savoir jouer d'un instrument de musique – la guitare et le piano arrivant en tête. [...] Ils étaient 2 % à pratiquer le théâtre (1 million de personnes), 8 % la danse (4 millions) mais aussi 14 % à faire du dessin, 9 % de la peinture ou sculpture, 6 % à écrire des nouvelles ou des romans.

Cumul des pratiques

Nombreux sont ceux à changer mais aussi à cumuler les pratiques. À 18 ans, Léo Canal a déjà fait de la danse classique, du théâtre, du solfège, du chant et du piano. « Ça a beaucoup joué dans ma construction. Trouver sa voix, notamment, c'est aussi trouver sa personnalité. J'ai affronté des jurys pas toujours aimables mais aussi joué le rôle d'Orphée dans une réécriture de l'opéra

Orphée et Eurydice de Gluck sur la scène de l'Opéra de Marseille. Je dois beaucoup de ma confiance et certains de mes très bons amis à ces activités. »

Les pratiques du spectacle sont surtout portées par des jeunes, à l'exception de la chorale où les plus de 45 ans sont majoritaires. En France, 26 % des amateurs de pratiques culturelles sont étudiants ou écoliers et 14 % retraités.

Des activités qui permettent de « lâcher prise »

Pour les actifs, l'enjeu est souvent de libérer du temps. Camille Damois-Gignoux, banquier privé et mère de quatre enfants, a commencé le théâtre l'année dernière, à l'âge de 47 ans. Son investissement ? Environ 700 €, 1 h 30 de répétition hebdomadaire (davantage à l'approche des représentations) et des heures passées à apprendre son texte en l'écoutant dans sa voiture. « C'était une bouffée d'air. Je suis entrée dans un univers où l'on ne m'attendait pas en tant que mère ou collaboratrice. Je garde des souvenirs de fous rires : le théâtre permet de lâcher prise », apprécie celle qui entend récidiver.

Même fenêtre salutaire pour Catherine Afettouche, qui, depuis vingt ans, libère du temps pour sa pratique du piano ou de la

flûte, et a transmis sa passion à ses cinq fils. Elle s'investit également en tant que bénévole dans le festival de musique de chambre de Belle-Île-en-Mer : « Notre engagement permet de faciliter sa logistique et de réduire ses coûts », note-t-elle. À travers leurs cours et stages, leur rôle associatif et bénévole, les amateurs ne comptent en effet pas pour rien dans l'économie culturelle !

Un objectif des politiques culturelles

[...] Pour « lever les obstacles sociaux et culturels » à la diffusion des arts, les politiques culturelles ont fait de leur enseignement et de l'encouragement des pratiques amatrices un objectif depuis la fin des années 1960, rappelle Philippe Coulangeon, auteur de *Sociologie des pratiques culturelles* (La Découverte, 2010). Les inégalités sociales apparaissent moins fortes dans les pratiques que dans les sorties culturelles, mais elles ne disparaissent pas pour autant.

Afin de soutenir les ambitions de groupes d'amateurs, un fond d'encouragement a été créé en 2012. En trois ans, 289 projets ont été soutenus. [...]

www.la-croix.com,
Marie Soyeux, le 01/09/2015 à 8h46

C. Quels sont les bienfaits des activités artistiques selon les personnes qui témoignent ?
Y a-t-il des similitudes entre vos réponses à la question A et les leurs ?

D. Les pratiques amatrices sont-elles aussi présentes et soutenues dans votre pays ?
Quelles sont les activités qui ont le plus de succès ?

4. LE 10ᵉ ART ?

A. Regardez les illustrations ci-dessous. Aimez-vous les jeux vidéo ?
Trouvez-vous que certains jeux vidéo soient beaux ou artistiques ?

B. Le jeu vidéo doit-il être considéré comme un art ? Lisez les commentaires publiés par des internautes sur un forum. Les arguments présentés vous paraissent-ils pertinents ?
Avec qui êtes-vous le plus d'accord ?

Le jeu vidéo doit-il être considéré comme un art ?

Stela_Foul
Le 29 septembre 2016 à 14:31
Pour

Il me semble que le cinéma et la bande dessinée ont fait l'objet de critiques féroces avant d'être reconnus comme des arts, alors pourquoi le jeu vidéo ne le serait-il pas ? D'ailleurs, le processus de création d'un jeu vidéo est très proche de celui d'un film : écriture du scénario, production, réalisation.

Évidemment, tous les jeux vidéo ne peuvent prétendre être des œuvres d'art, mais c'est aussi le cas de beaucoup de films et de bandes-dessinées ! En revanche, certains jeux ont une telle ambition visuelle, esthétique et artistique que j'affirme haut et fort qu'ils doivent être considérés comme des **œuvres d'art**. Et ce n'est pas un hasard si leur création s'appuie sur un grand nombre de métiers artistiques : le dessin, la conception architecturale, le graphisme, la musique, le design. Pour moi, c'est l'Art total !

Un autre argument pour vous convaincre ? Le jeu vidéo est déjà officiellement reconnu comme un art par le ministère de la Culture depuis 2012, et c'est tant mieux ! Le communiqué sur le site de Culture et Communications affirme que « longtemps assimilé à un logiciel, le jeu vidéo est désormais reconnu comme une œuvre de l'esprit, dotée d'un contenu éditorial et artistique original. En tant qu'œuvres de création, les jeux vidéo véhiculent les valeurs culturelles du pays où ils sont élaborés ». Bravo ! Les institutions ont moins de mal que le public à être moderne ! Malheureusement, je ne suis pas sûre que les personnes ayant une vision traditionnelle de l'art soient prêtes à l'accepter.

Auguste_Gaga
Le 31 septembre 2016 à 01:21
Contre

Bien que grand amateur de jeux vidéo, je prétends que c'est une activité puérile et peu sophistiquée. Alors, parler d'art me semble TRÈS exagéré ! Les jeux vidéo font certes appel à des artistes (création graphique et musicale) mais, à mon avis, ces aspects ne sont que des composantes de cette forme d'expression. Pour être plus clair, je ferais le parallèle avec la production industrielle : même si les constructeurs de meubles ou de voitures font appel à des designers, le produit de cette activité reste un produit

de consommation. J'estime que si le jeu vidéo est un produit commercial destiné à la vente, ça le rend incompatible avec la notion d'art. À ma grande surprise, le ministère de la Culture l'a reconnu comme tel, mais personnellement je crois qu'il est trop tôt pour élever cette activité au rang d'art, et je doute que cette reconnaissance officielle reflète l'opinion du grand public.

C. Relisez les commentaires des internautes et complétez les exemples de la règle à l'aide des expressions surlignées.

L'EXPRESSION DE LA SUBJECTIVITÉ

La subjectivité s'exprime grâce à des indices que l'on peut rechercher dans un énoncé. Ces indices révèlent les sentiments, les valeurs ou l'opinion de l'auteur.

Il existe différents outils.

- **Des verbes** de jugement, d'obligation, de volonté, de permission, d'opinion, d'état : *devoir, pouvoir, prétendre, affirmer, ignorer, croire, estimer, sembler, paraître, assurer, certifier, penser, douter, supposer, souhaiter, espérer...*
  Ex. : ....

- **Des adverbes** : *heureusement, sans doute, probablement, peut-être, assurément, forcément, réellement, vraisemblablement, trop, vachement (familier)...*
  Ex. : ....

- **Des adjectifs** : *sûr, certain, inévitable, clair, évident, douteux, vraisemblable, probable, possible*
  Ex. : ....

- **Des préfixes pour marquer l'intensité** : *hyper, super, archi, extra, méga...*
  Ex. : *C'est archi simple !*

- **Du lexique** : des noms ou des adjectifs mélioratifs (= positif) ou péjoratifs (= négatif) : *inadmissible, formidable...*
  Ex. : ....

- **Des expressions** : *À mon avis, si vous êtes d'accord, selon des sources, d'après monsieur X, par bonheur, à ma grande surprise, pour moi...*
  Ex. : ....

- **La ponctuation et le type de phrase** (déclarative, exclamative, interrogative). Une question peut être rhétorique, c'est-à-dire qu'on n'attend pas vraiment de réponse.
  Ex. : ....

- **Les figures de style** : métaphore, comparaison, antiphrase, ironie, litote, hyperbole...
  Ex. : *Ce jeu est la huitième merveille du monde !*

- **Des temps** : futur antérieur (supposition), conditionnel (hypothèse, incertitude)
  Ex. : ....

- **Une typographie spéciale** : en gras, en majuscules.
  Ex. : ....

D. Rédigez un commentaire afin de présenter votre opinion. Faites un bilan en groupe classe et décidez si le jeu vidéo peut être considéré comme un art.

EX. 1. Relevez tous les indices de subjectivité présents dans ce texte.

Jeux vidéo et clichés

J'ai toujours été surprise par la violence des critiques concernant les jeux vidéo. Une belle galerie de clichés souvent injustifiés, car je vous certifie que l'univers du jeu vidéo est tout aussi varié que n'importe quelle forme d'art. Oui, le mot est lâché : art !

Et je ne m'étendrai pas sur ce mot, car j'estime que ce n'est pas nécessaire. Un point, c'est tout !

Vu le succès des jeux, je pense qu'il est temps de leur reconnaître un certain talent pour s'adapter à tout type de public. Et le public n'est pas celui qu'on croit. Non, le gamer classique n'est pas un ado boutonneux de 14 ans. Selon la dernière étude du syndicat des éditeurs de logiciels de loisirs (SELL) en 2015, l'âge moyen des joueurs serait de 35 ans avec 56 % d'hommes pour 44 % de femmes. Mais alors, tous ces adultes seraient stupides et immatures ? Bien sûr que non ! MARRE des clichés !

Rappelons que le jeu vidéo est un énorme poids lourd dans le monde des biens culturels, avec un marché français de 2,87 milliards d'euros, juste derrière le marché du livre. Donc un peu de respect, s'il vous plaît !

Je conclurais avec mon dernier coup de foudre : *Final Fantasy XV*. Pourquoi je l'adore ? Parce que ce jeu possède une personnalité folle, on est hypnotisés, emportés. Un voyage vers l'incroyable.

J'attends, bien évidemment, tous vos courriels positifs ou négatifs, car je me répète : les jeux vidéo déclenchent les passions !

EX. 2. Réécrivez ce texte pour faire apparaître des indices de subjectivité.

L'exposition du musée Art Ludique, consacrée aux jeux vidéo, à découvrir du 25 septembre 2015 au 6 mars 2016.

L'art dans le jeu vidéo, l'exposition prévue au musée Art Ludique à la rentrée, présente plus de 700 dessins et installations. Ces esquisses au crayon, aquarelles, peintures, sculptures traditionnelles ou numériques et tableaux animés montrent les travaux des graphistes qui dessinent des villes et des peuples pour l'industrie des jeux vidéo.

Cette exposition présentera différents travaux : les travaux historiques et les travaux de paysage. Certains jeux vidéo nous plongent dans des univers imaginaires : on retrouve alors dans l'exposition des aquarelles consacrées à la création de fées et d'elfes des forêts, les décors de légendes, les châteaux, ou encore l'installation-tableau d'une jeune princesse perdue dans les limbes.

Cette exposition est aussi bien pour les initiés que pour les néophytes, qui pourront s'initier aux contraintes de la conception des jeux vidéo.

+ d'exercices : pages 195 - 196

5. DE L'ART À PRIX D'OR

A. Observez ces œuvres. Laquelle préférez-vous ? Selon vous, sont-elles toutes des œuvres d'art ? Est-ce qu'elles devraient avoir toutes la même valeur marchande ?

B. Lisez l'extrait de la pièce *« Art »* de Yasmina Reza. Quelle est l'opinion de Marc par rapport au tableau ? Comment réagit Serge aux propos de Marc ? Pourquoi ?

Marc : Serge, tu n'as pas acheté ce tableau deux cent mille francs ? [1]

Serge : Mais mon vieux, c'est le prix. C'est un ANTRIOS !

Marc : Tu n'as pas pu acheter ce tableau deux cent mille francs !

Serge : J'étais sûr que tu passerais à côté.

Marc : Tu as acheté cette merde deux cent mille francs ? !

[...]

Serge *(après un temps)* : Comment peux-tu dire « cette merde ? ».

Marc : Serge, un peu d'humour, c'est prodigieux que tu aies acheté ce tableau !

Marc rit.

Serge reste de marbre.

Serge : Que tu trouves cet achat prodigieux tant mieux, que ça te fasse rire, bon, mais je voudrais savoir ce que tu entends par « cette merde ».

Marc : Tu te fous de moi !

Serge : Pas du tout. « Cette merde » par rapport à quoi ? Quand on dit telle chose est une merde, c'est qu'on a un critère de valeur pour estimer cette chose.

Marc : À qui tu parles ? À qui tu parles en ce moment ? Hou hou ! ...

Serge : Tu ne t'intéresses pas à la peinture contemporaine, tu ne t'y est jamais intéressé. Tu n'as

aucune connaissance dans ce domaine, donc comment peux-tu affirmer que tel objet, obéissant à des lois que tu ignores, est une merde ?

Marc : C'est une merde, excuse-moi.

Marc, seul.

Marc : Que Serge ait acheté ce tableau me dépasse, m'inquiète et provoque en moi une angoisse indéfinie. [...] Deux cent mille francs ! Un garçon aisé mais qui ne roule pas sur l'or. Aisé mais sans plus, aisé bon. Qui achète un tableau blanc vingt briques. [2]

1. Monnaie nationale française avant le passage à l'euro (1 euro = 6,56 francs)
2. Une brique = 10 000 francs (environ 1 500 euros).

C. Observez les formes surlignées. Connaissez-vous ces temps verbaux ? Où se situent ces actions par rapport au moment de la scène ? Complétez le tableau.

LE SUBJONCTIF PASSÉ

- On utilise le subjonctif passé pour parler de façon subjective d'une action passée.
- Pour le former, on utilise l'auxilaire .... ou .... + le participe passé du verbe. Les règles d'accord du participe passé sont les mêmes que pour tous les temps composés.

C'est prodigieux, tu **as acheté** ce tableau ! (action dans le passé) –> C'est prodigieux que tu .... ce tableau !
Ça me dépasse, Serge **a acheté** ce tableau... (action dans le passé) –> Que Serge .... ce tableau me dépasse...

D. Réagissez à ces anecdotes sur l'art en donnant votre avis.

Van Gogh est mort dans la misère.

Jeff Koons a vendu le *Balloon Dog* 55 millions d'euros.

Le Déjeuner sur l'herbe de Manet a fait scandale lors de sa première exposition.

Grâce à Jean-Michel Basquiat, le graffiti est devenu un art.

Jason deCaires Taylor a exposé ses statues au large du Mexique dans un incroyable musée sous-marin.

Un artiste a vécu treize jours dans une capsule installée à l'intérieur d'un véritable ours.

- Je trouve absolument incroyable que quelqu'un ait gaspillé autant d'argent pour une œuvre...

LE SUBJONCTIF PASSÉ

EX. 1. Reformulez ces phrases en utilisant le subjonctif présent ou passé.

1. C'est fou, il a visité cinq musées en deux jours.

....

2. J'ai du mal à le croire : il vient au concert avec nous ce soir !

....

3. C'est un artiste qui peint avec ses pieds. Ça m'épate !

....

4. C'est drôle. Il a peint ce tableau avec ses pieds.

....

5. Je suis indigné ! On a dû payer l'entrée plein tarif pour les enfants.

....

6. C'est super. Les enfants payent demi-tarif le dimanche.

....

EX. 2. Complétez ces commentaires publiés dans un journal à l'issue d'une exposition d'art en utilisant des verbes au subjonctif passé.

1. Avec si peu de moyens, il est incroyable que l'artiste ....
2. Les visiteurs n'ont pas compris que, sur ses tableaux, l'artiste ...
3. Le public a déploré le fait que l'exposition ....
4. Les organisateurs ont été déçus que le public ....
5. Tout le monde a apprécié que ....
6. En revanche, certains n'ont pas du tout aimé que ....

EX. 3. Réagissez à ces situations en utilisant un verbe au subjonctif passé.

1. Un collègue de travail a vendu une photographie 5 000 euros !
2. La mairie de votre ville a décidé de rendre tous les musées gratuits.
3. Les cours d'arts plastiques ont été supprimés des programmes scolaires, même à l'école maternelle.
4. Un mouchoir ayant appartenu à Marilyn Monroe s'est vendu pour 1 million de dollars.
5. Un de vos voisins vous a avoué qu'il n'est jamais allé dans un musée.

EX. 4. En petits groupes, écrivez une action étonnante que vous avez faite sur une feuille de papier. Ensuite, chacun raconte son action et les autres membres du groupe réagissent.

- Un jour, j'ai chanté devant plus de 1 000 personnes.
○ Je trouve ça incroyable que tu aies eu le courage de faire ça !

EX. 5. Cherchez sur Internet des anecdotes liées à des artistes ou à des œuvres d'art. Partagez-les avec vos camarades pour qu'ils réagissent.

+ d'exercices : pages 196 - 197

6. DÉCRIRE ET ANALYSER UN TABLEAU

A. Observez l'œuvre de Claude Monet. Que vous inspire-t-elle ? Parlez-en entre vous.

B. À l'aide de la légende présentez le tableau.

- *C'est une œuvre de Claude Monet intitulée...*

C. En petits groupes, faites la description générale du tableau (lieu, personnages, couleurs...). Lisez ensuite la description proposée. La vôtre est-elle complète ? Avez-vous fait attention à tous les détails ?

Description

Cette œuvre de Claude Monet est un paysage représentant un champ de coquelicots.

Au premier plan, deux personnages : une femme avec une ombrelle, habillée d'une robe bleu-gris et noire. Elle porte un chapeau plus clair qui contraste avec sa robe sombre. À côté d'elle, un enfant, portant des vêtements et un chapeau de couleur claire, tient un coquelicot à la main.

Le champ est séparé en deux : à gauche les coquelicots, sur une légère butte, donnent le ton rouge et coloré de la toile. L'enfant se situe du côté des coquelicots. À droite, on voit un champ herbeux, qui se décline dans des tons de vert. La femme est positionnée du côté du champ vert.

Au second plan, on remarque deux personnes, également une femme et un enfant. Les couleurs sont plus ternes et sombres que celles des deux personnes au premier plan.

À l'arrière-plan, de grands arbres sombres marquent l'horizon. Au centre de cet arrière-plan, on distingue une maison claire qui contraste avec les bois. Le ciel occupe la moitié de la toile, il est clair, bleu, avec beaucoup de nuages blancs en mouvement.

Analyse

Observons la composition générale du tableau.

La toile est composée de trois plans : le premier avec la femme et l'enfant, le deuxième avec le second groupe de personnes, et le troisième avec les arbres et le ciel. La ligne d'horizon divise le tableau en deux parties, séparant la terre et le ciel.

Les deux personnes au premier plan marquent une ligne verticale forte, qu'on retrouve à l'arrière-plan avec les arbres, ce sont les points forts du tableau. L'ombrelle de la femme du premier plan marque le début d'une grande ligne oblique qui va jusqu'au grand arbre à l'arrière-plan. Cette ligne oblique, qu'on appelle ligne de fuite, crée un mouvement, un dynamisme dans la composition de l'œuvre. Elle sépare le champ de coquelicots vif et coloré et le champ herbeux, elle marque également la différence de niveau entre le premier et le deuxième plan (qui est plus haut).

La couleur joue également un rôle très important dans la composition de la toile. Monet peint par petites touches de peinture, une technique appréciée et utilisée par les impressionnistes.

Le tracé est flou, les visages ne sont pas clairement visibles, c'est la couleur qui crée les formes, même les coquelicots se distiguent plus par leur couleur vive que par leur forme. Monet joue habilement avec les couleurs chaudes (tons de rouge) et froides (tons de vert et bleu).

Trois grandes zones colorées se distinguent clairement : le champ de coquelicots à gauche avec des touches de rouge, d'orange clair (couleurs chaudes) ; le champ herbeux à droite, avec des tonalités de vert clair ; et le ciel, avec des nuances de gris, de bleu et de beige (couleurs froides).

La ligne d'horizon, vert foncé, marque la séparation avec le ciel bleu et blanc. Cet ensemble de couleurs froides est utilisé par Monet pour mieux mettre en valeur les couleurs chaudes et vives du champ de coquelicots. Toutes ces couleurs, malgré leur opposition, restent lumineuses. En effet, la lumière semble inonder le tableau, même si on ne distingue pas nettement d'où elle provient.

D. Lisez l'analyse du tableau. Repérez la composition de l'œuvre. À l'aide d'une feuille transparente (papier calque, feuille blanche), tracez les lignes de force du tableau : la ligne horizontale, les lignes verticales et la grande ligne oblique.

Claude Monet
(1840-1926),
Coquelicots,
1873, Huile sur toile,
H. 50 ; L. 65 cm
© RMN-Grand Palais
(Musée d'Orsay)

LES ÉTAPES DE L'ANALYSE D'UN TABLEAU

PRÉSENTER

- Type d'œuvre : *Il s'agit d'un tableau/ d'un collage / d'une photographie / d'un dessin / d'une peinture*
- Genre : *Il s'agit d'un portrait / d'un paysage / d'une scène / d'une nature morte...*
- Date : *Cette œuvre a été réalisée en... / au... siècle / dans les années...*
- Ce que l'œuvre représente : *L'œuvre nous montre... / représente... / on aperçoit.../ on distingue...*

DÉCRIRE

- *Au premier plan, au second plan, à l'arrière-plan*
- *En haut.. / En bas... / À gauche... / À droite... / Au centre...*
- Couleurs : *Les couleurs sont vives / contrastées / flamboyantes / pâles / sombres / ternes / froides / Le champ se décline dans des tons de vert...*

ANALYSER

- *Les couleurs évoquent / symbolisent / représentent / contrastent avec...*
- Organisation : *Les éléments sont centrés / symétriques / asymétriques*
- *Les points forts / la ligne de fuite / une ligne horizontale, verticale, oblique*
- Traits : *Les traits sont nets / flous / cernés*

INTERPRÉTER

- Sujet abordé : *L'œuvre aborde le sujet de... / L'artiste traite du sujet de... / À travers cette œuvre, l'artiste nous parle de ...*
- Réactions du spectateur : *Cette œuvre suscite + nom / me rend + adjectif*
- Message : *L'artiste cherche à critiquer... / dénoncer... / mettre en avant... / souligner...*

7. INTERPRÉTER UN TABLEAU

A. À partir de votre ressenti, des éléments techniques et de vos connaissances, proposez une interprétation du tableau.

B. Lisez maintenant l'interprétation proposée et comparez-la avec la vôtre.

Interprétation

Contexte historique : Au XIXe siècle, en France, beaucoup de peintres modernes sont refusés par l'Académie officielle de peinture. Les impressionnistes, moqués et critiqués, cherchent une autre façon de représenter la réalité basée sur les sensations et les impressions.

Ils sortent des ateliers pour peindre en plein-air et être en contact avec la nature et ses éléments. Monet affectionne particulièrement les paysages, l'atmosphère et la lumière. On pense que la jeune femme à l'ombrelle et l'enfant du premier plan sont sans doute Camille, la femme de l'artiste, et leur fils Jean.

Dans cette œuvre, l'artiste nous montre son goût pour la campagne, le calme et la sérénité, en pleine période d'industrialisation massive. La toile suscite un sentiment de calme et suggère une ambiance paisible et champêtre.

Représentatif du mouvement impressionniste par la technique utilisée (c'est-à-dire les petites touches de couleurs et l'importance de la lumière), ce tableau est une des œuvres les plus connues de Claude Monet.

8. C'EST À VOUS !

En petits groupes, faites des recherches afin de sélectionner une œuvre d'art que vous aimez et faites-en l'analyse. Présentez-la au reste de la classe.

LES PRATIQUES ARTISTIQUES

1. Trouvez des exemples pour chaque discipline artistique.

LA PEINTURE
deux outils
deux mouvements artistiques
deux artistes

LA SCULPTURE
deux artistes
deux matériaux
deux outils

LE THÉÂTRE
deux accessoires
deux genres
deux auteurs

LA PHOTOGRAPHIE
deux artistes
deux œuvres
deux outils

L'ARCHITECTURE
deux architectes
deux bâtiments
deux styles

2. Ils parlent de leur pratique de l'art. Associez chaque commentaire à l'un des artistes.

Henri Cartier-Bresson, photographe : ....
Raoul Dufy, peintre : ....
Alain Bashung, musicien : ....
Albert Camus, écrivain : ....

1. « Il est vrai peut-être que les mots nous cachent davantage les choses invisibles qu'ils ne nous révèlent les visibles. »

2. « Manier des couleurs et des lignes, n'est-ce pas une vraie diplomatie, car la vraie difficulté c'est justement d'accorder tout cela. »

3. « La composition doit être une de nos préoccupations constantes, mais [...] elle ne peut être qu'intuitive, car nous sommes aux prises avec des instants fugitifs où les rapports sont mouvants. »

4. « Quand je lis un texte, je ne lis pas, je le chante dans ma tête. C'est naturel, j'associe toute phrase à un tempo. »

EXPRESSIONS IDIOMATIQUES LIÉES À L'ART

3. Lisez les expressions suivantes. À votre avis, que signifient-elles ? Cherchez leur traduction et dans quel contexte on les utilise.

- Je ne peux pas le voir en peinture.
- Il a fait tout un cinéma.
- Vous devez accorder vos violons !
- Il ne sait pas sur quel pied danser.

4. Pensez à une expérience personnelle qui permettrait d'illustrer une de ces expressions. Racontez-la à la classe : les autres essaient de retrouver de quelle expression il s'agit.

COMMENTER UNE ŒUVRE D'ART

5. Corrigez les incohérences dans l'analyse d'œuvre suivante. Comparez avec votre voisin et discutez-en.

Cette œuvre de Pierre Bonnard s'intitule *La Salle à manger sur le jardin*, elle date de 1932 et mesure 127 x 135 cm.
La toile représente un extérieur. On y voit une salle à manger dans laquelle il y a, à l'arrière-plan, une table ; au deuxième plan un jeune garçon sur la gauche ; et au premier plan un jardin et une montagne, derrière une fenêtre ouverte.
Les grandes lignes de composition horizontales sont le bouquet de fleurs et la base de la fenêtre. La verticalité est marquée par la fenêtre et le jeune garçon. La table et le reste de l'intérieur montrent des couleurs froides, alors que l'extérieur présente des couleurs chaudes. La lumière vient de devant à gauche.

La salle à manger sur le jardin, Pierre Bonnard, huile sur toile, 127 x 135 cm, réalisé à Arcachon en France, 1931-1932, exposé au MOMA à New York

6. Complétez ces cartes mentales avec toutes les expressions qui permettent de donner une opinion.

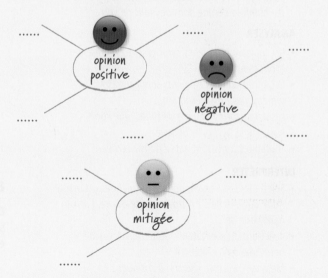

opinion positive

opinion négative

opinion mitigée

L'ART PUBLIC

- Embellir l'espace public
- S'inviter dans le quotidien
- Véhiculer des valeurs
- Exposer des œuvres
- Faire scandale
- Pimenter le quotidien
- Dialoguer avec l'environnement
- Tisser un rapport de proximité
- Présenter une collection

LES FORMES D'ART

- Un tableau / Une peinture / Une toile / Une huile sur toile
- Une œuvre / Un chef-d'œuvre
- Une œuvre monumentale
- Une fontaine
- Le mobilier urbain
- Une sculpture
- L'art urbain / L'architecture
- La photographie
- Une installation
- Une fresque
- Une mosaïque
- Un portrait
- Une nature morte
- Les jeux vidéo
- Être reconnu comme un art

(RÉ)CRÉATION

LES PRATIQUES ARTISTIQUES

- Chanter faux
- Il n'y a que la musique / la peinture qui compte
- Renoncer à quelque chose / Le renoncement
- Se décourager
- Éprouver les frissons de la scène
- Jouer d'un instrument
- Cumuler les pratiques
- Une bouffée d'air
- Lâcher prise
- Libérer du temps
- Les sorties / pratiques culturelles
- Les inégalités sociales
- Les pratiques amatrices
- Un professionnel
- Un amateur
- Aller dans une galerie / un musée
- Écrire des nouvelles / un roman
- Affronter un jury
- Jouer le rôle de...
- Apprendre son texte
- Chanter dans une chorale

LES TECHNIQUES

- Peindre par petites touches
- Peindre en plein-air
- Jouer avec les couleurs / la lumière / les lignes
- Mettre en valeur les couleurs
- Représenter la réalité
- Sortir de l'atelier
- Affectionner particulièrement quelque chose
- Montrer son goût pour quelque chose
- Chanter dans sa tête

ARCHITECTURE

Le Palais Bulles de Pierre Cardin à Théoule-sur-Mer

À mi-chemin entre un délire architectural poussé à son extrême et une véritable prouesse technique, le Palais Bulles fait figure d'ovni parmi les siens. Conçu par l'architecte Antti Lovag et construit au début des années 80, le Palais Bulles est niché au sommet d'une colline de Théoules-sur-Mer dans le massif de l'Estérel, et offre aux visiteurs une vue époustouflante sur la mer. En imaginant cette villa au décor lunaire de 1 200 m², l'architecte a voulu prouver que l'on pouvait s'affranchir des angles et ainsi proposer une architecture fluide et organique, qui s'inspire directement des courbes naturelles de l'environnement. Antti Lovag : « C'est le retour aux racines, aux habitats ancestraux : les grottes, l'habitat troglodyte… Un lieu tout Art où l'expression de la beauté, la souplesse, l'harmonie et l'équilibre laissent libre cours à l'imagination. »

Habitat 67 : architecture et avant-gardisme par Moshe Safdie à Montréal

Habitat 67 est une construction originale à Montréal qui a fait la renommée de l'architecte-urbaniste Moshe Safdie. Construit au Canada dans les années 60, cet immeuble permet à ses occupants de se sentir comme dans une maison individuelle, tout en bénéficiant des avantages de la résidence à quelques minutes de la ville-centre. Pour concevoir Habitat 67, il s'inspire des jeux de Lego et des maisons de sa ville natale. L'architecte veut introduire un nouveau style de vie urbain, un ensemble où plusieurs familles peuvent se loger dans un espace réduit. L'équipe que Moshe Safdie pilote en 1967 comprend une cinquantaine d'architectes, de dessinateurs et de maquettistes. Le projet sème la controverse à l'époque. Certains journalistes crient au génie, alors que d'autres prévoient l'écroulement à court terme de ces « boîtes empilées ». Même si elle obtient sa part de jugements négatifs, cette première réalisation lui apporte une renommée mondiale.

La Villa 100 % déchets recyclés à Nantes

La « Villa Déchets » est une véritable villa d'architecte réalisée à partir des déchets collectés, triés et métamorphosés par plus de 7 000 bénévoles de la région nantaise. L'objectif du projet a été avant tout d'engager un débat citoyen sur la thématique de la réduction des déchets en mobilisant des bénévoles sur un événement à large couverture médiatique. Au terme d'un chantier express de moins de trois semaines, la Villa déchets a absorbé trois tonnes de métal, 80 m³ de flocons de polystyrène, 1 300 palettes de bois…

9. PROJETS ARCHITECTURAUX INSOLITES

A. Observez les photos de la double page. Aimez-vous ce type d'architecture ? Quelle construction préférez-vous ? Discutez-en entre vous.

B. Lisez l'article. Quels étaient les objectifs des architectes à l'origine de ces projets ? En quoi ces architectures sont insolites ?

C. Après avoir lu la présentation de ces bâtiments, aimeriez-vous habiter dans l'un d'entre eux ? Lequel et pourquoi ?

10. L'ARCHITECTURE DANS MA VILLE

A. À quoi ressemble l'architecture typique de votre ville ? Quelles sont ses caractéristiques ?

B. Y a-t-il des projets architecturaux originaux ou insolites dans votre ville, votre pays ou votre région ? Choisissez-en un et présentez-le à la classe.

TÂCHES FINALES

TÂCHE 1 — UNE VISITE INSOLITE

1. Vous allez organiser une présentation insolite d'œuvres d'art en les faisant parler. En grand groupe, proposez des thèmes et votez pour en choisir un qui sera le point commun entre toutes les œuvres.

- Moi, je propose « les animaux dans l'art ».
- Et si on faisait plutôt quelque chose autour de la mer...

2. À partir du thème choisi, en petits groupes, discutez entre vous pour choisir trois œuvres que vous aimez ou qui vous ont interpellé(e)s.

3. Faites des recherches sur ces œuvres pour rassembler toutes les informations possibles (histoire, analyse de l'œuvre, anecdotes...).

4. Décidez quel élément ou quel personnage des œuvres vous voulez faire parler. Écrivez les textes que vous allez enregistrer.

- Tous ces gens qui me regardent chaque jour, c'est fatigant ! Et en plus, je dois toujours garder le sourire !

5. Enregistrez vos textes et présentez vos œuvres aux autres groupes en diffusant vos documents audio.

CONSEILS

- Pour faire parler les œuvres, vous pouvez utiliser l'outil en ligne gratuit : http://blabberize.com
- Soyez originaux et n'hésitez pas à faire des textes humoristiques.
- Limitez-vous à 2-3 minutes de commentaires par œuvre.
- Vous pouvez aussi interpréter votre texte au lieu de l'enregistrer.

TÂCHE 2 — L'ART PUBLIC DANS NOTRE VILLE

1. Vous allez créer un blog qui recense les œuvres d'art public de votre ville et l'opinion des habitants. Discutez entre vous afin de vous répartir les œuvres.

2. En petits groupes, effectuez des recherches afin de rassembler des informations au sujet de l'œuvre que vous avez choisie.

3. Rédigez un questionnaire pour recueillir l'opinion du public au sujet de cette œuvre. Interrogez les passants et notez leurs commentaires.

- Que pensez-vous de cette œuvre ?
- À votre avis, que représente-t-elle ?

4. Rédigez un article à partir des commentaires recueillis, des informations et des photos de l'œuvre.

5. Regroupez vos articles sur un blog accessible au grand public et qui serait une vitrine de l'art public de votre ville.

CONSEILS

- Pour créer un blog, vous pouvez utiliser des plateformes gratuites comme www.canalblog.com
- Photographiez vous-même les œuvres.
- Consultez le portail d'art public : https://artpublicmontreal.ca/ pour vous inspirer.

8

NOUS IRONS VIVRE AILLEURS

 + DE RESSOURCES SUR
espacevirtuel.emdl.fr

— Des activités autocorrectives (grammaire / lexique / culture / CE / CO)
— La carte mentale de l'unité à compléter

Dossier spécial

Partir vivre ailleurs, pourquoi ?

Réalisé par Vinciane Brunet (texte) et Guillaume Ribeiro (photos)

monde !

> **" Partir, c'est mourir un peu. "**
>
> Edmond Haraucourt,
> poète et romancier français, XIXᵉ-XXᵉ siècle

1. OSER LE MONDE

A. Observez la page d'ouverture du dossier spécial d'une revue sur les voyages. Que vous évoque chacune des photos ? Laquelle vous « parle» le plus ?

B. Selon vous, ces photos répondent-elles à la question du dossier « Partir vivre ailleurs, pourquoi ? »

C. Connaissez-vous d'autres raisons de partir vivre ailleurs ?

D. Lisez la citation d'Edmond Haraucourt. Comment l'interprétez-vous ?

 Et vous ?
Seriez-vous prêt(e) à tout quitter pour aller vivre ailleurs ?

2. PARTIR...

A. Lisez les textes de présentation des trois auteurs. Quels sont leurs points communs ?

Lire et relire

PARTIR OU

TAHAR BEN JELLOUN

Écrivain et poète marocain d'expression française, il vit en France depuis 1971. Il a remporté le prix Goncourt pour son roman *La Nuit sacrée* en 1987. Il est également peintre.

Journaliste : Partir, un verbe à l'impératif qui sonne comme une idée fixe...

Tahar Ben Jelloun : « Partir » est un verbe plus fort qu'« émigrer » ou « s'exiler » : il donne à voir le mouvement, la détermination, laisse même imaginer le non-retour. C'est en effet une idée fixe dans la tête de beaucoup de jeunes Marocains : toute une jeune génération éduquée, qui a fait des études mais ne trouve pas de travail, se met à regarder de l'autre côté de la Méditerranée en espérant résoudre le problème de son destin. Ils pensent que la seule solution est de traverser le détroit de Gibraltar. [...]

Journaliste : Pour ceux qui parviennent à partir, leur nouvelle vie est presque aussi dure que l'ancienne...

Tahar Ben Jelloun : Je me suis attaché à montrer des personnages qui vivent en Espagne dans une sorte de clandestinité, d'illégalité. Sauf mes deux personnages principaux, Azel et sa sœur, qui ont immigré légalement, mais qui au fond restent des clandestins, puisque leur immigration a été obtenue de manière quasi illégale.

Journaliste : Psychologiquement clandestins ?

Tahar Ben Jelloun : Tous ont émigré au prix fort – surtout Azel –, qui n'aurait jamais pu obtenir son visa sans la main tendue de Miguel, ce dandy espagnol. Mais ce n'est pas une main désintéressée ou altruiste. Azel découvrira vite qu'il a préjugé de sa résistance, il ne pourra pas supporter la situation.

Journaliste : Ceux qui émigrent vivent une forme d'enfer, ceux qui restent en vivent une autre...
Il n'y a pas d'issue ?

Tahar Ben Jelloun : De mon point de vue, l'immigration a, jusqu'à présent, généré des richesses de part et d'autre, mais aussi des déchirements, des conflits, des problèmes. Sur le long terme, émigrer n'est pas toujours une belle aventure, et ce n'est pas une villégiature ; l'arrachement est douloureux, on quitte beaucoup de choses que l'on ne pourra pas reconstruire. Je ne reprocherais jamais à quelqu'un de vouloir s'en sortir par l'immigration, mais si son pays avait les moyens de le retenir, ce serait bien mieux pour tout le monde.

Journaliste : Justement, vous évoquez les retours, temporaires ou définitifs...

Tahar Ben Jelloun : Dans ces départs, c'est le retour qui est important : on part pour revenir dans des conditions bien meilleures, quitte à frimer, à louer une voiture sublime pour quelques semaines... Car on ne revient jamais pour soi, toujours pour les autres.

*Entretien avec Tahar Ben Jelloun, à l'occasion de la parution de son roman **Partir** (2006)*

B. Lisez les documents. Les écrivains parlent d'eux-mêmes ou des autres ? D'une fiction ou d'une réalité ? D'un moment passé, présent ou à venir ?

C. Quelle est la vision de chaque auteur sur l'expatriation ?

REVENIR

ATIQ RAHIMI

Romancier et réalisateur français et afghan. En 1984, il fuit la guerre d'Afghanistan : il se réfugie d'abord au Pakistan puis obtient l'asile politique en France. Après avoir écrit ses trois premiers romans en langue persane, il se met à écrire directement en français et il est récompensé par le prix Goncourt pour son roman *Syngué Sabour. Pierre de patience*, en 2008.

Ta troisième lettre n'est pas écrite à la main. Elle est imprimée sur une feuille blanche, ordinaire. Tu racontes ton dîner avec ta mère, qui s'inquiète de t'entendre dire que tu m'aimes ; s'angoisse de savoir que je suis plus âgé que toi ; se fait un sang d'encre d'apprendre que je suis écrivain et réalisateur... Heureusement que tu ne lui as pas dit que je suis un exilé ! C'est le pire des êtres sur cette terre.

Oui, un exilé fait peur. C'est un être coupable, condamné, damné ! Et cela aussi bien dans son pays qu'en terre d'asile.

Tout comme ces réfugiés palestiniens de la Tour des tours. Séquestrés, sans avenir, sans passé... Suspendus dans le temps, gisants dans l'espace.

La vie en exil est une feuille blanche, plus blanche que la tienne. Sans doute as-tu lu quelque part cette histoire que je raconte partout :

« Je rêvais d'un ailleurs, d'une vie meilleure ; je fuis la guerre.

Silencieux, anxieux, je m'approchais de la frontière dans l'espoir que la terreur et la souffrance perdent mes traces.

C'était la nuit, une nuit froide. Dans le silence absolu.

Je n'entendais que le bruit feutré de mes pas glacés sur la neige...

Une fois à la frontière, le passeur me dit de jeter un dernier regard sur ma terre natale. Je m'arrêtai et regardai en arrière : tout ce que je voyais, ce n'était qu'une étendue de neige avec les empreintes de mes pas.

Et de l'autre côté de la frontière, un désert semblable à une feuille de papier vierge.

Sans trace aucune.

Je me dis que l'exil serait ça, une page blanche qu'il faudrait remplir. » Depuis, là où je vais, j'écris, et je demande aussi aux autres, aux exilés, d'écrire.

Quatrième Lettre, Atiq Rahimi, 2014

SILVIA BARON SUPERVIELLE

Silvia Baron Supervielle est une écrivaine, poétesse et traductrice argentine d'expression française, installée à Paris depuis 1961. Quelques années après son arrivée en France, elle se met à écrire dans la langue de sa patrie d'adoption.

Journaliste : Pourriez-vous revenir à Buenos Aires ?

Silvia Baron Supervielle : Je me suis toujours laissé porter par ce qui s'imposait. Je ne pense pas pouvoir choisir. Si arrive le moment où le retour s'impose, je reviendrai. Sinon, je resterai à Paris. Être étranger – et maintenant je le suis partout – est aussi une façon d'être libre. La non-intégration est une liberté. Je ne suis intégrée nulle part. Et je ne cherche pas à l'être. Je ne sais pas faire partie d'un groupe humain. Je n'appartiens qu'à ceux que je veux, qu'ils soient ici ou ailleurs. Et EN MARGE est peut-être ma patrie. t

Entretien avec Silvia Baron Supervielle, Clarin, 2013

D. Connaissez-vous des artistes qui ont été inspirés par le thème de l'expatriation ? Présentez-les.

• J'ai découvert, il y a peu, les bandes dessinées de Guy Delisle. Sa femme travaille pour une ONG. Dans chaque album, il raconte son quotidien d'expatrié dans différents pays du monde...

3. DES MŒURS ÉTRANGES

A. Quels aspects de la culture ou de la vie quotidienne de votre pays pourraient étonner un étranger ?

monde professionnel   politesse   tenue vestimentaire   alimentation   horaires   ...

B. Lisez cet extrait des *Lettres persanes,* de Montesquieu. Dans quelle(s) situation(s) Rica suscite-t-il l'admiration, l'étonnement ou l'indifférence des Parisiens ? Quelle critique fait Rica de la société parisienne ?

Lettre de Rica à Ibben. À Smyrne.

Les habitants de Paris sont d'une curiosité qui va jusqu'à l'extravagance. Lorsque j'arrivai, je fus regardé comme si j'avais été envoyé du ciel : vieillards, hommes, femmes, enfants, tous voulaient me voir. Si je sortais, tout le monde se mettait aux fenêtres ; si j'étais aux Tuileries, je voyais aussitôt un cercle se former autour de moi ; les femmes mêmes faisaient un arc-en-ciel nuancé de mille couleurs, qui m'entourait. Si j'étais aux spectacles, je voyais aussitôt cent lorgnettes dressées contre ma figure : enfin jamais homme n'a tant été vu que moi. Je souriais quelquefois d'entendre des gens qui n'étaient presque jamais sortis de leur chambre, qui disaient entre eux : « Il faut avouer qu'il a l'air bien persan. » Chose admirable ! Je trouvais de mes portraits partout ; je me voyais multiplié dans toutes les boutiques, sur toutes les cheminées, tant on craignait de ne m'avoir pas assez vu.

[...] Cela me fit résoudre à quitter l'habit persan, et à en endosser un à l'européenne, pour voir s'il resterait encore dans ma physionomie quelque chose d'admirable. Cet essai me fit connaître ce que je valais réellement : libre de tous les ornements étrangers, je me vis apprécié au plus juste. J'eus sujet de me plaindre de mon tailleur, qui m'avait fait perdre en un instant l'attention et l'estime publique : car j'entrai tout à coup dans un néant affreux. Je demeurais quelquefois une heure dans une compagnie sans qu'on m'eût regardé, et qu'on m'eût mis en occasion d'ouvrir la bouche. Mais, si quelqu'un par hasard apprenait à la compagnie que j'étais persan, j'entendais aussitôt autour de moi un bourdonnement : « Ah ! ah ! monsieur est persan ? C'est une chose bien extraordinaire ! Comment peut-on être persan ? »

À Paris, le 6 de la lune de Chalval, 1712. Montesquieu, *Lettres persanes*, lettre XXX, 1721.

C. Observez les formes verbales surlignées. Par quel autre temps que vous connaissez pouvez-vous les remplacer ? Complétez la règle du passé simple.

LE PASSÉ SIMPLE

Dans un récit au passé, le passé simple permet d'exprimer une action accomplie sans notion de répétition ou d'habitude, à la différence de l'imparfait. Ce temps est très souvent utilisé dans les récits littéraires, mais rarement à l'oral, car on lui préfère le passé composé.

Formation du passé simple :

Pour les verbes en -*er* : radical +	Pour la plupart des verbes en -*ir* : radical +	Pour les verbes comme *recevoir, apercevoir, croire* : radical +	Pour les verbes comme *venir, tenir* : radical +
.....	is	us	ins
as	is	us	ins
a	it	ut	int
âmes	îmes	ûmes	înmes
âtes	îtes	ûtes	întes
èrent	irent	urent	inrent

⚠ Verbes irréguliers : *avoir* (j'....), *être* (je ....), *faire* (je ....), *voir* (je ....)

D. En petits groupes, à la manière de Montesquieu, rédigez un court texte sur certains de vos comportements qui ont pu surprendre les habitants d'un pays dans lequel vous êtes allé.

Quand je fus invité pour la première fois dans la famille d'un ami français, j'apportai mes pantoufles, ce qui se fait traditionnellement chez moi. Lorsque je les mis, je vis que tout le monde souriait, un peu gêné. Je regardai les autres invités et je me rendis compte que la plupart des Français n'enlèvent pas leurs chaussures chez les autres !

4. ANECDOTES INTERCULTURELLES

PISTE 17

A. Écoutez les témoignages de ces Français partis vivre ailleurs, puis complétez le tableau.

	Yann	Filomène	Jérémie
Où et avec qui ?			
Dans quel contexte ?			
Que s'est-il passé ?			

B. Avez-vous déjà vécu une situation similaire ? Discutez-en entre vous.

C. Réécoutez le document puis, en vous aidant de la transcription, notez les expressions que les personnes utilisent pour structurer leur récit. Enfin, complétez le tableau.

LES MARQUEURS TEMPORELS

Les marqueurs temporels établissent un rapport chronologique entre deux propositions : une principale et une subordonnée. Ce rapport peut être d'antériorité, de simultanéité ou de postériorité.

Ex. : *Au moment où j'ai échangé mes cartes avec tout le monde, j'ai bien senti que quelque chose n'allait pas.*
Échanger mes cartes – sentir que quelque chose ne va pas = simultanéité

Exprimer un rapport d'antériorité	*Avant que, En attendant que, Auparavant, ...*
Exprimer un rapport de simultanéité	*En même temps, au même moment, pendant que, ... , ... , ... , ... , ...*
Exprimer un rapport de postériorité	*Dès que, aussitôt que, après que, une fois que*

⚠ La majorité des marqueurs est suivie de l'indicatif. Certains comme *avant que, en attendant que...* s'utilisent avec le subjonctif.

LE PASSÉ SIMPLE

EX. 1. Lisez ces extraits littéraires issus des *Voyages extraordinaires,* de Jules Verne. Soulignez les verbes au passé simple. Puis mettez-les au passé composé.

Le soir, je fis une courte promenade sur les rivages de Reykjawik, et je revins de bonne heure me coucher dans mon lit de grosses planches, où je dormis d'un profond sommeil.
Quand je me réveillai, j'entendis mon oncle parler abondamment dans la salle voisine. Je me levai aussitôt et je me hâtai d'aller le rejoindre.

Voyage au centre de la Terre

Aussi, les hourras et les applaudissements ne cessèrent qu'au moment où le docteur Ferguson réclama le silence par un geste aimable. Il se dirigea vers le fauteuil préparé pour sa présentation ; puis, debout, fixe, le regard énergique, il leva vers le ciel l'index de la main droite, ouvrit la bouche et prononça ce seul mot : — Excelsior !
[...]
Joe se crut obligé de goûter à cette espèce de bière forte ; mais son palais, quoique fait au gin et au wiskey, ne put en supporter la violence. Il fit une affreuse grimace, que l'assistance prit pour un sourire aimable.

Cinq Semaines en ballon

LES MARQUEURS TEMPORELS

EX. 2. Lisez cette anecdote et complétez le texte en utilisant les marqueurs temporels suivants. Plusieurs réponses sont possibles.

après que | le jour où | lorsque | depuis que

chaque fois que | avant que

..... j'habite en France, j'ai découvert qu'il y a des sujets qu'il vaut mieux ne pas aborder. ..... je rencontrais une nouvelle personne, je lui posais des tas de questions, je voulais tout savoir sur la culture française. ..... j'ai demandé à l'un de mes nouveaux amis combien il gagnait, il n'a pas répondu et m'a parlé d'autre chose. Bizarre ! Quelques jours plus tard, j'ai voulu le lui redemander, mais ..... j'aie le temps de terminer ma phrase, il m'a interrompu sèchement : « Tu voudrais que je te demande ton salaire ? » Personnellement, ça ne m'aurait pas gêné ! ..... on s'est expliqués, il s'est détendu, et ..... il m'a demandé si je fréquentais quelqu'un en ce moment, j'ai ri, car chez moi ce genre de question est totalement taboue.

+ d'exercices : page 199

5. PARCOURS DE COMBATTANTS

A. Lisez cet article. De quoi parle-t-il ? Pouvez-vous expliquer le rôle de La Cimade ?
Faites des recherches si nécessaire.

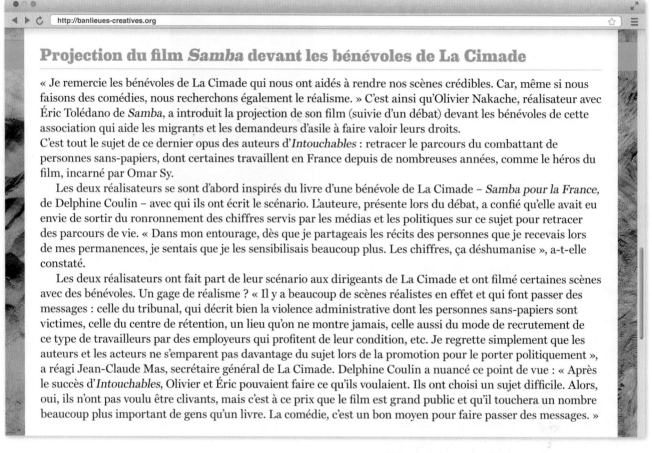

Projection du film *Samba* devant les bénévoles de La Cimade

« Je remercie les bénévoles de La Cimade qui nous ont aidés à rendre nos scènes crédibles. Car, même si nous faisons des comédies, nous recherchons également le réalisme. » C'est ainsi qu'Olivier Nakache, réalisateur avec Éric Tolédano de *Samba*, a introduit la projection de son film (suivie d'un débat) devant les bénévoles de cette association qui aide les migrants et les demandeurs d'asile à faire valoir leurs droits.
C'est tout le sujet de ce dernier opus des auteurs d'*Intouchables* : retracer le parcours du combattant de personnes sans-papiers, dont certaines travaillent en France depuis de nombreuses années, comme le héros du film, incarné par Omar Sy.

Les deux réalisateurs se sont d'abord inspirés du livre d'une bénévole de La Cimade – *Samba pour la France*, de Delphine Coulin – avec qui ils ont écrit le scénario. L'auteure, présente lors du débat, a confié qu'elle avait eu envie de sortir du ronronnement des chiffres servis par les médias et les politiques sur ce sujet pour retracer des parcours de vie. « Dans mon entourage, dès que je partageais les récits des personnes que je recevais lors de mes permanences, je sentais que je les sensibilisais beaucoup plus. Les chiffres, ça déshumanise », a-t-elle constaté.

Les deux réalisateurs ont fait part de leur scénario aux dirigeants de La Cimade et ont filmé certaines scènes avec des bénévoles. Un gage de réalisme ? « Il y a beaucoup de scènes réalistes en effet et qui font passer des messages : celle du tribunal, qui décrit bien la violence administrative dont les personnes sans-papiers sont victimes, celle du centre de rétention, un lieu qu'on ne montre jamais, celle aussi du mode de recrutement de ce type de travailleurs par des employeurs qui profitent de leur condition, etc. Je regrette simplement que les auteurs et les acteurs ne s'emparent pas davantage du sujet lors de la promotion pour le porter politiquement », a réagi Jean-Claude Mas, secrétaire général de La Cimade. Delphine Coulin a nuancé ce point de vue : « Après le succès d'*Intouchables*, Olivier et Éric pouvaient faire ce qu'ils voulaient. Ils ont choisi un sujet difficile. Alors, oui, ils n'ont pas voulu être clivants, mais c'est à ce prix que le film est grand public et qu'il touchera un nombre beaucoup plus important de gens qu'un livre. La comédie, c'est un bon moyen pour faire passer des messages. »

B. Pourquoi les réalisateurs ont-ils projeté le film devant les bénévoles de La Cimade ?
Comment ces derniers ont-ils réagi ?

C. Pourquoi parle-t-on dans l'article de « parcours du combattant » ?
Expliquez cette expression avec vos propres mots.

D. Tous les jours, les bénévoles de La Cimade aident des sans-papiers dans leur parcours du combattant. Reconstituez les paroles de ces bénévoles en vous aidant de la règle de la page suivante.

1 Certains ont <u>tellement</u> peur de ne pas obtenir leur convocation

c'est pourquoi ils embarquent sur ces bateaux.

2 La situation dans leur pays est intolérable,

que les associations sont très sollicitées.

3 Il y a <u>tant de</u> personnes qui ne parlent pas français

au point qu'ils le fuient.

4 Les gens veulent vivre,

de sorte qu'ils s'exposent à être expulsés.

5 La fermeture des frontières les oblige à passer par la mer,

par conséquent ils mettent leur vie en danger.

6 Ils sont obligés de travailler illégalement,

qu'ils dorment devant la préfecture.

L'EXPRESSION DE LA CONSÉQUENCE

Il y a plusieurs façons d'exprimer la conséquence.

• Avec une conjonction

Si bien que, de telle façon que, de sorte que, de telle manière que + indicatif. La conjonction n'est jamais placée en début de phrase.
Ex. : *Elle a eu ses papiers **si bien qu**'elle a obtenu un travail.*

Pour marquer l'intensité, on utilise :
– *Si* + adjectif + *que*
– *Tellement* + adjectif ou adverbe + *que*
– *Tant de* + nom + *que*
– *Tellement de* + nom + *que*
Ex. : *Certains ont **tellement de** problèmes une fois arrivés en France **qu**'ils pensent à repartir.*

⚠ *Si* et *tellement* sont aussi employés avec certaines expressions comme *avoir faim, soif, peur, envie*, etc.
Ex. : *Certains ont **si** faim **qu**'ils sont obligés de fouiller dans les poubelles.*

• Avec un adverbe ou une locution adverbiale

Donc, c'est pourquoi, c'est pour cela (ça) que, par conséquent, en conséquence (plus officiel), *ainsi, aussi, alors...*
Ex. : *Ce que nous voulons pour les migrants, ce sont des droits en tant qu'humains, **c'est pour ça que** nous organisons cette manifestation pacifique.*

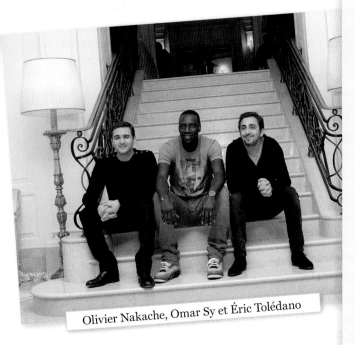

Olivier Nakache, Omar Sy et Éric Tolédano

Et vous ?
Pensez-vous que la comédie soit un bon moyen de faire passer des messages ? Donnez des exemples.

L'EXPRESSION DE LA CONSÉQUENCE

EX. 1. Imaginez les conséquences de ces affirmations.

1. Oliver a passé de nombreuses années sans papiers.
   Oliver a passé tellement d'années sans papiers qu'il a hurlé de joie quand il a reçu sa carte de séjour.
2. Cette ONG a très peu de ressources.
3. Yasmina est une bénévole très engagée.
4. La situation est vraiment difficile.
5. Les bénévoles ont de plus en plus de travail.
6. Les procédures de demande d'asile sont restrictives.
7. Les difficultés de langue nuisent à la communication.
8. Certains réfugiés vivent des drames personnels.
9. Les associations travaillent avec des moyens très limités.
10. Les migrants occupent souvent des emplois peu qualifiés.

LES CONNECTEURS LOGIQUES (RAPPEL)

EX. 2. Reliez les deux phrases en utilisant les connecteurs proposés. Formez deux phrases.

1. Les politiques parlent des sans-papiers en citant des chiffres.
   Les politiques déshumanisent les sans-papiers.

   | parce que | tellement ... que |

   — *Les politiques parlent tellement des sans-papiers en citant des chiffres qu'ils les déshumanisent.*
   — *Les politiques déshumanisent les sans-papiers parce qu'ils en parlent en citant des chiffres.*

2. Les réalisateurs ont organisé une projection pour les bénévoles.
   Les bénévoles ont aidé à rendre le film réaliste.

   | si bien que | du fait que |

   ...... / ......

3. Les bénévoles ont aimé le film. Certains ont été déçus que les réalisateurs n'utilisent pas le film pour dénoncer des problèmes.

   | bien que | pourtant |

   ...... / ......

4. Le film est inspiré d'expériences réelles difficiles.
   Le film est romancé pour toucher le grand public.

   | toutefois | même si |

   ...... / ......

5. Les acteurs et les réalisateurs sont très célèbres.
   Samba a eu beaucoup de succès.

   | c'est pourquoi | grâce à |

   ...... / ......

6. Les réalisateurs avaient eu du succès avec *Intouchables*.
   Ils pouvaient faire ce qu'ils voulaient avec *Samba*.

   | tellement ... que | puisque |

   ...... / ......

+ d'exercices : pages 199 - 200

6. REPÉRER LES INFORMATIONS ESSENTIELLES

A. Observez les trois documents proposés dans l'activité 2, pages 142-143. De quel type de documents s'agit-il ? Quand sont-ils parus ?

B. Relisez chaque document. Quel est leur thème principal commun ? Listez dans le tableau suivant les idées principales de chaque texte.

C. Quelles idées sont communes, contraires ou complémentaires ?

• Dans les documents 1 et 2, on retrouve l'idée de quitter son pays pour mieux s'en sortir.

Texte 1	Texte 2	Texte 3
Auteur : Date : Type de document :	Auteur : Date : Type de document :	Auteur : Date : Type de document :

Quitter, partir, s'exiler, vivre ailleurs...autant de thèmes qui reviennent souvent dans la littérature contemporaine. Ces trois documents sont des extraits d'interviews et de lettre d'auteurs d'origine étrangère et d'expression française partis vivre ailleurs.

Mais qu'est-ce que l'exil implique ? Comment les gens le vivent-ils ?

Dans un premier temps, nous analyserons les causes qui conduisent une personne à prendre le chemin du départ. Puis, dans un deuxième temps, nous aborderons les difficultés auxquelles ces personnes sont confrontées. Enfin, dans un troisième temps, nous évoquerons la vie après l'exil.

Beaucoup de départs sont vécus comme une forme d'exil qui s'impose pour résoudre un problème majeur de sa vie. Ainsi, les deux premiers documents montrent des conditions de vie difficiles qui posent la question de la survie de l'individu. En effet, qu'il s'agisse de trouver du travail ou de fuir une guerre, dans les deux cas, c'est la recherche d'une vie meilleure qui pousse les gens à quitter leur pays.

Mais cela ne se fait pas sans souffrance. Il y a d'abord la peur liée à la clandestinité qu'expérimentent ces exilés, comme l'évoque A. Rahimi.

T. Ben Jelloun, lui, parle du déchirement de quitter son pays mais aussi des richesses qui en découlent. Il y a ensuite le fait de se sentir étranger aussi bien dans son pays d'accueil que dans son pays d'origine. Vivre ailleurs engendre nécessairement une perte de repères, comme le rappellent les trois auteurs.

Toutefois, contrairement à T. Ben Jelloun, pour lequel on peut s'exiler pour mieux revenir en montrant aux autres qu'on a réussi, S. Baron Supervielle et A. Rahimi sous-entendent que l'exil serait plutôt une nouvelle vie à s'inventer. S. Baron Supervielle va même plus loin puisqu'elle refuse de faire un choix : elle vit l'entre-deux (pays) comme une forme de liberté, et propose ainsi de voir cette situation comme une force.

Finalement, ces trois auteurs s'intéressent à ce que ressentent les personnes qui partent vivre ailleurs : même si elles réussissent à quitter leur pays, puis à s'installer ailleurs, elles restent étrangères.

Mais, au-delà du déracinement, se pose la question de l'identité de chaque être humain, prise entre la culture d'appartenance et celle qu'il doit se contruire, où qu'il vive.

7. UN EXEMPLE DE SYNTHÈSE

A. Lisez l'introduction de cette synthèse des documents étudiés. Que présente-t-on dans la phrase d'accroche ? Comment la problématique et le plan sont-ils annoncés ?

B. Lisez le développement de la synthèse. Les documents sont-ils analysés ensemble ou séparément ?

C. Lisez le lexique des expressions permettant de faire référence au contenu des documents. Retrouvez et soulignez dans la synthèse certaines de ces expressions.

8. C'EST À VOUS !

A. Lisez et regardez les documents suivants. Quel est leur thème principal commun ? Reprenez le tableau de l'activité 6B et complétez-le.

B. Élaborez votre plan, puis rédigez votre introduction et votre conclusion.

C. Rédigez maintenant une synthèse de ces documents en 200 à 250 mots.

LES ÉTAPES DE LA SYNTHÈSE DE DOCUMENTS

REPÉRER LES IDÉES ESSENTIELLES

- Définir la thématique générale de chaque document
- Souligner les idées principales et les phrases-clés qui s'y rapportent (utiliser le tableau de l'activité 6B)
- Repérer les idées communes et contradictoires dans les documents

RÉDIGER L'INTRODUCTION

- Rédiger une phrase d'accroche introduisant la thématique commune aux documents
- Présenter les documents
- Formuler la problématique
- Annoncer le plan

RÉDIGER LE DÉVELOPPEMENT

- Rédiger de deux à quatre paragraphes équilibrés
- Présenter une idée par paragraphe
- Faire référence au contenu des documents en les reformulant

⚠ Ne pas exprimer de point de vue personnel dans une synthèse

RÉDIGER LA CONCLUSION

- Apporter des éléments de réponse au problème posé dans l'introduction
- Terminer par une question ou une réflexion pour élargir le sujet

LE LEXIQUE POUR FAIRE UNE SYNTHÈSE DE DOCUMENTS

Affirmer : *Selon, comme, d'après l'auteur, l'auteur pense, croit, constate que...*

Contester : *Contrairement à, l'auteur refuse, conteste, s'indigne contre, s'insurge contre, craint, doute que...*

Apporter une réflexion : *L'auteur explique, analyse, propose, s'intéresse, voit...*

Apporter une confirmation ou un complément : *L'auteur insiste sur, montre que, rappelle que, confirme que, ajoute que, précise que...*

Reformuler une question : *L'auteur se demande si, s'interroge sur...*

Apporter une information implicite : *L'auteur laisse entendre que, sous-entend que, suggère que...*

Préciser un souhait, un conseil : *L'auteur souhaite, préconise, propose, conseille...*

Voyages : les pièges de l'ethnotourisme

Aller à la rencontre des peuples nomades, pourquoi pas ? Prudence cependant, car beaucoup de ces cultures, déjà en voie de disparition, sont jetées en pâture à un tourisme pas forcément très éthique. Bien des tour-opérateurs proposent aux touristes de partir à l'aventure au-devant des peuples nomades. Mais cela n'est pas sans danger, car ce sont rarement eux qui profitent de vos devises.

Le développement des infrastructures touristiques est une menace importante pour le mode de vie nomade. Un seul exemple : « Les réserves de faune que l'on trouve un peu partout en Afrique de l'Est étaient des zones de pâturage pour des peuples nomades comme les Saringeti ou les Masaï », regrette Pierre Bonte.

Article issu du dossier « Nomades et nomadismes », coordonné par Juliette Serfati
http://www.routard.com/

On peut distinguer deux tendances de cette forme de tourisme alternatif, le tourisme équitable et le tourisme solidaire. [...]

Le tourisme équitable

Il s'agit d'aller à la rencontre de communautés ou de personnes avec lesquelles on va vivre, au coté desquelles on va s'engager pendant une ou plusieurs semaines. On accepte de payer un prix, dont on sait qu'il va bénéficier à ses hôtes, dans la même logique que celle du commerce équitable.

Le tourisme équitable permet aux populations locales (des pays pauvres) de tirer davantage de bénéfices socio-économiques du tourisme, car il est développé avec ces populations, dans le but d'améliorer leurs conditions de vie.

Le tourisme solidaire

Le tourisme solidaire regroupe les formes de tourisme alternatif qui mettent l'homme au centre du voyage et qui s'inscrivent dans une logique de développement des territoires. Par exemple, le voyagiste soutient financièrement des actions de développement local grâce à une partie du prix du séjour.

L'implication des populations locales dans les différentes facettes du projet touristique, le respect de la personne, des cultures et de la nature, et une répartition plus équitable des ressources générées sont les fondements de ce type de tourisme.

Jean-Baptiste B. / http://www.consoglobe.com

LE DÉPART

1. Trouvez un ou deux mots qui ont la même racine que les mots suivants.

| souffrir | émigrer | déchirer |

VIVRE AILLEURS

2. Cherchez le sens des expressions suivantes et illustrez-les par des exemples.

1. Se sentir déboussolé(e)
2. Se laisser porter par les événements
3. Tenter sa chance
4. Reconstruire sa vie
5. Vivre en marge de

3. A. Lisez les témoignages suivants et associez-les aux expressions proposées. Soulignez dans chaque texte les expressions synonymes.

| perdre ses repères | intégrer de nouveaux codes |

| tisser des liens |

1. Quand je suis partie vivre en Australie, les trois premières semaines se sont super bien passées, j'étais euphorique ! Et, au bout de trois semaines, j'ai ressenti un profond déracinement. La France ne me manquait pas vraiment, mais je n'avais pas encore apprivoisé ce nouveau pays, ce nouvel environnement. J'ai compris que ce n'était pas juste des vacances et je me suis sentie totalement perdue dans cette nouvelle vie !

2. J'ai commencé à travailler dans une association venant en aide aux demandeurs d'asile. En plus des cours de français, de nombreuses sorties conviviales sont organisées. Les bénévoles sont chargés de mettre en place des activités socioculturelles. Cela semble futile, mais cet aspect-là est aussi très important ! C'est difficile de s'intégrer et de se faire des amis !

3. Lorsque j'ai quitté la France pour l'Argentine, je me suis retrouvé seul face à moi-même. Je suis sorti de ma zone de confort. Fraîchement adulte, j'ai dû réapprendre à parler, à m'habituer à de nouvelles règles, à socialiser, à faire face à tant de défis ! Et puis, au bout de six mois, voire un an, on se rend compte qu'on est complètement immergé dans son nouveau pays.

3. B. Réfléchissez à des situations dans lesquelles vous avez perdu vos repères, intégré de nouveaux codes et tissé des liens. Ces situations ont-elles toujours un rapport avec le fait de vivre ou d'être ailleurs ?

AU FIL DE L'UNITÉ

4. Quels mots voulez-vous retenir de l'unité ?

5. Observez les photos suivantes. Choisissez-en une et imaginez un récit de vie à partir de cette image.

6. Formez des expressions à partir des verbes suivants.

1. Quitter son pays.
....

2. Générer des richesses
....

3. Se sentir étranger
....

4. Vivre ailleurs
....

AVOIR UN PROJET DE VIE

- Ne pas trouver de travail
- Rêver d'une vie meilleure
- S'en sortir par l'immigration
- Tout quitter pour suivre son conjoint / quelqu'un
- Fuir la guerre
- Faire un choix de vie alternatif
- Résoudre un problème
- Trouver des solutions
- Reconstruire / Refaire sa vie
- Tenter sa chance
- Oser le monde
- Vivre ailleurs
- Découvrir des mœurs / des coutumes
- Parcourir le monde
- Se défaire de quelque chose
- Préjuger de quelque chose

LE MOUVEMENT / LE DÉPART

- Quitter son pays / sa terre natale / sa patrie
- S'exiler / Émigrer / S'expatrier /
- Obtenir son visa
- Passer clandestinement la frontière / Franchir une frontière / Mettre les pieds quelque part
- L'exilé / L'expatrié /L'immigré / Le réfugié / Le clandestin
- La clandestinité
- Émigrer légalement / illégalement
- Le passeur
- Revenir dans de meilleures conditions
- Bouger
- Déménager
- Traverser
- Partir
- Un retour temporaire / définitif

NOUS IRONS VIVRE AILLEURS

VIVRE À L'ÉTRANGER

- S'inventer une nouvelle vie
- Vivre dans l'illégalité / la clandestinité
- Vivre en marge de
- Intégrer de nouveaux codes
- Perdre ses repères
- Aller à la rencontre de l'autre
- Tisser du lien social
- S'adapter / L'adaptation
- S'intégrer / L'intégration
- Se laisser porter par les événements

LE RESSENTI

- Vivre un enfer / Éprouver une douleur
- Vivre entre deux pays / deux cultures
- Refuser de faire un choix / de choisir
- Générer des déchirements / des conflits / des problèmes / des richesses
- L'arrachement / Le déchirement / Le mécontentement
- Passer des moments difficiles
- Se sentir / Être étranger / à sa place / coincé(e), déboussolé(e), coupable, damné(e)
- Être le bienvenu

Le cor chromatique

d'Alexandre Condratiévitch Tikhomiroff

« Des bords de la mer Noire et de la Castille ils sont venus, et moi, leur fils, je suis français des bords de la Seine. »

Youri Alexandrovitch, fils d'Alexandre Condratiévitch Tikhomiroff et de Maria Consuelo Aguado-Magaz

Le parcours d'Alexandre Condratiévitch Tikhomiroff et de sa femme, Maria Consuelo Aguado-Magaz

Il est né en 1896, à Nikolaïev, en Russie, sur les rives de la mer Noire.

Dès le début de la révolution bolchévique, il s'engage dans l'Armée blanche, comme ses quatre frères. En 1920, son régiment défait, Alexandre fuit la Russie. Il embarque pour Gallipoli, en Turquie, où il passe neuf mois dans un camp contrôlé par les nations alliés. Il est ensuite admis en Bulgarie dans un contingent d'ouvriers agriculteurs.

Sélectionné comme main-d'œuvre par des recruteurs français, Alexandre arrive en France le 9 octobre 1926. Deux jours plus tard, il intègre une aciérie d'Ugine, en Savoie.

Musicien amateur, Alexandre joue du cor chromatique. Il a l'opportunité d'en faire son métier en 1928. Pendant près de deux ans, Alexandre suit les tournées de cirques prestigieux tels que Barnum, Hagenbeck ou Pinder.

Par la suite, il devient serveur dans plusieurs restaurants russes et maître d'hôtel dans des clubs privés de bridge parisiens. Il y rencontre une Espagnole, Maria Consuelo Aguado-Magaz, avec laquelle il se marie le 25 juillet 1931 et aura un fils, Youri. Maria est née en 1903 dans le village d'Oliegos (Castille), en Espagne. Les habitants du village étant expropriés en raison de l'édification d'un barrage, elle décide en 1920 de quitter l'Espagne et de tenter sa chance à Toulouse, où réside déjà sa sœur.

Leur fils, Youri Alexandrovitch Tikhomiroff, reviendra sur l'itinéraire de ses parents dans un livre autobiographique intitulé *La Tasse de thé* (L'Harmattan, 2005).

Le cor chromatique

Alexandre Condratiévitch Tikhomiroff a été embauché dans des orchestres de cirque.

« Il jouait du cor chromatique, parce que l'instrument manquait à l'orchestre, mais il aurait pu tout aussi bien souffler dans un autre instrument à vent. Le moment qu'il aimait le plus était celui de la parade. Quelques musiciens, des clowns et des animaux traversaient la ville dans un cortège fastueux. Il parcourait ainsi la France du haut de son char coloré. » (Youri Alexandrovitch

LE MUSÉE NATIONAL DE L'HISTOIRE DE L'IMMIGRATION

À Paris, depuis 2007, le musée national de l'Histoire de l'immigration présente au public une collection sur l'histoire, les arts et les cultures de l'immigration. Il veut être un élément majeur de la cohésion sociale et républicaine de la France. Au-delà de sa fonction patrimoniale, il a aussi un rôle important de producteur de culture et de signes. Ses missions principales sont donc des missions au long cours, dont les enjeux fondamentaux se joueront sur plusieurs années. Il est chargé de rassembler, sauvegarder, mettre en valeur et rendre accessible les éléments relatifs à l'histoire de l'immigration en France, notamment depuis le XIXᵉ siècle. Il contribue ainsi à la reconnaissance des parcours d'intégration des populations immigrées dans la société française et fait évoluer les regards et les mentalités sur l'immigration en France. Le visiteur peut notamment découvrir la Galerie des dons, qui expose des moments de vie grâce à des photos et objets, souvent transmis de génération en génération, qui sont accompagnés de témoignages.

Source : www.histoire-immigration.fr

9. UN MUSÉE PAS COMME LES AUTRES

A. D'après vous, que peut-on découvrir dans un musée dédié à l'immigration ?

B. Lisez l'encart sur le musée de l'Histoire de l'immigration. Pourquoi ce musée existe-t-il ? Que pensez-vous de la présence d'un tel musée en France ?

C. Pouvez-vous expliquer ce qu'est la Galerie des dons ?

10. RÉCIT DE VIE

A. Lisez le récit de vie d'Alexandre Condratiévitch Tikhomiroff. Pourquoi a-t-il quitté son pays ?

B. Quel a été son parcours ? Pourquoi s'est-il arrêté en France ?

C. Que représente le cor chromatique pour le fils d'Alexandre Condratiévitch Tikhomiroff ?

11. MIGRATIONS

A. Pensez à des proches ou à des gens qui ont quitté leur pays. Par quels pays sont-ils passés ? Quels obstacles ont-ils rencontrés ? Où se sont-ils installés ?

B. À présent, réalisez une carte sur laquelle vous dessinerez leur itinéraire et placerez les territoires traversés ainsi que les obstacles surmontés.

TÂCHE 1 — LA GALERIE DES DONS

1. Vous allez réaliser un témoignage audio pour le musée de l'Histoire de l'immigration. En petits groupes, réfléchissez à des histoires d'immigration vécues par l'un de vos ancêtres ou par l'une de vos connaissances. Parlez-en entre vous, puis choisissez l'une de ces personnes.

• Pendant la Première Guerre mondiale, mon arrière-grand-père serbe a été évacué en Grèce par les Français, puis ramené en France pour y être soigné. C'est là qu'il a rencontré mon arrière-grand-mère.

2. Réfléchissez à un objet, réel ou imaginaire qui symbolise cette immigration, et racontez une anecdote à propos de cet objet.

3. Maintenant, rédigez le synopsis de votre témoignage, puis faites-en un récit et enregistrez-le.

• Un jour, mon arrière-grand-père me tendit un morceau de papier : il y avait quelques phrases écrites dans une langue que je ne connaissais pas…

4. Faites écouter votre témoignage à la classe. Quel est celui qui vous touche le plus ? Pourquoi ?

PERSONNE QUI A QUITTÉ SON PAYS :
Ivo Lazarevitch

ANNÉE D'ARRIVÉE :
1915

PARCOURS AVANT D'ARRIVER À DESTINATION :
Macédoine, Grèce, Italie, France

RAISONS DU DÉPART :
L'évacuation des troupes

OBJET / DOCUMENT ASSOCIÉ :
Le texte d'une chanson qui rend hommage aux Français (Tamo Daleko, « Là-bas, au loin »)

ANECDOTE AUTOUR DE L'OBJET / DU DOCUMENT :
Cette chanson était chantée par les troupes serbes qui associaient les Français à leurs frères. Écrite par Ivo Lazarevitch sur un bout de papier pour s'en souvenir pendant les combats, elle fut offerte à sa future femme pour la séduire…

CONSEILS

• Variez les formes des témoignages : interview, monologue…
• Rendez le récit le plus vivant possible.
• Donnez un maximum de détails sur l'objet.

TÂCHE 2 — L'HISTOIRE DE NOTRE PAYS

1. En petits groupes, vous allez réaliser une présentation de l'histoire des migrations de votre pays. Si vous êtes un groupe qui compte plusieurs nationalités, regroupez-vous selon votre pays de provenance.

2. Faites des recherches pour rassembler le maximum de données.

3. Choisissez des photos ou des cartes pour illustrer vos propos.

4. Préparez un support de présentation.

5. Exposez le fruit de vos recherches à la classe.

En 1936, beaucoup d'Espagnols ont fui leur pays…

CONSEILS

• Vous pouvez parler d'émigration ou d'immigration.
• Votre présentation sera plus dynamique et intéressante avec des documents visuels.
• Vous pouvez utiliser Prezi pour rendre votre présentation plus vivante et ludique.

ÉCHAUFFEMENT

ÉCHAUFFEMENT VOCAL

1. Suivez les étapes ci-dessous pour échauffer votre voix

A. Seul·e ou en groupe. Fermez la bouche et faites un bruit en faisant vibrer les cordes vocales.

B. Continuez à faire ce bruit en essayant d'aller le plus haut possible dans les aigus puis dans les graves comme des montagnes russes qui montent et qui descendent.

C. Faites le même exercice en articulant un [a] puis un [y] et enfin un [u].

A. PHONÉTIQUE

LES SEMI-VOYELLES [ɥ] – [w] – [j]

Les semi-voyelles (ou parfois semi-consonnes) sont toujours :
- suivies par une voyelle prononcée pour [ɥ] (bruit=/brɥi/) et [w] (bois=/bwa/)
- précédées ou suivies par une voyelle prononcée pour [j] (bien=/bjɛ̃/) (bille=/bij/)

Quand vous les prononcez, pensez à quelque chose qui glisse. Ce sont des sons en mouvement.

2. Placez les aliments suivants en fonction de la semi-voyelle qu'ils contiennent : *poivre, fruit, volaille, huile, sandwich, fenouil.*

	Aliments
[ɥ]	
[w]	
[j]	

PISTE 18

3. Écoutez les mots suivants et cochez le nombre de syllabes que vous entendez.

	1 syllabe	2 syllabes	3 syllabes
1			
2			
3			
4			

PISTE 19

4. Écoutez et indiquez si le mot se termine par [i] ou [ij].

	[i]	[ij]
1		
2		
3		
4		

5. Repérez les semi-voyelles dans le virelangue suivant puis prononcez-le le plus vite possible.

Trois petites vieilles
font la cuisine
sans bruit.

B. PROSODIE

L'ENCHAÎNEMENT APRÈS [j]

PISTE 20

6. Écoutez et prononcez, en une seule fois, chaque enchaînement en faisant attention à la prononciation des sons soulignés.

1. Un **vieil a**vocat
2. Une **vieille o**range
3. Un con**seil im**provisé
4. Une o**reille a**ffutée

7. Rapportez les paroles des trois personnes suivantes. Concentrez-vous sur les mots contenant des semi-voyelles.

1. **Éloi** : « Je surv**eille une** casserole sur le feu »
2. **Sofiane** : « Mes **papilles a**pprécient ton repas »
3. Madame **Dupuis** : « **Veille à** ne pas te tromper dans les mesures »

C. PHONIE-GRAPHIE

8. Complétez le texte suivant avec la bonne graphie des sons [ɥ] – [w] – [j] puis prononcez-les à haute voix.

1. Par a[....]eurs, les connaissances d[....]tétiques se sont démocratisées.
2. Si l'on attrape une mauvaise grippe, on perd du p[....]ds, et l'on a de me[....]eures chances de survie en étant un peu enveloppé.
3. Aujourd'h[....], on favorise les bons prod[....]ts régionaux pour faire la c[....]sine.
4. Dep[....]s 2016, les Français sont les plus gros consommateurs de [....]isky.

ÉCHAUFFEMENT

S'AFFIRMER

1. Suivez les étapes ci-dessous pour transmettre vocalement une énergie positive.

A. Seul ou en groupe. Faites le sourire le plus large que vous pouvez, tenez le 3 secondes puis relâchez. Répétez cet exercice 5 fois de suite.

B. Répétez 5 fois la série de sons suivants en mettant le plus d'énergie possible en souriant :
Inspiration > [ni]… [ni]… [ni]… [ni] > Expiration

C. Faites le même exercice en fermant la bouche mais en gardant autant d'énergie. Pensez à sourire !

A. PHONÉTIQUE

LES CONSONNES [n] [ɲ] [ŋ].

> Les consonnes [n] [ɲ] [ŋ] sont des sons nasaux. L'air expiré sort donc par la bouche et par le nez.
> - Le [ɲ] ressemble à un [n] suivi de la semi-voyelle [j]. Sa graphie est presque toujours « gn » comme dans « montagne ». Attention : cette graphie peut se prononcer différemment comme dans « diagnostic ».
> - Le [ŋ] se retrouve principalement dans les mots empruntés de l'anglais comme dans « parking ».

 2. Écoutez et indiquez si les deux mots sont similaires ou différents.

PISTE 21

	SIMILAIRES	DIFFÉRENTS
1		
2		
3		
4		

 3. Écoutez les mots suivants et dites par quel son ils se terminent : [n] [ɲ] [ŋ].

PISTE 22

	[n]	[ɲ]	[ŋ]
1			
2			
3			
4			
5			

4. Trouvez les mots qui se terminent par le son [ŋ] dans la grille suivante.

1. Pratique qui consiste à changer souvent de chaîne à la télévision.
2. Activité physique liée à la course à pied.
3. Magasin qui s'occupe du nettoyage des vêtements, tissus, etc.
4. Randonnée dans des lieux à haute altitude.

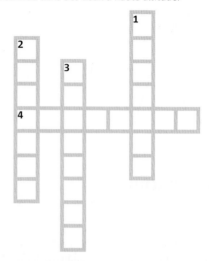

B. PROSODIE

 L'ENCHAÎNEMENT APRÈS [ɲ] ET [ŋ]

PISTE 23

5. Écoutez et exprimez la concession ou l'opposition en faisant attention aux enchaînements soulignés.

1. Après avoir fait quelques recherches, je te concède que la « bof génération » <u>désigne avant</u> tout les personnes nées après les années 50.
2. Bien qu'il se <u>plaigne à</u> longueur de journée, je suis très proche de mon grand-père.
3. On a beau y avoir été tous les ans avec mes grands-parents, je n'ai jamais aimé aller en <u>camping à</u> la campagne.
4. Même si j'ai toujours fait du sport, le <u>trekking est</u> beaucoup trop dangereux à mon âge.

C. PHONIE-GRAPHIE

6. A. Conjuguez les verbes dans les phrases suivantes qui expriment la concession ou l'opposition. Attention, le verbe conjugué doit contenir le son [ɲ] comme dans l'exercice précédent. Vérifiez sur Internet la conjugaison de ces verbes si besoin.

1. Même s'il ne fait pas attention à lui, il est normal qu'il (craindre) …. de vieillir.
2. Je vous le concède, beaucoup de personnes commencent à partir en voyage lorsqu'elles (atteindre) …. l'âge de la retraite.
3. Elle ne veut pas qu'il se (teindre) …. les cheveux malgré le fait qu'il n'aime pas ses cheveux gris

6. B. Lisez les phrases ci-dessus à haute voix en faisant attention au son [ɲ].

ÉCHAUFFEMENT

CONTRÔLER SA VOIX

1. Suivez les étapes ci-dessous pour contrôler l'émission du flux sonore.

A. Seul·e. Inspirez et prononcez, en une expiration, un [a] tenu pendant 3 secondes.

B. Faites le même exercice, en découpant ce [a] 3 fois dans la même expiration. Vous devez faire un hiatus (mini-pause entre deux voyelles).

C. Faites le même exercice en découpant ce [a] le plus grand nombre de fois en une expiration.

D. Prononcez « Je vais à Avignon » et faites un hiatus entre les deux [a].

A. PHONÉTIQUE

LE « h » FRANÇAIS.

Le « h » en français n'est pas prononcé. Cependant, il peut être :
- aspiré : on ne fait pas la liaison ou l'enchaînement avec la consonne qui précède.
Ex. : un#haricot [œ̃aʀiko]
- non aspiré : on fait la liaison ou l'enchaînement avec la consonne qui précède.
Ex. : un hôpital [œ̃nɔpital]
Il n'y a pas de règle précise qui permette de faire la différence entre un « h » aspiré ou non aspiré. La raison est principalement étymologique.
Attention : à l'intérieur d'un mot, le « h » est muet.
Ex. : dehors [dəɔʀ]

 2. Écoutez et classez les mots et leurs déterminants suivants selon que le « h » est aspiré ou non.

PISTE 24

| une halte | un handicap | un habit | un hôtel | une heure |

	ASPIRÉ	NON ASPIRÉ
1		
2		
3		
4		
5		

 3. A. Écoutez et complétez les phrases suivantes avec : *haut* ou *hauteur*.

PISTE 25

1. Mon handicap sera une force pour aller tout en [....] de l'échelle sociale.
2. Je ne peux rien attraper en [....] car je suis trop petite.
3. Les hasards de la vie font qu'il y a des [....] et des bas.

 3. B. Écoutez à nouveau les phrases précédentes et répétez-les en même temps que le locuteur. Faites attention à la réalisation ou non des liaisons ou enchaînements avant les mots : *haut, hauteur, handicap, hasard*.

PISTE 25

B. PROSODIE

LE PASSIF

4. A. Transformez les phrases ci-dessous en utilisant des tournures à sens passif.

1. Anneke : « On m'a attribué un emploi protégé. En Hollande, ils permettent de faciliter l'autonomie des personnes handicapées ».
2. Rudy : « J'ai obtenu le poste grâce à cette hargne qui me caractérise ».
3. Carl : « On m'a licencié car j'avais pris un congé parental. J'ai gagné aux Prud'Hommes. C'est un happy end pour moi ».

4. B. Lisez à haute voix les phrases ci-dessus en faisant attention à la réalisation ou non des liaisons ou enchaînements avant les mots : *Hollande, handicapées, hargne, happy end*.

C. PHONIE-GRAPHIE

5. A. Faites le point et trouvez 6 mots qui contiennent un « h » dans la page de phonétique ou dans la leçon. Indiquez si le « h » est aspiré ou non.

MOT	ASPIRÉ	NON ASPIRÉ

5. B. Choisissez un de ces mots et intégrez-le dans un slogan pour lutter contre les discriminations comme dans l'exemple ci-dessous.

SI TU PRENDS MA PLACE, PRENDS MON HANDICAP

ÉCHAUFFEMENT

EXPRIMER SES ÉMOTIONS DU JOUR

1. Suivez les étapes ci-dessous pour verbaliser vos émotions.

A. Seul·e ou en groupe. Regardez l'image ci-dessous et choisissez une couleur qui représente le mieux votre émotion du moment.

B. Sélectionnez 3 mots adaptés à la couleur choisie et à votre émotion du moment.

C. Exprimez à haute voix ces 3 mots en commençant par la phrase suivante : « Je me sens [couleur] car... »

A. PHONÉTIQUE

LE [l] ET LE [ʀ].

Le [l] et le [ʀ] sont deux consonnes que l'on appelle « constrictives ». Le flux d'air n'est jamais complètement bloqué :
- [l] : le bout de la langue est derrière les dents et l'air peut passer de chaque côté de la langue.
- [ʀ] : la langue est en arrière et on sent une vibration comme pour le grognement d'un animal.

2. A Écoutez et cochez le mot que vous entendez.

PISTE 26

1	☐ Lien	☐ Rien
2	☐ Claque	☐ Craque
3	☐ Lyre	☐ Rire
4	☐ Col	☐ Corps
5	☐ Aller	☐ Arrêt

2. B. Repérez les sons [l] et [ʀ] dans les virelangues suivants puis prononcez-les le plus vite possible.

1. L'autocar part, gare, gare, car l'autocar part dare-dare quand l'autocar part tard.
2. Que lit Lilly sous ces lilas-là ? Lilly lit l'Illiade.

3. A. Trouvez, horizontalement et verticalement dans la grille suivante, jusqu'à 12 mots de la leçon qui contiennent un [l] et/ou un [ʀ].

D	I	V	O	R	C	E	Y	O	I
R	A	T	E	A	U	N	R	T	P
A	M	O	U	R	S	L	E	V	M
C	A	L	M	G	C	A	L	I	N
R	R	A	C	N	V	C	I	R	C
A	I	R	B	J	I	E	K	O	E
Q	A	G	F	R	H	R	E	U	O
U	G	U	C	O	E	U	R	G	L
E	E	E	R	S	F	G	D	I	D
R	C	R	L	E	W	Q	E	R	M

3. B. Prononcez les mots trouvés à haute voix en faisant attention à la réalisation des sons étudiés.

B. PROSODIE

« L' » AVEC LE PRONOM « ON »

Parfois, le pronom « on » est précédé de l'article « le » élidé en « l' » pour créer un contexte articulatoire favorable. On retrouve ce phénomène surtout en français soutenu et dans deux cas :
- Pour éviter deux voyelles prononcées : *C'est le bar où **l'on** s'est rencontré.*
- Pour éviter la structure « qu'on » : *On s'accepte et on s'aime tel que **l'on** est.*

4. Corrigez les extraits ci-dessous en introduisant « l'on » puis prononcez-les à haute voix.

1. « Quand on aime, ou bien on n'a point de peine, ou bien on aime jusqu'à sa peine. »

Saint Augustin.

2. « Chaque personne qu'on s'autorise à aimer, est quelqu'un qu'on prend le risque de perdre. »

Grey's Anatomy

C. PHONIE-GRAPHIE

5. Donnez vie à l'extrait ci-dessous du poème d'Émile Verhaeren. Faites attention à la prononciation des sons [l] et [ʀ].

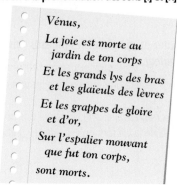

Vénus,
La joie est morte au jardin de ton corps
Et les grands lys des bras et les glaïeuls des lèvres
Et les grappes de gloire et d'or,
Sur l'espalier mouvant que fut ton corps,
sont morts.

ÉCHAUFFEMENT

IMPROVISER POUR CONVAINCRE

1. Suivez les étapes ci-dessous pour développer votre capacité à improviser.

A. Seul-e, par deux ou en groupe. Choisissez un point, important pour vous, qui touche l'écologie et écrivez quelques mots-clés sur un bout de papier sur cette thématique.

B. Reprenez ce thème et improvisez en complétant la phrase suivante.

" Mon véritable adversaire, c'est..."

A. PHONÉTIQUE

DÉCOUVRIR L'ALPHABET PHONÉTIQUE INTERNATIONAL

L'alphabet phonétique international est un système qui permet d'écrire les sons des langues. On retrouve souvent la transcription des mots en alphabet phonétique dans les dictionnaires.
Aidez-vous de l'alphabet phonétique quand vous ne savez pas comment prononcer un mot.

[i] ami	[e] côté	[ɛ] modèle	[a] patte	[ɑ] pâte	[ɔ] corps
[o] beau	[u] loup	[y] élu	[ø] deux	[ə] petit	[œ] peur
[ɛ̃] matin	[ã] temps	[ɔ̃] bon	[œ̃] brun	[p] cap	[t] net
[k] bec	[b] robe	[d] chaude	[g] bague	[f] chef	[s] passe
[ʃ] poche	[v] rêve	[z] rose	[ʒ] piège	[l] bal	[ʀ] sentir
[m] pomme	[n] bonne	[ɲ] règne	[ŋ] smoking	[j] brille	[w] fouine
[ɥ] nuire					

2. Écoutez et associez le mot à sa transcription phonétique. Aidez-vous des symboles qui se ressemblent.

PISTE 27

1. kɔ̃stʀɥiʀ
2. fasilitatœʀ
3. ãbisjø
4. akɔʀ
5. dɛʀnje

- ☐ accord
- ☐ ambitieux
- ☐ dernier
- ☐ construire
- ☐ facilitateur

3. A. Choisissez 4 mots dans la leçon dont vous trouvez la prononciation difficile. Puis complétez le tableau à l'aide d'un dictionnaire (papier ou en ligne) et de votre enseignant-e.

MOT ORTHOGRAPHIQUE	TRANSCRIPTION PHONÉTIQUE

3. B. Prononcez ces mots plusieurs fois à voix haute. N'hésitez pas à demander de l'aide à votre enseignant-e ou écoutez ces mots dans un dictionnaire en ligne.

B. PROSODIE

LES GROUPES DE SOUFFLE

4. Lisez à haute voix les groupes de souffle suivant en une seule expiration et en faisant attention à la prononciation des mots soulignés.

1. depuis l'<u>accord</u> de Paris
2. les compromis <u>ambitieux</u>
3. en décembre <u>dernier</u>
4. <u>construire</u> notre maison commune
5. des constructeurs et des <u>facilitateurs</u>

C. PHONIE-GRAPHIE

Pour préparer la lecture d'un discours, suivez les étapes ci-dessous:
1. Cherchez la prononciation des mots difficiles ou inconnus.
2. Prononcez ces mots dans des groupes de souffle.
3. Lancez-vous !

5. A. Reprenez les exercices précédents et lisez l'extrait ci-dessous issu du discours de la Présidente de la COP21 – conférence internationale sur le changement climatique.

"Permettez-moi de vous dire, car tel est mon rôle ce que j'attends de vous. Depuis l'accord de Paris, il s'agit désormais de bâtir sur les compromis ambitieux, équilibrés et justes qui ont été trouvés en décembre dernier, pour renforcer l'action sur le terrain. Les fondations sont posées, à nous maintenant de construire notre maison commune. Je vous appelle à être des constructeurs et des facilitateurs."

5. B. Proposez une fin, pour clôturer le discours de la Présidente de la COP21, qui donne envie de se battre contre le réchauffement climatique. Puis lisez-la à haute voix et soyez convaincant-e.

ÉCHAUFFEMENT

LA TONICITÉ VOCALE

1. **Suivez les étapes ci-dessous pour prendre conscience du rôle de la tonicité vocale.**

A. Seul-e ou en groupe assis sur une chaise. Prenez une position détendue et très décontractée. Vous ne devez ressentir aucune tension. Puis, prononcez la phrase suivante de manière très molle :

> *"Je suis très engagé-e"*

B. Faites le même exercice en vous redressant sur votre chaise et en ayant une posture en tension.

C. Faites le point sur vos sensations et sur les effets de la posture sur votre voix.

A. PHONÉTIQUE

LES CONSONNES EN CONTACT

À l'oral et dans un registre relâché, certaines consonnes ont tendance à changer pour faciliter l'articulation. Cela peut poser des difficultés pour comprendre ce que dit votre interlocuteur.
Ex : "médecin" pourra être prononcé "méd'cin" (metsin) → [metsɛ̃]

PISTE 28

2. A. Écoutez et dites si les phrases suivantes sont prononcées avec un registre relâché ou soutenu.

	RELÂCHÉ	SOUTENU
1		
2		
3		
4		

2. B. Écoutez à nouveau et écrivez les phrases entendues.

PISTE 29

3. Écoutez puis répétez les énoncés suivants. Faites attention à la prononciation des groupes de sons soulignés. Attention, ces phrases sont écrites dans un registre oral relâché.

1. Il faut **qu'je** fasse de la politique.
2. **J'te** l'ai déjà dit! Ces trucs humanitaires, c'est pas pour moi.
3. J'aimerais plus m'engager mais **j'sais** pas par quoi commencer.
4. Cette mission humanitaire à l'autre bout du monde arrive comme un **ch'veu** sur la soupe.

B. PROSODIE

LES REGISTRES

Les trois principaux registres du français (relâché, courant et soutenu) modifient la structure de la parole. Certaines consonnes changeront, dans le registre relâché, à cause d'une moindre attention à l'articulation. Dans le registre soutenu, on aura tendance à réaliser plus de liaisons. Il est important d'être capable d'adapter son registre en fonction des situations.

4. A. Prononcez à voix haute la citation suivante de Voltaire en fonction du registre indiqué.

1. **Soutenu** : « **Je ne** suis pas d'accord avec ce que vous dites, mais **je me** battrai jusqu'à la mort pour **que vous** ayez le droit **de le** dire. » (Voltaire)
2. **Relâché** : « **J'suis** pas d'accord avec **c'que** vous dites, mais **j'me** battrai jusqu'à la mort pour **qu' vous** ayez **l'droit d'le** dire. » (Voltaire)

4. B. Trouvez une autre citation d'un-e auteur-e engagé-e et faites le même exercice.

C. PHONIE-GRAPHIE

5. A. Lisez les paroles de la chanson du slameur engagé Grand Corps Malade intitulée *Éducation Nationale*. Vous pouvez l'écouter sur Internet. Faites attention aux formes orales.

"Alors si tout s'joue à l'école,
il est temps d'entendre le SOS
Ne laissons pas s'creuser
l'fossé d'un enseignement à
deux vitesses
Au milieu des tours il y a trop
de pions dans le jeu d'échec
scolaire
Ne laissons pas nos rois devenir fous dans des défaites
spectaculaires

5. B. Reprenez les paroles ci-dessus en utilisant un registre plus soutenu. Lisez-les à haute voix.

ÉCHAUFFEMENT

PORTER SON ATTENTION SUR L'AUTRE

1. Suivez les étapes ci-dessous pour être sensible aux attitudes de l'autre.

A. Par deux, debout et face à face.

B. L'un des participants est désigné comme le modèle. Il improvise ce qu'il veut (grimaces, gestes, etc.) en allant le plus lentement possible.

C. L'autre participant doit suivre les mouvements dans un effet de miroir. Il faut être concentré et il faut anticiper les actions de l'autre.

D. Inverser les rôles au bout de 5 minutes.

A. PROSODIE

ÊTRE EXPRESSIF-VE EN FRANCAIS

> En français et à l'oral, pour mettre en valeur un élément expressif, il existe 4 grandes techniques :
> 1. Les allongements : c'est **maaaaa**gnifique !
> 2. L'intensité : c'est **MA**gnifique !
> 3. L'intonation : c'est magni**fique** (↑)!
> 4. Les pauses : c'est ma[...]gni[...]fique !
> Parfois, on pourra utiliser en même temps plusieurs de ces techniques.
> Ex. : c'est **MAAAA**[...]gni[...]que !
> Attention : plus vous serez expressif-ve, plus on pourra penser que c'est ironique.

2. A. L'art fait souvent parler de lui en bien ou en mal. Écoutez et cochez la technique expressive que vous entendez dans les avis ci-dessous.

PISTE 30

	allongement	intensité	intonation	pauses
1	☐	☐	☐	☐
2	☐	☐	☐	☐
3	☐	☐	☐	☐
4	☐	☐	☐	☐

2. B. Lisez à haute voix les avis ci-dessous en utilisant une ou plusieurs des techniques expressives vues.

Lieu magique. `Nouveau`
⬤⬤⬤⬤⬤ Avis publié ; Il y a 2 jours
L'exposition permanente est une merveille. Ajouté à cela les expositions temporaires riches et étonnantes.
Plus ▾

Moyen. `Nouveau`
⬤⬤⬤ Avis publié ; Il y a 1 jours
Expo ennuyeuse même si bien documentée. Prix élevé par rapport à la qualité. La dégustation est le meilleur moment.
Plus ▾

B. PHONÉTIQUE

LES MOTS COMPOSÉS

3. A. Associez les deux parties de ces mots composés.

1. chef	☐ pris
2. trompe	☐ d'œuvre
3. parti	☐ à-l'œil
4. tape	☐ l'œil
5. on	☐ dit

3. B. Complétez les phrases suivantes avec les bons mots composés puis lisez-les à haute voix en les prononçant en un seul groupe de souffle.

1. Heureusement que je n'ai pas écouté les [....] sinon je n'en serais pas là, artistiquement parlant, aujourd'hui.

2. Il y a un [....] dans la station où je prends le métro tous les matins.

3. Je trouve l'art contemporain beaucoup trop [....] à mon goût.

4. Je me demande vraiment pourquoi *La Joconde* est considérée comme un [....].

5. C'est le [....] de l'artiste de n'utiliser qu'une seule couleur dans ses captations photographiques.

C. PHONIE-GRAPHIE

4. Voici les avis de visiteurs du Musée de l'Amérique Francophone à Québec. Choisissez un niveau de satisfaction et imaginez un commentaire. Lisez-le à haute voix en utilisant une des techniques expressives.

Évaluation de visiteur

Excellent	▰▰▰▰▱▱▱	9
Très bon	▰▰▰▰▱▱▱	8
Moyen	▰▰▰▱▱▱▱	6
Médiocre	▰▰▱▱▱▱▱	4
Horrible	▱▱▱▱▱▱▱	0

ÉCHAUFFEMENT

TÉMOIGNER

1. Suivez les étapes ci-dessous pour raconter un témoignage.

A. En cercle et en groupe. Pensez à un pays que vous aimez et listez tout ce que vous y aimez: cultures, langues, etc.

B. Imaginez que vous devez témoigner en faveur de ce pays. Défendez-le en organisant vos idées et en commençant par :

« Je plaide en faveur du/de la [pays] car..."

A. PHONIE-GRAPHIE

[IN] ET [IM] AU PASSÉ SIMPLE

PISTE 31

2. A. Écoutez et répétez en même temps les verbes suivants conjugués au passé simple.

	VENIR	METTRE
Je	vins	mis
Tu	vins	mis
Il/Elle/On	vint	mit
Nous	vînmes	mîmes
Vous	vîntes	mîtes
Ils/Elles	vinrent	mirent

2. B. Conjuguez le virelangue suivant au passé simple puis lisez-le à haute voix. Aidez-vous du tableau précédent.

« Vincent [mettre] .... l'âne dans un pré et s'en [venir] .... dans l'autre. »

B. PHONÉTIQUE

[i] OU [ɛ] AU PASSÉ SIMPLE

PISTE 32

3. Écoutez et cochez le son que vous entendez dans les verbes conjugués au passé simple.

	[i] ex : nous vîmes	[ɛ] ex : ils vinrent
1		
2		
3		
4		

PISTE 33

4. A. Écoutez et indiquez quel verbe conjugué au passé simple vous entendez. N'hésitez pas à réviser la conjugaison de ces verbes avant !

	VOIR	VENIR	VIVRE
1	☐	☐	☐
2	☐	☐	☐
3	☐	☐	☐
4	☐	☐	☐

4. B. Créez des phrases au passé simple en utilisant les verbes suivants puis lisez-lez à haute voix.

1. Il – vivre – entre deux pays.
2. Elle – revenir – dans de meilleures conditions.
3. Elle – voir – son pays d'accueil.
4. Il – revivre – sur cette terre d'asile.

C. PROSODIE

RACONTER UN VOYAGE

5. A. Remettez dans l'ordre cet extrait au passé simple issu du roman *Vingt mille lieues sous les mers* de Jules Verne. Ce roman raconte le voyage de plusieurs personnages dont le fameux Capitaine Nemo.

1	— Malédiction ! » s'écria le commandant Farragut.
2	— Oui, répondis-je, et vous aurez raison ! »
3	La chasse recommença, et le commandant Farragut se penchant vers moi, me dit :
4	« Je poursuivrai l'animal jusqu'à ce que ma frégate éclate !
5	Le boulet atteignit son but, il frappa l'animal, mais non pas normalement, et glissant sur sa surface arrondie, il alla se perdre à deux milles en mer.
6	« Ah ça ! dit le vieux canonnier, rageant, ce gueux-là est donc blindé avec des plaques de six pouces !

5. B. Lisez à haute voix le texte remis dans l'ordre en faisant attention à la prononciation des verbes au passé simple et en prenant une voix de marin.

DELF

LE DELF

Le Diplôme d'Études en Langue Française (DELF) est un diplôme délivré par le Centre International d'Études Pédagogiques (CIEP), établissement public du ministère de l'Éducation nationale français. Le diplôme permet de certifier les compétences en français d'un candidat étranger ou originaire d'un pays non francophone. Il est valable à vie et reconnu dans plus de 170 pays.

LE NIVEAU B2

Le niveau B2 correspond à plus de 400 heures d'apprentissage.
Obtenir le niveau B2 exempte de tout test linguistique pour entrer à l'université française.
Le candidat de niveau B2 est capable de :
- comprendre une langue orale standard à un débit normal sur des sujets familiers et non familiers dans les médias et la vie professionnelle ;
- lire de manière autonome la plupart des journaux et magazines ;
- produire un discours clair, détaillé et structuré sur des sujets relatifs à ses domaines d'intérêt ;
- participer activement et aisément à une conversation entre natifs, même si un fort bruit de fond et l'usage de beaucoup d'expressions idiomatiques ou de structures inadaptées peuvent toujours poser problème.

CONSEILS GÉNÉRAUX

- Avant l'examen, pratiquez les différentes épreuves avec des examens blancs ; corrigez-vous et faites une liste des points à améliorer.
- Vérifiez la durée des épreuves, entraînez-vous en temps limité et apprenez à gérer votre temps.
- Lisez bien les consignes : attention au type d'exercice et à la longueur de la réponse demandée.
- Allez droit au but ! Il vaut mieux donner une réponse courte, mais claire et correcte.

LES ÉPREUVES

NATURE DES ÉPREUVES	DURÉE	NOTE SUR
COMPRÉHENSION DE L'ORAL (CO) Réponse à des questionnaires de compréhension portant sur deux documents enregistrés : - entretien, bulletin d'informations (une seule écoute) - exposé, documentaire, émission télé ou radio, etc. (deux écoutes) Types d'exercices : QCM, reformulation d'informations. Durée maximale des documents : 8 min.	30 min environ	25
COMPRÉHENSION DES ÉCRITS (CE) Réponse à des questionnaires de compréhension portant sur deux documents écrits : - un texte informatif sur un pays francophone - un texte argumentatif Types d'exercices : QCM, Vrai / Faux, reformulation d'informations, explication de phrases.	1 h	25
PRODUCTION ÉCRITE (PE) Prise de position personnelle argumentée et structurée (lettre formelle, article critique, contribution à un débat, etc.). Environ 250 mots.	1 h	25
PRODUCTION ORALE (PO) Présentation et défense d'un point de vue à partir d'un court document déclencheur, suivie d'un bref débat avec le jury.	20 min. (préparation : 30 min)	25
Seuil de réussite pour obtenir le diplôme : 50/100 Note minimale requise (pour chaque épreuve) : 5/25	Durée totale des épreuves collectives : 2 h 30	Note totale sur : 100

PRÉPARATION AU DELF B2 / COMPRÉHENSION DE L'ORAL

Vous allez entendre 2 documents sonores, correspondant à des situations différentes. Pour le premier document, vous aurez :
– 1 minute pour lire les questions ;
– une seule écoute ;
– 3 minutes pour répondre aux questions.

Pour le deuxième document, vous aurez :
– 1 minute pour lire les questions ;
– une première écoute, puis 3 minutes pour commencer à répondre aux questions ;
– une seconde écoute du document, puis 5 minutes pour compléter vos réponses.

Répondez aux questions en cochant la bonne réponse ou en écrivant l'information demandée.

◀))) EXERCICE 1 / ENTRETIEN /12

PISTE 34 ▶ Écoutez le document puis répondez aux questions.

1. « On n'empêche pas une mouette de prendre le large » signifie : /2

☐ On ne pourra jamais contrôler les oiseaux.
☐ Le pouvoir de la nature est supérieur à celui des hommes.
☐ Si le désir d'évasion est dans la nature d'une personne, on ne peut pas la retenir.

2. L'explorateur Jean-Louis Étienne a une formation : /1

☐ De médecin.
☐ D'écrivain.
☐ De navigateur.

3. Après la fin de ses études, Jean-Louis Étienne débute : /2

☐ Un tour du monde en avion.
☐ Un tour du monde à la voile.
☐ Un tour du monde à pied en solitaire.

4. Pourquoi Jean-Louis Étienne a-t-il décidé de partir seul ? /2

☐ Pour ne plus travailler en équipe.
☐ Pour être maître de son aventure.
☐ Pour éviter les missions qui lui paraissent difficiles.

5. Lequel de ces moyens de transport l'explorateur n'a pas utilisé lors de son expédition aux pôles ? /1

☐ La voile.
☐ Les skis.
☐ Le traîneau.

6. Jean-Louis Étienne éprouve un besoin vital de : /2

☐ Aller là où personne n'est jamais allé.
☐ Partir en bateau loin des côtes.
☐ Explorer de nouveaux endroits et de s'explorer lui-même.

7. Enfant, qu'est-ce qui a particulièrement donné à Jean-Louis Étienne la soif de voyager ? /1

☐ Un reportage.
☐ Un magazine.
☐ Un roman d'aventures.

8. Quel élément dessiné a conduit Jean-Louis Étienne à se projeter, à se voir explorateur ? /1

☐ Les déserts.
☐ La carte de l'Empire français.
☐ Les caravanes.

◀))) EXERCICE 2 / ÉMISSION DE RADIO 13 points

PISTE 35 ▶ Écoutez le document puis répondez aux questions.

1. D'après le titre de l'émission, quel type de sujets aborde-t-elle ? /1

☐ Les initiatives de l'avenir.
☐ Les inventions datées qui reviennent à la mode.
☐ Les projets de restauration.

2. Le présentateur parle du Freegan Pony, qui « cuisine avec des aliments glanés à Rungis », le grand marché central de Paris. Expliquez avec vos mots ce que fait ce restaurant. /2

....

3. Le Freegan Pony est ouvert depuis plusieurs mois. **V / F** /1
Justification : ....

4. Que signifie « ce restaurant fait la part belle à l'économie circulaire » ? /1

☐ Il ne croit pas au recyclage ni au développement durable.
☐ Il favorise le recyclage et le développement durable.
☐ Il lance une campagne pour le recyclage et le développement durable.

5. Le Freegan Pony pourrait devenir la première cantine participative : /1

☐ De France.
☐ D'Europe.
☐ Du monde.

6. Expliquez avec vos propres mots ce que désigne le terme « freegan ». /2

....

7. Que doit-on faire pour devenir actionnaire du Social Bar ? /1

....

8. Citez trois des avantages à être co-patron du Social Bar. /3

....

9. Quelle est la particularité du bar Le Waf ? /1

☐ Il reverse tous ses bénéfices à la SPA.
☐ Il cherche à récolter de l'argent pour lancer une campagne de vaccination.
☐ Il permet aux clients du café de passer du temps avec des chiens.

CONSEILS

• Avant les écoutes, lisez bien les questions et soulignez les mots importants.
• Pour chaque question, vous ne devez cocher qu'une seule case.

EXERCICE 1 / LIRE POUR S'INFORMER   12 points

▶ Lisez cet article, puis répondez aux questions.

À Montréal, des serres géantes sur les toits

Pour nourrir les urbains, une entreprise canadienne a fait le pari de l'hydroponie, une technique de culture hors-sol.

Dans la banlieue industrielle de Montréal, le bâtiment qui abrite les Fermes Lufa est semblable à tous les autres, une longue construction de briques rouges, à peine identifiée par un panneau.

Pour atteindre la ferme historique de la société créée en 2009 par Mohamed Hage, il faut monter (…) sur le toit. Dans une atmosphère humide maintenue à 25 °C, ce sont 70 tonnes de piments, salades, tomates et poivrons qui sont produites ici, été comme hiver.

Pour faire pousser des légumes tout au long de l'année, même lorsque les températures descendent en dessous de - 20 °C, les Fermes Lufa se sont dotées d'une gigantesque serre sur le sommet du bâtiment. L'hiver, la serre ne peut pas se passer de chauffage. Mais pour diminuer ses besoins énergétiques, l'entreprise a choisi de s'installer sur le toit d'un immeuble déjà existant. Cela permet de profiter de sa chaleur, mais aussi de l'isoler de façon efficace : 25 % en moins sur la facture de chauffage pour tout le bâtiment.

Reste à contrôler les insectes nuisibles. Comme une serre hydroponique est isolée de l'extérieur, le besoin en pesticides est plus faible. Certaines installations choisissent d'abandonner complètement ces produits en faveur d'insectes prédateurs. Enfin, toute l'atmosphère de la serre est contrôlée par ordinateur : l'humidité et la température, bien sûr, mais aussi la quantité de lumière entrante et même le nombre d'insectes pouvant se balader parmi les légumes.

Côté consommateur, les 5 000 paniers hebdomadaires de Lufa se commandent au moins trois jours à l'avance, pour organiser la cueillette.

Culture hydroponique des tomates en serre

Celle-ci est effectuée le matin même de la livraison en point-relais*, avec des fruits et légumes à maturité qui n'auront connu ni transport longue distance ni lavage mécanique. « Nous cultivons les aliments là où les gens vivent », souligne Mohamed Hage.

Le prix des aliments reste cependant plus élevé qu'en supermarché (4,50 € la barquette de fraises de 350 g), et les produits sont encore entourés de plastique dans les paniers […]

[…] Les Fermes Lufa devraient poursuivre leur expansion, avec la construction d'une troisième serre sur toit à Montréal, ainsi que d'autres projets à Boston, Chicago et New York. […]

La plupart du temps réalisée sans OGM** ni pesticides, cette nouvelle agriculture pourrait s'imposer comme principale source de produits frais, locaux et sains en ville. […]

Par Robin Lambert, mai 2015, Le Monde.fr

* point-relais : lieu de livraison, le plus souvent un commerce.
** OGM : organisme génétiquement modifié.

1. À votre avis, que signifie « une technique de culture hors-sol » ?   /2
....

2. La serre entraîne une augmentation de la consommation d'énergie pour le bâtiment sur lequel elle se trouve. **V / F**   /2
Justification : ....

3. Quelle alternative aux pesticides les serres hydroponiques ont-elles trouvée ?   /1
....

4. La livraison en point-relais comporte deux avantages pour l'environnement ; lesquels ?   /2
....

5. Le lieu de production est éloigné du lieu de livraison. **V / F**   /2
Justification : ....

6. Quels reproches pourrait-on faire à ce système ? Cochez les bonnes réponses.   /2
☐ Les emballages ne sont pas complètement écologiques.
☐ Les fruits sont cueillis trop tôt par rapport à la livraison.
☐ La récolte est mal organisée.
☐ Le coût des produits ne fait pas concurrence à celui des produits de grandes surfaces.

7. Pourquoi ce type d'agriculture a de grandes chances de convaincre les citadins et de prospérer ?   /1
....

13 points

EXERCICE 2 / LIRE UN TEXTE ARGUMENTATIF

Plus d'adultes autistes au travail ; une réelle avancée ?

« Il y a des intelligences qui ne demandent qu'à être sollicitées. Pourquoi tant de talents sont-ils gâchés ? Pourquoi des entreprises ne veulent-elles pas de tous ces gens qui ont des compétences tellement superbes ? » Josef Schovanec, écrivain et philosophe porteur du syndrome d'Asperger, vient d'être choisi par Ségolène Neuville pour apporter des solutions sur l'insertion professionnelle des personnes adultes autistes. Selon la secrétaire d'État, les précédents plans autisme ne se préoccupaient pas assez de cette thématique. « Nous devons maintenant y remédier. C'est pour cela que j'ai confié à Josef Schovanec une mission au sein de mon cabinet », a-t-elle déclaré […].

Chroniqueur pour l'émission hebdomadaire « Voyage en Autistan » sur Europe 1, Josef déplore être le « seul adulte français autiste à travailler pour un grand média généraliste ».

La France en retard

Auteur de plusieurs ouvrages, dont *Je suis à l'Est !*, il constate : « Parmi mes amis, trop rares sont ceux qui ont un emploi à peu près correct. Malheureusement, l'autisme étant méconnu, comme le handicap en général, le terme peut faire peur, il est sujet d'insultes ». Selon lui, cette méconnaissance des troubles du spectre de l'autisme explique le retard pris par la France en matière d'insertion professionnelle. Il considère aussi que la question n'a pas été étudiée parce que le monde associatif distingue encore trop la scolarisation de l'emploi et du logement, alors que ce sont des dynamiques intrinsèquement liées.

Développer le « job coaching »

Pour améliorer la situation, Josef Schovanec n'a pas tout révélé mais compte soumettre plusieurs propositions, tel que le « job coaching », une méthode d'accompagnement vers l'emploi. Pour l'écrivain, ce dispositif doit être développé partout en France et accessible à toutes les classes sociales : « En fonction de la fortune de leurs parents, les enfants autistes ont des destins très différents. Certains sont vite déscolarisés, et donc exclus de beaucoup d'emplois. »

Beaucoup d'efforts à fournir

En mettant un pied dans la vie politique, Josef Schovanec témoigne d'une belle avancée en matière d'insertion des personnes autistes, inimaginable il y a encore peu. Les entreprises sont plus nombreuses à percevoir le potentiel des adultes autistes, à l'instar de la multinationale Microsoft […] mais le chemin vers une plus grande intégration est encore long. Si de telles initiatives sont louables, elles ne doivent pourtant pas prêter à l'idéalisation. La France, dans tous les cas, a tout à y gagner ; Josef, qui se qualifie lui-même de « saltimbanque* » de l'autisme, en a fait son combat. « L'autisme est bon pour l'économie et pour les entreprises. La connaissance de l'autre et du fonctionnement de l'autre permettra, j'en suis sûr, de créer une société nouvelle. »

par Aimée Le Goff, mai 2016, Handicap.fr

* un saltimbanque : un artiste du spectacle de rue

---

1. Quel est le rôle de Josef Schovanec au sein du cabinet de la secrétaire d'État ? /2

....

2. Citez trois métiers exercés par Josef Schovanec. /1,5

....

3. Selon Josef Schovanec, une meilleure compréhension de l'autisme conduirait à une meilleure insertion des personnes qui en sont atteintes. **V / F** /1,5

....

4. Que propose Josef Schovanec pour favoriser l'emploi des personnes autistes ? /2

....

5. Quel facteur joue un rôle majeur lors de la scolarité des enfants autistes ? /2

6. Josef Schovanec s'inscrit dans une longue lignée de personnes autistes présentes sur la scène politique en France. **V / F** /1
Justification : ....

7. Nous sommes encore loin d'une insertion complète des personnes autistes dans les entreprises. **V / F** /2
Justification : ....

8. Expliquez la phrase : « Les entreprises sont plus nombreuses à percevoir le potentiel des adultes autistes, à l'instar de la multinationale Microsoft. »
.... /1

CONSEILS

- Si vous ne comprenez pas tout, pas de stress ! Cherchez l'information qui vous permet de répondre à la question.
- Ne rédigez pas de longues phrases, répondez directement aux questions et soyez précis.
- Pour les questions « Vrai ou Faux ? », vous devez copier la partie du texte qui justifie votre réponse.

DANS CETTE ÉPREUVE, VOUS DEVEZ EXPRIMER UNE OPINION PERSONNELLE ARGUMENTÉE. VOUS AUREZ 1 H POUR RÉDIGER UN TEXTE DE 250 MOTS ENVIRON, CE QUI CORRESPOND À 23-28 LIGNES.

QUELQUES CONSEILS POUR L'EXAMEN

- Consacrez au moins 10 min à l'analyse du sujet ; soulignez les mots-clés, dégagez le thème principal et trouvez la problématique (la question à laquelle le sujet répond).
- Faites un brouillon ; vous pouvez y écrire vos idées dans le désordre (comme un remue-méninges) ou vous pouvez faire plusieurs colonnes (idées, exemples). Votre objectif est d'avoir tous vos arguments pour ensuite les organiser dans un texte.
- Attention, vous devez produire une argumentation ; organisez vos idées de manière claire et logique, utilisez les connecteurs du discours (*car, de plus, pourtant*, etc.).
- Faites attention à la mise en page liée au type de texte (lettre, critique, débat, etc.).
- Gardez 5 min pour vous relire ; la grammaire et l'orthographe comptent.

EXERCICE / CONTRIBUTION À UN DÉBAT

« Si le nombre de covoitureurs continue d'augmenter, c'est surtout grâce à l'effet de mode, mais je ne suis pas convaincu que le covoiturage soit une façon de voyager très écologique. Après tout, les passagers de la voiture pourraient prendre le train s'ils se souciaient vraiment de l'état de notre planète... En ce qui me concerne, l'idée d'être forcé à partager une voiture pour faire la conversation à des inconnus pendant plusieurs heures ne m'attire pas du tout. On oublie aussi que ces inconnus pourraient être de mauvais conducteurs, ou pire, des fous ! Je préfère voyager en tout confort et sérénité et dépenser un peu plus d'argent. »
Marc, à Lannion (22) dans le courrier des lecteurs, rubrique « Nouveaux partages » de l'hebdomadaire *Verts et Ouverts*.

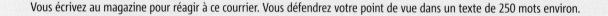

Vous écrivez au magazine pour réagir à ce courrier. Vous défendrez votre point de vue dans un texte de 250 mots environ.

DANS CETTE ÉPREUVE, VOUS DEVEZ DÉGAGER LE PROBLÈME SOULEVÉ PAR UN DOCUMENT DÉCLENCHEUR, PUIS PRÉSENTER ET DÉFENDRE VOTRE OPINION SUR LE SUJET DE MANIÈRE ARGUMENTÉE. ENSUITE, VOUS DÉBATTREZ DU SUJET AVEC L'EXAMINATEUR. VOUS POUVEZ CHOISIR ENTRE DEUX SUJETS. VOUS AVEZ 30 MIN DE PRÉPARATION, PUIS 20 MIN AVEC L'EXAMINATEUR.

QUELQUES CONSEILS POUR L'EXAMEN

Préparation de votre argumentation
- Comme pour la production écrite, vous devez trouver la problématique du texte : quelle question soulève-t-il ? Votre argumentation doit répondre à cette question.
- Dans votre introduction, nommez la source du document, son thème, puis annoncez la question à laquelle vous allez répondre.
- N'écrivez pas trop ; limitez-vous à vos arguments principaux et à vos exemples.

Votre argumentation
- Vous n'êtes pas évalué sur votre culture générale ni sur vos prises de position, vous pouvez défendre un point de vue qui n'est pas le vôtre.
- Vous pouvez évoquer des expériences personnelles si elles sont pertinentes pour illustrer un argument.
- Ne lisez pas le document déclencheur, il est là pour vous inspirer pour parler d'un sujet.
- Regardez discrètement vos notes, mais ne lisez pas votre feuille !
- À la fin, ne dites pas « voilà » ou « j'ai fini ». Dans la conclusion, après un petit bilan, essayez d'élargir le débat, de présenter une nouvelle idée pour passer la parole à l'examinateur.

Le débat avec l'examinateur
- À la fin de votre argumentation, l'examinateur vous posera des questions sur :
  – les thèmes dont vous avez parlé ;
  – vos arguments ;
  – des exemples que vous avez cités ;
  – de nouveaux thèmes ou de nouvelles idées en lien avec le sujet.
- Ne soyez pas sur la défensive et soyez zen ! L'examinateur n'est pas là pour vous piéger.
- Ne répondez jamais uniquement « oui » ou « non » ; vous devez savoir reformuler ou défendre vos arguments.

SUJET 1

Des jeunes à la découverte d'un métier « atypique »
Près de 5 000 jeunes ont découvert jeudi des métiers atypiques en suivant un atelier en entreprise, dans une école, à l'université ou en accompagnant un de leurs proches au travail. Environ 2 300 entreprises ont ouvert leurs portes pour « Futur en tous genres ». Cette journée nationale a pour but d'ouvrir l'horizon professionnel des écoliers afin que ceux-ci découvrent des métiers majoritairement exercés par l'autre sexe.
Environ 3 100 filles ont visité des entreprises, écoles de construction, Hautes Écoles et universités et testé un métier plutôt masculin [...]. Chez les garçons, près de 1 700 ont découvert un métier exercé en majorité par les femmes, notamment dans le domaine des soins et du social. Plus de 200 écoliers ont suivi un atelier leur permettant de se mettre dans la peau d'un enseignant.
« Futur en tous genres » existe depuis 16 ans. Il a été mis sur pied par les bureaux de l'égalité d'une douzaine de cantons, ainsi que de la ville de Berne et de la Principauté du Liechtenstein. [...] Le canton de Berne note pour sa part une évolution encourageante depuis une dizaine d'années concernant le choix professionnel des jeunes et les stéréotypes.

Source : 20min.ch

SUJET 2

Des rencontres amoureuses sans visage
Pour trouver l'âme sœur, il existe des centaines d'applications et plus de 2 000 sites de rencontre. Mais comment être sûr d'avoir rendez-vous avec votre futur(e) bien-aimé(e) et non avec une personne voulant juste une amourette passagère ?
À l'heure où les célibataires en quête d'amour ne savent plus comment chercher « le bon » ou « la bonne », une nouvelle vague de sites web propose un moyen d'éviter les relations potentiellement superficielles. En effet, les inscrits y ont la possibilité de discuter sans révéler leur visage. Après un grand nombre de messages échangés, leur photo de profil devient, petit à petit, visible. Une rencontre basée sur un échange aveugle, la solution miracle pour une histoire qui dure ?

EXERCICES

LES VERBES INTRODUCTEURS (RAPPEL)

1. À l'occasion de la Journée nationale du sport et de l'activité physique, une émission télévisée organise une discussion sur l'alimentation à adopter quand on fait du sport. Indiquez de quelle manière chaque spécialiste du sport et de la nutrition donne son avis sur les aliments à consommer ou à éviter.

1. « Les pâtes, le riz et autres féculents doivent être absorbés la veille d'une séance de sport, si cette séance dure plus d'une heure trente. »
   a. Le médecin du sport réplique.
   b. Le médecin du sport démontre.
   c. Le médecin du sport affirme.

2. « Faut-il préconiser les pâtes avant un entraînement léger ? Je n'en suis plus certain. »
   a. Le coach sportif s'interroge.
   b. Le coach sportif annonce.
   c. Le coach sportif conseille.

3. « Lors de l'entraînement, les féculents sont aussi importants que les légumes et la viande. Je refuse que mes patients se nourrissent seulement de protéines animales. »
   a. Le diététicien recommande la consommation unique de protéines animales.
   b. Le diététicien ne préconise pas la consommation unique de protéines animales.
   c. Le diététicien confirme la consommation unique de protéines animales.

4. « En effet, les régimes hyper-protéinés (à base de viande) peuvent entraîner un déséquilibre dans le métabolisme et une baisse de la performance sportive. »
   a. La nutritionniste confirme les propos du diététicien.
   b. La nutritionniste s'interroge sur les propos du diététicien.
   c. La nutritionniste rejette les propos du diététicien.

5. « Cependant, après un gros entraînement, je sens que mon corps a vraiment besoin de protéines. »
   a. L'athlète de haut niveau veut savoir.
   b. L'athlète de haut niveau interdit.
   c. L'athlète de haut niveau rétorque.

LE DISCOURS RAPPORTÉ (RAPPEL)

2. Lisez l'extrait suivant. Puis, rapportez la scène en utilisant les verbes introducteurs et le discours rapporté indirect.

Knock ou le Triomphe de la médecine de Jules Romains est une pièce de 1923 en trois actes. Dans cette comédie noire sur la médecine, Knock, le personnage principal, est un docteur qui fait le pari de mettre la population sous son emprise grâce à sa profession. Sa perfidie est ici illustrée dans l'acte II, scène 4, intitulée « La Dame en noir ».

KNOCK
C'est vous qui êtes la première, madame ?
(Il fait entrer la dame en noir et referme la porte.) […] Vous souffrez.

LA DAME
Ce n'est pas le mot.
J'ai plutôt de la fatigue.

KNOCK
Oui, vous appelez ça de la fatigue.
(Il s'approche d'elle.) Tirez la langue.
Vous ne devez pas avoir beaucoup d'appétit.

LA DAME
Non.

KNOCK
Vous êtes constipée.

LA DAME
Oui, assez.

KNOCK
(Il l'ausculte.) Baissez la tête. Respirez.
Toussez. Vous n'êtes jamais tombée d'une échelle, étant petite ?

LA DAME
Je ne me souviens pas.

KNOCK
(Il lui palpe et lui percute le dos, lui presse brusquement les reins.)
Vous n'avez jamais mal ici le soir en vous couchant ? Une espèce de courbature ?

LA DAME
Oui, des fois.

KNOCK
(Il continue de l'ausculter.)
Essayez de vous rappeler.
Ça devait être une grande échelle.

[…]

LA DAME
Ah oui!

[…]

KNOCK
(Il s'assied en face d'elle.)
Tant mieux. Vous avez envie de guérir, ou vous n'avez pas envie ?

LA DAME
J'ai envie.

KNOCK
J'aime mieux vous prévenir tout de suite que ce sera très long et très coûteux.

LA DAME
Ah ! mon Dieu ! Et pourquoi ça ?

KNOCK
Parce qu'on ne guérit pas en cinq minutes un mal qu'on traîne depuis quarante ans.

LA DAME
Depuis quarante ans ?

KNOCK
Oui, depuis que vous êtes tombée de votre échelle.

source : Extrait de *Knock*, Jules Romains, ©Gallimard

3. Un journaliste d'un hebdomadaire régional s'interroge sur le récent engouement pour un marché bio toulonnais. Lisez cet article de presse puis reconstituez l'interview en écrivant les questions du journaliste et les réponses données par les consommateurs.

Toulon

VAR > TOULON   22/02/16 - 07H00

Engouement pour un marché bio toulonnais

« La semaine dernière, je me suis rendu au marché bio de Toulon pour comprendre ce qui avait convaincu les consommateurs d'y faire leurs courses.

Pourquoi s'étaient-ils tournés vers les produits bios ? Avaient-ils succombé à un effet de mode ? C'est ce que j'ai d'abord demandé à un habitant du quartier. Ce Toulonnais m'a affirmé que c'était avant tout pour protéger l'environnement qu'il préférait les produits issus de l'agriculture biologique. En effet, pour limiter la pollution, il a, depuis son adolescence, renoncé à la viande et choisi de soutenir les producteurs bios qui utilisent moins de pesticides. L'effet de mode n'avait donc eu aucune influence sur lui. Et sur les autres consommateurs ?

Pour le savoir, j'ai ensuite dirigé mon micro vers une jeune femme, que j'ai questionnée à propos de sa première visite dans ce marché ; y était-elle venue par hasard ou après avoir vu une campagne publicitaire ? Elle m'a répondu que ses voisins lui avaient conseillé d'acheter ses fruits et légumes ici ; selon eux, ce seraient les plus frais de la ville. Cette habituée a ajouté qu'elle tentait de ne consommer que des produits locaux et que ce marché, en plus d'être bio, mettait l'accent sur les produits de la région. Le bouche-à-oreille et non la publicité ou les tendances actuelles lui avait permis de trouver son bonheur.

Le bouche-à-oreille et les convictions personnelles suffisent-ils à persuader les consommateurs de dépenser plus ? Effectivement, les produits bios coûtent entre 20 et 30 % de plus que leurs homologues issus de l'agriculture industrielle et intensive. J'ai expliqué en toute honnêteté à un nouveau client de ce marché que je voulais savoir ce qui incitait les consommateurs à choisir des produits bios bien qu'ils soient plus chers. Après que je lui ai demandé son opinion, il a rétorqué que, s'il le devait, il serait prêt à payer encore plus cher tant le poisson bio était délicieux. Il a ajouté qu'il limitait au maximum sa consommation de viande et qu'il valorisait, par conséquent, la qualité et non la quantité.

Grâce aux témoignages de consommateurs satisfaits et aux produits appétissants qui m'entouraient, j'ai conclu que ni la mode ni les campagnes publicitaires n'étaient les causes premières de fréquentation de ce marché. Le goût, la fraîcheur et la qualité des produits avaient persuadé les Toulonnais de s'y rendre chaque semaine. »

Le journaliste : → ....   L'habituée : → ....
Le Toulonnais : → ....   Le journaliste : → ....
Le journaliste : → ....   Le nouveau client : → ....

LES PRONOMS RELATIFS COMPOSÉS

4. Comment cuisiner ces nouveaux aliments tendance ? Reliez les deux parties de chaque phrase.

1. L'huile de coco est une matière grasse
2. Le vinaigre de cidre est l'un des vinaigres
3. Le chou kale est un légume
4. L'herbe de blé est une plante

A. ... dans laquelle on trouve un goût de verdure parfait pour parfumer les jus minceur.
B. ... avec lequel on peut manger de la viande, des féculents et des légumineuses.
C. ... à l'aide de laquelle on peut faire des poêlées de légumes plus exotiques.
D. ... auquel il suffit d'ajouter un peu d'eau pour obtenir une boisson diététique.

5. Devinez de quel aliment il s'agit, puis transformez les deux phrases en une seule à l'aide d'un pronom relatif composé.

1. Rouge, jaune ou verte, c'est en compote, seule ou dans des tartes qu'on la déguste. À l'aide de ce fruit, vous permettez à votre système digestif de bien travailler tout en favorisant la sensation de satiété.
→ ....

2. Il s'agit d'un légume orange aux propriétés bénéfiques pour la vue et la peau. Grâce à lui, on améliore le fonctionnement de sa vision nocturne, on renforce sa protection face aux rayons du soleil et on développe un joli teint.
→ ....

3. Cette épice piquante, qui accompagne souvent le sel sur la table, est obtenue à partir de baies. On y trouve une foule d'antioxydant ainsi que de la pipérine, qui améliorerait la mémoire.
→ ....

4. Souvent pris pour un légume et associé à des plats salés, il s'agit en fait d'un fruit à la chair jaune-verte et à l'écorce noire. Avec ce fruit, le corps reçoit la dose de matières grasses dont il a besoin.
→ ....

LA NOMINALISATION

6. Écoutez ces deux spots publicitaires pour des services de livraison à domicile. Retrouvez le slogan de chaque service en utilisant la nominalisation.

efficace   créatif   polluer   original   rapide

déplacer   facile   compliquer   gaspiller

Délivélo

.... & ....

Zéro ...., Zéro ....!

Hello fresh

...., ... et ....

Pas de .... ni de ....!

LES HABITUDES ALIMENTAIRES

7. A. Pour la Semaine du goût, un hebdomadaire propose un quiz à ses lecteurs. Lisez le quiz et ses résultats. Puis, rédigez trois questions supplémentaires et, pour chacune, trois réponses correspondant aux trois profils différents.

TEST : Quel gastronome êtes-vous ?

Répondez à ce quiz pour le savoir.

1. Les émissions et magazines de cuisine :
- ■ Vous les suivez tous !
- ● Vous appréciez ceux qui proposent des recettes pour être en forme ou pour éviter le gaspillage.
- ◆ Vous n'en êtes pas fan.

2. À la fin du repas, on vous propose une appétissante pâtisserie à la crème.
- ■ Vous succombez instantanément à la tentation.
- ● Vous éprouvez une sensation de satiété, vous refusez poliment.
- ◆ Vous ne raffolez pas de desserts et autres choses sucrées.

3. ....　　4. ....　　5. ....
- ■ ....　　■ ....　　■ ....
- ● ....　　● ....　　● ....
- ◆ ....　　◆ ....　　◆ ....

RÉSULTAT

Vous avez un maximum de ■ **Vivre pour manger**
Vous avez une véritable passion pour la nourriture : vous mettre à table est un plaisir et vous avez souvent du mal à refuser une douceur sucrée ou un beau plat salé. Votre panier alimentaire est toujours bien rempli !

Vous avez un maximum de ● **Un esprit sain dans un corps sain**
Vous êtes conscient de l'impact de l'alimentation sur votre corps et sur la planète et vous agissez en conséquence : de manière responsable. Vous vous nourrissez en fonction de vos besoins et sans gâcher de nourriture.

Vous avez un maximum de ◆ **Manger pour vivre**
Vous n'attendriez pas une heure au restaurant juste pour manger un plat appétissant. Pour vous, se nourrir est simplement un acte pratique et non un acte de plaisir. Vous évitez de passer vos soirées à cuisiner et préférez occuper votre temps de manière plus utile.

7. B. Quel profil vous correspond ? Justifiez votre réponse en décrivant vos habitudes alimentaires.

LES ALIMENTS ET LA SANTÉ

8. Pour son ouverture, la boutique Nutri-moi fait découvrir les superaliments à ses clients potentiels. Lisez les fiches techniques et les témoignages des clients, puis imaginez ce que pourraient leur recommander les vendeurs de la boutique.

NUTRI-MOI

LES SUPERALIMENTS

Le baobab
QU'EST-CE QUE C'EST ? Un arbre qui pousse en Afrique et dont on extrait le fruit pour en faire de la poudre ou du jus. POURQUOI EST-CE UN SUPERALIMENT ? Il contient beaucoup de vitamine C, qui aide le corps à brûler les graisses. C'est aussi un coupe-faim sain, qui réduit la dose de sucre présente dans le sang et nettoie l'estomac et le foie. COMMENT LE CONSOMMER ? En jus, en soupe, à la place de la farine dans vos gâteaux, et même dans des vinaigrettes, la poudre de baobab est polyvalente.

Le matcha
QU'EST-CE QUE C'EST ? Une poudre de thé vert très fine, originaire du Japon. POURQUOI EST-CE UN SUPERALIMENT ? En plus d'être un excellent anti-oxydant, il est dynamisant tout en permettant calme et concentration, à l'inverse, parfois, de la caféine. COMMENT LE CONSOMMER ? En l'incorporant dans du thé, du lait, de la glace ou encore dans des gâteaux, le goût du matcha étant meilleur que celui d'autres superaliments.

L'huile de lin
QU'EST-CE QUE C'EST ? Un liquide obtenu après avoir pressé des graines de lin (une plante). POURQUOI EST-CE UN SUPERALIMENT ? Très riche en acides gras, elle permet de lutter contre le diabète et les maladies hormonales. Elle est également utile pour traiter les maladies de la peau comme les sécheresses localisées. COMMENT LA CONSOMMER ? Comme une huile basique dans une salade, dans une boisson (thé, eau, jus) ou sous forme de capsules. Tout fonctionne mais il faut absolument que l'huile reste froide !

Eva
Comme j'ai été très occupée ces derniers temps, j'ai négligé les légumes au profit de plats préparés riches en matières grasses et en sel. Je souhaiterais purifier mon corps, faire une cure de quelque chose pour me débarrasser des impuretés.

Andréas
Je ne suis pas encore obèse, mais mon embonpoint me complexe. J'aimerais perdre une dizaine de kilos, simplement en faisant du sport et un petit régime. Si ce magasin peut me proposer quelque chose pour maigrir, j'essayerai, bien sûr !

Georgina
Malheureusement, j'ai gardé l'acné apparue pendant mon adolescence. Ma peau est très sèche et vraiment sensible. J'ai déjà un traitement à base de médicaments forts, mais j'aimerais diminuer les doses et trouver un remède alternatif. Peut-être dans cette nouvelle boutique ?

COMPRÉHENSION DES ÉCRITS

A. Lisez cet article puis répondez aux questions.

MANGER BOUGER

C'était en 2007. Après plusieurs années de réflexion et de planification, le ministère de la Santé rendait obligatoire la mention « Manger Bouger » dans les publicités vantant les mérites des snacks et des boissons sucrées. Six ans après sa mise en place, le bilan est plus que mitigé[1]. Jugée dangereuse par les associations de consommateurs et à l'origine de multiples accidents graves, la mention va être modifiée pour préserver la santé des Français.

45 000 VICTIMES DEPUIS 2007

Action phare du Programme National Nutrition Santé, la mention « Manger Bouger » devait permettre de protéger la santé des consommateurs [...] ; l'objectif n'a pas été atteint. Yves Michelet, rédacteur pour le magazine *Mieux Vivre*, nous livre son analyse : « Le message est mal interprété par 78 % de la population. Les consommateurs pensent qu'ils doivent manger et bouger en même temps ». Les résultats de cette incompréhension sont inquiétants : ici, un Brestois se casse les deux mâchoires en dévorant un sandwich sur son trampoline, là, un Tourangeau trouve la mort en dégustant son Snickers en VTT... « La majorité des accidents restent de simples étouffements[2] », explique M. Michelet, ajoutant que, depuis 2007, ce sont près de 45 000 personnes qui ont été victimes d'étouffement. Fort heureusement, 76 % d'entre elles ont pu survivre grâce à l'intervention d'une tierce personne maîtrisant la manœuvre de Heimlich.
Le perchiste Renaud Lavillenie a longtemps blâmé le slogan « Manger Bouger », responsable selon lui d'avoir freiné le début de sa carrière.

UNE SIMPLE VIRGULE AURAIT SAUVÉ DES VIES

Ces accidents auraient-ils pu être évités ? « Oui ! » grogne Gilbert Poulard. Selon ce linguiste auteur de 36 ouvrages sur la ponctuation, « une simple virgule entre les deux verbes aurait sauvé des vies ». L'homme a de quoi être en colère[3]. Plusieurs semaines avant que la loi ne passe, il avait tenté d'attirer l'attention des pouvoirs publics en initiant une grande pétition à travers toute la France. Il n'a jamais été entendu et n'a pas été reçu par le ministre de la Santé malgré un chiffre encourageant de 17 signatures. « On a répété l'erreur de « Dormir Tronçonner[4] », soupire le linguiste, rappelant un ouvrage tristement célèbre qui avait causé tant de tragédies dans les chambres à coucher des bûcherons français.

« MANGER BOUGER, MAIS PAS EN MÊME TEMPS »

Il aura fallu attendre longtemps pour que les autorités réagissent, [mais], selon toute vraisemblance, « Manger Bouger » deviendra dès janvier 2014 « Manger Bouger, mais pas en même temps ».

---

1. un bilan mitigé : des résultats plutôt défavorables **2.** un étouffement : difficulté à respirer **3.** avoir de quoi : avoir de bonnes raisons **4.** tronçonner : couper à l'aide d'une machine

www.bilboquet-magazine.fr

1. Quel est le ton de cet article ?

☐ ironique   ☐ dramatique   ☐ promotionnel

2. Quelle était l'intention du ministère de la Santé en imposant la mention « Manger Bouger » ? → ....

3. « Un Brestois se casse les deux mâchoires en dévorant un sandwich sur son trampoline » : d'après cet exemple humoristique, en quoi cette personne a-t-elle appliqué scrupuleusement la mention ? → ....

4. « Une simple virgule entre les deux verbes aurait sauvé des vies. » Justifiez l'affirmation du linguiste avec l'exemple du livre fictif *Dormir Tronçonner*. → ....

5. Quel changement est proposé afin d'éviter les malentendus ? → ....

COMPRÉHENSION DE L'ORAL

PISTE 2

B. Écoutez le document sonore et répondez aux questions.

1. Quelle a été la première opération mise en place par Intermarché ?
→ ....

2. Quel est le but de ces opérations ?
→ ....

3. Une grande quantité de produits alimentaires est jetée chaque année car...

☐ la date de péremption est proche.
☐ leur apparence n'est pas conventionnelle.
☐ les normes de transport n'ont pas été surveillées.

4. D'autres initiatives anti-gaspillage ont été prises par de grandes marques, citez-en une.
→ ....

5. Pourquoi le journaliste qualifie cette initiative de « début d'un vrai mouvement de fond » ?
→ ....

PRODUCTION ÉCRITE

C. Lisez ce court texte et réagissez à la question posée dans le titre en exprimant votre point de vue.

LES APPLICATIONS POUR MANGER SAINEMENT : SOURCE DE BIEN-ÊTRE OU SOURCE DE STRESS ?

Avec plus de 100 000 applications « Santé & Nourriture », les utilisateurs de smartphones peuvent choisir de compter le nombre de calories de chaque plat, de contrôler la vitesse à laquelle ils mangent, ou encore de connaître la composition exacte de produits transformés. Un bon point contre l'embonpoint ou le début d'une névrose ? En effet, les utilisateurs de ces applis (qui ne sont pas toujours créées par des professionnels de la santé) risquent de percevoir la nourriture comme l'ennemi de leur corps. En voulant tout contrôler, peuvent-ils créer de vrais déséquilibres ?

COMPARER

1. A. Observez ce graphique sur l'utilisation des différents modes de communication des adultes québécois.

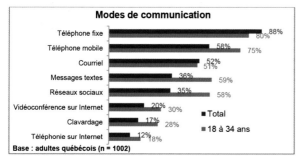

Source : ©CEFRIO 2013, Enquête NETendances 2013

1. B. Comparez l'utilisation des modes de communication par les 18-34 ans à celle de l'ensemble des adultes et nuancez cette comparaison.

> plus   moins   autant
> à peine   un peu   légèrement   presque
> beaucoup   énormément

Les 18-34 ans envoient à peine plus de mails/courriels que l'ensemble des adultes.

Les 18-34 ans envoient autant de mails/courriels que l'ensemble des adultes.

PISTE 3

2. Écoutez cette interview d'un sociologue et répondez aux questions.

1. Il y a 25 ans, on trouvait plus de gens qui avaient l'air plus jeunes que leur âge. → V / F
2. Selon le sociologue, quels éléments brouillent les frontières entre générations ? Cochez les bonnes réponses.
☐ L'hygiène de vie.
☐ La génétique.
☐ Le refus de vieillir.
☐ Les crèmes et soins anti-âge.
☐ Le style vestimentaire.
☐ Les gadgets technologiques.

3. Quelle double tendance décrit ensuite le sociologue ?
☐ Bien que les frontières entre générations se brouillent en apparence, la solidarité intergénérationnelle diminue.
☐ Même si les générations se ressemblent de moins en moins, la génétique reste une valeur refuge.
☐ Le marketing pousse les générations à surmonter leurs différends pour communiquer de façon apaisée.

3. Pourquoi ressemble-t-on parfois plus à nos grands-parents ou à nos frères et sœurs qu'à nos propres parents ? C'est l'ADN, combiné au hasard de la génétique, qui détermine le degré de cet « air de famille ». Plus on partage de gènes, plus on a de chances de se ressembler. Complétez l'article à l'aide des mots ci-dessous.

> ressembler à   se ressembler   ressemblance
> faire penser à (x2)   tel... tel...
> semblables   identiques   même

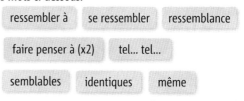

Gènes en partage

Si certains jumeaux ont des traits différents et pourraient passer pour de simples frères et sœurs, cela peut s'expliquer par le fait qu'ils sont de « faux » jumeaux.

Ces derniers partagent 75 % de leurs gènes. Ils … d'autant plus qu'ils ont le … âge. Mais contrairement aux jumeaux issus d'un même œuf, ils ont moins de chances d'être complètement …

En effet, les vrais jumeaux partagent tout… ou presque, à 0,01 % près! Ils ont 99,99 % de gènes en commun, d'où leur … inévitable : ils ont l'air …

Beaucoup plus distincts, les frères et sœurs ne partagent « que » 50 % de leurs gènes. Ils reçoivent le même bagage génétique, mais celui-ci est réparti d'une manière différente ; ainsi, ils peuvent ou non … leurs parents ou à leurs frères et sœurs.

« … père, … fils », et qu'arrive-t-il au grand-père ? Quand on nous dit avoir « le nez de Papi », est-ce seulement pour lui faire plaisir ? Pas forcément ! Si, parfois, nous … notre grand-père, c'est parce qu'il nous transmet un quart de ses gènes.

Remonter plus loin n'est pas impossible. Si on ne partage que 3 % de nos gènes avec les grands-parents de nos grands-parents, c'est peut-être assez pour … famille.

4. Dressez votre portrait personnel en vous comparant à trois personnes : une personne de votre entourage, une personne célèbre et un personnage de fiction.

Mes amis me disent que j'ai un petit air de Madonna ; j'aimerais que ça soit vrai !

Plus le temps passe, plus je suis aventurière : je ressemble de plus en plus à Indiana Jones !

5. Les relations entre les générations ont-elles beaucoup changé ? Comparez les relations que vous avez ou avez eues avec vos parents ou grands-parents à celles d'autres générations (suivantes ou précédentes). Rédigez cinq phrases à l'aide de tous les moyens grammaticaux et lexicaux étudiés.

Je suis plus proche de mes grands-parents que mes parents ne l'étaient de leurs grands-parents.

LE FUTUR ANTÉRIEUR

6. A. Lisez le site de l'association « Bébés & Pépés » pour le regroupement d'une crèche et d'une maison de retraite.

Bébés & Pépés est une association locale qui promeut la création de liens complices entre les générations tout en faisant gagner de l'argent et de l'espace aux Liégeois.

Comment ?

Grâce à la construction d'une crèche dans une maison de retraite de l'est de Liège d'ici la fin de l'année prochaine. Les retraités, formés et encadrés, s'occuperont des enfants quelques heures par jour. Pour les remercier, les parents inviteront les personnes âgées à déjeuner à la maison familiale trois fois par mois.

Nos objectifs

• Rapprocher trois générations.
• Résoudre le manque de places en crèches pour les parents.
• Diminuer la solitude des personnes âgées en maison de retraite.

Notre programme

Hiver : Organisation d'une rencontre retraités-parents autour d'un buffet de Noël. Échanges et discussions pour établir des rapports de confiance.
Printemps : Aménagement de la crèche au rez-de-chaussée de la maison de retraite. Achat des livres, des jeux, des meubles et décoration du rez-de-chaussée.
Été : Formation des retraités aux premiers soins, mise en place d'ateliers pédagogiques pour la garde d'enfants.
Automne : Inscription des enfants et visite des locaux avec leurs parents. Rencontre avec leur Mamie-amie et Papi-ami.
Hiver : Ouverture de la crèche « Bébés & Pépés ».

> Vous souhaitez en savoir plus ?
> Vous croyez en nous et en notre démarche ?
> Contactez-nous pour rejoindre l'aventure,
> à bebesetpepesliegeois@liege-solidarite.be

6. B. Les responsables de l'association se sont donné un an pour ouvrir leur établissement. À l'aide du futur antérieur, expliquez leur programme en détaillant ce qu'ils auront déjà réalisé avant chaque saison.

1. Au printemps prochain... *les retraités et les parents se seront rencontrés pour échanger et faire connaissance.*
2. L'été prochain... → ....
3. L'automne prochain... → ....
4. L'hiver suivant... → ....

6. C. Une fois ouverte, à quoi servira cette crèche pas comme les autres ? Qu'est-ce qu'elle apportera aux habitants de Liège ? Que pourront faire les personnes de différentes générations grâce à cette initiative ?

Cette crèche spéciale permettra aux personnes de différentes générations de mieux se connaître.

7. Voici les 10 choses que Milona espère avoir accompli avant de souffler ses 100 bougies. Inspirez-vous de sa liste pour faire la vôtre, en utilisant le futur antérieur.

J'espère qu'avant mes 100 ans...
1) j'aurai tissé des liens plus forts avec ma sœur.
2) j'aurai passé une nuit sous les étoiles, en pleine nature, avec rien qu'un sac de couchage.
3) j'aurai appris la langue des signes.
4) j'aurai visité l'Alhambra de Grenade.
5) j'aurai goûté au moins 200 fromages français.
6) j'aurai appris à jouer de la batterie.
7) j'aurai été voir mon amie Mounia en Inde.
8) j'aurai osé chanter dans un karaoké sans me sentir ridicule.
9) j'aurai organisé une grande exposition de photos.
10) j'aurai dit à mes enfants à quel point je les aime.

L'OPPOSITION ET LA CONCESSION

8. Frédérique, 72 ans, et Hadrien, 24 ans, partagent un appartement à Bordeaux. Associez les débuts aux fins de phrases pour découvrir leur façon de gérer cette colocation intergénérationnelle.

1. Alors qu'ils se connaissaient à peine,
2. Ils ont une grande différence d'âge ; cependant,
3. Ils ont des rythmes très différents
4. Quand bien même l'un inviterait ses amis,

   A. ils se sont découvert de nombreux points communs.
   B. cela ne dérangerait pas l'autre.
   C. ils ont décidé de partager un appartement.
   D. toutefois, ils trouvent toujours un moment pour discuter.

9. Un magazine de mode en ligne a publié les résultats d'un sondage, intitulé « Trop vieux pour ça ? », sur l'âge limite pour faire certaines choses. Lisez les réactions de lecteurs du magazine pour deviner les résultats du sondage. Ensuite, expliquez la réaction de chacun/e à l'aide des étiquettes.

bien que	avoir beau	même si	malgré

#1 | Margaux, 42 ans

Il semble que je sois déjà trop vieille pour exhiber mon nombril percé... Apparemment, les internautes ne veulent plus le voir passé les 38 ans ! Désolée, mais vous verrez toujours mon joli diamant au milieu du ventre à la plage l'été prochain.

Résultat du sondage : pas de piercing après 38 ans

Réaction de Margaux : Même si le sondage la déclare trop vieille pour avoir un piercing au nombril, Margaux a bien l'intention de garder le sien.

#2 | Simon, 53 ans

Je devrais priver mes proches de recevoir des gros plans de mon visage devant des paysages magnifiques, tout ça sous prétexte que j'ai plus de 34 ans ? Ils seraient si déçus... Non, ils continueront de recevoir mes selfies ratés !

Résultat du sondage : ....
Réaction de Simon : ....

#3 | Khalid, 44 ans

Je me demande à partir de quels critères les gens interrogés ont décidé que les tatouages devraient être réservés aux moins de 39 ans. Je suis si fier des miens, mon corps se transforme petit à petit en œuvre d'art ! Si j'arrête un jour, ce sera parce que je n'aurai plus de place.

Résultat du sondage : ....
Réaction de Khalid : ....

#4 | Lily, 50 ans

Plus de maillots de football après 42 ans, c'est valable seulement pour les hommes j'espère ? Je compte bien continuer d'aller aux matchs avec mon maillot vert. Allez Saint-Étienne !

Résultat du sondage : ....
Réaction de Lily : ....

#5 | Francine, 68 ans

Alors après 52 ans, à minuit tout le monde au lit ? Ça va pas la tête ? C'est justement quand on est à la retraite qu'on peut rentrer tard ou regarder des séries toute la nuit. J'en ai rêvé toute ma vie, laissez-moi en profiter !

Résultat du sondage : ....
Réaction de Francine : ....

CONFLITS ET DÉCALAGES

10. Écoutez le témoignage de ce retraité et répondez aux questions.

PISTE 4

1. Comment sont les relations entre le couple de retraités et leurs nouveaux voisins ?
☐ Ils acceptent leurs différents modes de vie.
☐ Leurs relations sont harmonieuses.
☐ Ils ont des rapports conflictuels.

2. Comment réagit le couple de retraités ?
☐ Il est excédé par le bruit que font les jeunes.
☐ Il prend du recul par rapport à la situation.
☐ Il se sent responsable de ses voisins plus jeunes.

3. Comment ces voisins pourraient-ils régler leur différend ?
☐ En continuant de la même façon.
☐ En entamant un dialogue.
☐ En déménageant.

11. Lisez ces tweets traitant d'échanges intergénérationnels sur le lieu de travail et entourez le hashtag approprié.

 @IanMéric
@IanMéric
J'ai fait une découverte linguistique terrible pendant la pause-café : je parle une langue qui n'existe plus. Je l'ai appris grâce aux adolescents en stage dans mon entreprise. Quand je leur ai lancé un : « Yo les djeuns', ça vous botte un petit kawa ? » Ils ont ouvert la bouche et m'ont regardé sans comprendre. Ils disent quoi, les jeunes aujourd'hui ?
#jenesuisplusdanslecoup #relationscompliques #générationTanguy
17:41 - 24 Nov.
♥ 27
Suivre

 Maraka
@Maraka
Quand les jeunes stagiaires se racontent leurs fêtes jusqu'à 4 h du matin, je suis ravie de leur décrire en détails ma joie, vendredi soir, quand je me suis ENFIN assise sur mon canapé avec mon magazine préféré, une tisane et mon chat sur les genoux.
#jefaisplusjeunequemonâge #lâgecestdanslatête #apprécierlesplaisirsdesonâge
14:18 - 26 Mai
♥ 32
Suivre

 GilMas
@GilMas
Ma directrice, qui doit avoir la cinquantaine, m'a demandé si j'avais emprunté les baskets de mon fils. J'ai d'abord pensé : « Fils, fils, fils... elle pense que je suis assez vieux pour avoir des enfants ? » Avant de paniquer encore plus : « Mes baskets fluo à scratch, quoi, elles ne me vont pas ! » Je n'ai que 31 ans...
#mavaleurrefuge #actionintergénérationnelle #jesuisunadulescent
22:22 - 04 Oct.
♥ 15
Suivre

COMPRÉHENSION DES ÉCRITS

A. Lisez cet article et répondez aux questions.

Trop vieux pour l'apéro, trop jeunes pour la rando?

par Francine Lescan le 29 novembre

Facebook, Twitter, Snapchat et Tumblr refusent les usagers de moins de 13 ans? Soit, ils sont encore trop vulnérables pour se défendre contre le harcèlement en ligne – et pourraient même s'en rendre coupables. YouTube interdit aux mineurs de se créer un compte? Après tout, ils seraient susceptibles de tomber sur des contenus réservés aux plus de 18 ans. Des groupes Meetup excluent les «plus de 35 ans» ou les «moins de 45 ans»? Leurs motivations semblent moins évidentes…

Lors du réel envol de Meetup en France, à partir de 2010, ses usagers ont vu s'ajouter de nouveaux détails visant à décrire chaque groupe le plus fidèlement possible, notamment l'âge moyen de ses membres. Rapidement, ce qui servait à mieux définir le profil du groupe est devenu une manière de le constituer; en effet, les administrateurs ont désormais l'option d'exclure certaines tranches d'âge.

Ainsi, les mentions «moins de 30 ans seulement» ou «pour les plus de 50 ans» ont commencé à apparaître pour toutes sortes de regroupements et d'activités. Le club des «fanas d'histoire de l'art» de Cherbourg est réservé aux plus de 40 ans, sous prétexte que «passé la quarantaine, notre sens esthétique est plus développé que celui des jeunes; il a eu le temps de mûrir et d'être remis en question par de nombreuses expositions et discussions, à l'inverse des plus jeunes qui vont juste s'émerveiller devant de gentils tableaux des impressionnistes ou devant la plus célèbre des toiles de Picasso», se justifie Isabelle, créatrice du groupe. De la même manière, le troisième âge et les adultes d'âge mûr se voient souvent bannis de regroupements dont le seul but est de faire des rencontres amicales. Pourquoi ne socialiser qu'avec notre génération? Interrogés lors d'un Meetup «Apéro & nouveaux potos», les jeunes présents clament qu'ils n'apprécient pas le même type de discussions et d'activités que leurs aînés. Ils considèrent la limite d'âge comme un gain de temps pour tout le monde: les «plus de 35 ans» ne se plairaient guère aux activités déjà mises en place, et s'ils proposaient d'autres sorties, ils ne seraient sûrement pas rejoints par le groupe existant. Par conséquent, autant exclure cette tranche d'âge dès le départ.

«Ce n'est pas de la discrimination: c'est un raisonnement logique», garantit Jean-Pierre, coadministrateur des «Randonnées de l'été» à Millau. «Pourquoi proposer à des petits jeunes, frais et énergiques, de venir marcher aux côtés d'individus qui souhaitent prendre leur temps et faire de nombreuses pauses? Ils viendraient une fois, s'ennuieraient, et ne reviendraient pas. Nous opérons une sélection qui s'opérerait naturellement de toute façon.»

Si personne n'a encore porté plainte pour discrimination, cette séparation des tranches d'âge a tout de même soulevé des protestations. En plus de se baser sur des idées reçues et suppositions douteuses, elle creuserait le fossé entre les générations. Cependant, le nombre d'inscrits sur la plateforme de réseautage ne cessant d'augmenter, il est probable que Meetup continue à multiplier les critères de sélection plutôt que de les supprimer.

1. D'après l'article, l'âge minimum requis pour ouvrir un compte Facebook ou YouTube est difficile à justifier. → V / F

2. Pourquoi le site Meetup mentionne-t-il l'âge moyen des participants aux groupes et activités ? ....

3. La créatrice du club d'histoire de l'art sous-entend que…
   - ☐ les goûts des jeunes ne sont pas raffinés.
   - ☐ les plus de 40 ans n'apprécient pas les œuvres classiques.
   - ☐ les plus jeunes ne remettent pas assez en question les goûts artistiques des plus de 40 ans.

4. Quelles sont les raisons données pour justifier l'exclusion des plus de 35 ans aux soirées apéro ? ....

5. Pourquoi certains protestent-ils contre cette séparation des tranches d'âge ? Citez deux raisons.
   → ....
   → ....

COMPRÉHENSION DE L'ORAL

PISTE 5

B. Écoutez cette conversation et répondez aux questions.

1. D'après le journaliste, avoir l'air plus jeune que son âge…
   - ☐ est toujours un avantage.
   - ☐ n'a que des inconvénients.
   - ☐ est un problème pour certaines personnes.

2. Quels problèmes rencontrent Justine et Ismaël ?
   - ☐ On ne les laisse pas entrer en boîte de nuit.
   - ☐ On doute de leurs compétences professionnelles.
   - ☐ Ils ne peuvent pas draguer des gens de leur âge.
   - ☐ On les croit trop jeunes pour s'occuper d'un enfant.
   - ☐ On ne les laisse pas conduire une voiture.

3. Que ressentent Justine et Ismaël quand on les croit plus jeunes qu'ils ne sont ?
   - ☐ Ils se sentent flattés.
   - ☐ Ils sont amusés.
   - ☐ Ils sont énervés.
   - ☐ Ils sont déprimés.

PRODUCTION ÉCRITE

C. Un magazine mensuel de santé et bien-être vient de publier le numéro spécial « Prenons un coup de jeune ! », dans lequel il vante les mérites des nouvelles interventions chirurgicales esthétiques antivieillissement et invite ses lecteurs à les essayer au plus vite. Choqué qu'un magazine de santé recommande la chirurgie esthétique, vous décidez d'écrire à la rubrique « courrier des lecteurs ». Vous rédigez une lettre structurée pour exprimer votre indignation et défendre l'envie de faire son âge.

LE PASSIF

1. Lisez ces courts récits parus sur un blog qui publie quotidiennement les témoignages de victimes de sexisme. À l'aide d'une phrase passive, résumez l'acte de sexisme, puis décrivez la réaction de la bloggeuse en utilisant le passif et une négation.

VICTIMES DE SEXISME? EXPRIMEZ-VOUS !

KHEDIJA 30 ans | **Premier jour de travail**

« Bonjour mademoiselle, vous êtes stagiaire ? Vous cherchez la photocopieuse ? » J'ai répondu : « Merci, vous pouvez également m'indiquer le bureau de la direction afin que je m'installe au plus vite ».

Khedija a été accueillie comme une débutante, mais elle ne s'est pas laissé impressionner.

SIRRINE 28 ans | **Au club de sport**

Hier soir, au club de sport : « Bravo, tu n'es pas trop mauvaise à la boxe... enfin, pour une fille ! » Ce sont les derniers mots de mon opposant avant qu'il ne perde le match par KO.

....

CHRISTIANE 49 ans | **Au resto avec mon conjoint**

Au resto avec mon conjoint, nous salivons en voyant le serveur arriver avec nos plats. Mais sans un mot, il pose les assiettes : l'entrecôte sera pour monsieur et la salade fraîcheur pour madame. « C'est parce que mon mari n'a pas une tête de végétarien ou parce que mes hanches ont l'air assez rondes comme ça ? » ai-je interrogé le jeune homme gêné, qui a fini par nous offrir le dessert.

....

MARTA 18 ans | **À Noël**

À Noël chez nos grands-parents, mes deux frères et moi on se dépêche d'ouvrir nos cadeaux. Ludo est fou de joie : un bon pour faire du parapente quand le temps se sera réchauffé, il en rêvait depuis longtemps. Greg admire ses nouvelles chaussures de marche. Et moi, je me demande à quel moment j'ai donné l'impression d'avoir envie d'un fer à repasser...

....

2. A. Lisez les descriptifs suivants et dites pour chacun de quel type de discrimination il s'agit.

1. Discrimination fondée sur ....

On entend certains chefs d'entreprise dire qu'employer une femme peut représenter un risque car celle-ci peut tomber enceinte à tout moment, ce qui signifie pour un employeur une longue absence et la nécessité de la remplacer. De nombreuses femmes sont discriminées dans le monde du travail pour cause de maternité. Les mères de famille sont parfois licenciées car leur patron estime qu'elles manquent de disponibilité. Les jeunes femmes peuvent également se voir discriminées à l'embauche parce qu'elles présentent le risque d'une grossesse future.

2. Discrimination fondée sur ....

Un fumeur peut-il se voir refuser un emploi ? Un ancien détenu ? Un végétarien ? On entend par « mœurs » les habitudes de vie d'une personne et celles-ci peuvent parfois entrer en conflit avec certaines valeurs véhiculées dans l'entreprise. Par extension, ces discriminations ont été appliquées également à l'orientation sexuelle de la personne. Juridiquement, ces habitudes de vie relèvent du domaine privé et vous ne pouvez pas être discriminé(e) par votre employeur parce qu'il n'approuve pas votre vie privée.

3. Discrimination fondée sur ....

Parce que les métiers évoluent vite, les seniors ont souvent du mal à retrouver un emploi après un licenciement. Selon certains recruteurs, le senior a du mal à s'intégrer dans une équipe jeune. Lui sont généralement reprochés ses possibles problèmes de santé, ainsi que son coût salarial, généralement plus élevé que celui d'un jeune diplômé. Les seniors se trouvent ainsi discriminés dès la publication de certaines offres d'emploi où est précisée, de manière totalement illégale, la recherche d'un candidat de moins de 55 ans, voire de 45 ans.

2. B. Repérez dans chacun des textes les structures à valeur passive.

Texte 1 : ....   Texte 2 : ....   Texte 3 : ....

2. C. Choisissez un de ces textes et réécrivez-le en remplaçant les structures passives par des phrases à la forme active. Faites les transformations nécessaires.

3. Résumez les avancées de la lutte contre le racisme des années 1980 à nos jours en France en vous aidant des renseignements suivants. Utilisez le passif et les verbes de sens passif.

Les avancées de la lutte contre le racisme des années 1980 à nos jours en France.

DÉCEMBRE 1983 Autorisation de la première manifestation nationale pour l'égalité et contre le racisme, marche de 60 000 personnes.

JUIN 1985 En réponse à des crimes racistes survenus quelques mois plus tôt, organisation d'un concert antiracisme réunissant 300 000 personnes à Paris.

JUILLET 1990 Répression de tout acte raciste et xénophobe et obligation pour la Commission nationale consultative des droits de l'homme de publier un rapport annuel sur les progrès de la lutte contre le racisme.

JUILLET 2000 Instauration d'une journée nationale, le 16 juillet, à la mémoire des victimes des crimes racistes de l'État français.

Mai 2001 Reconnaissance par l'Assemblée nationale de la traite négrière et de l'esclavage des populations africaines, amérindiennes, malgaches et indiennes comme crime contre l'humanité.

Mai 2016 Suppression du mot « race » de la législation française.

LA NÉGATION ET LA RESTRICTION

4. Complétez ce texte à l'aide des négations manquantes.

| sans | ne... jamais | rien que |
| sauf | ni... ni | ne plus ... sans |

LA DISCRIMINATION POUR PRÉCARITÉ SOCIALE : DISONS-LUI NON ! ET TROUVONS-LUI UN NOM.

Le Sénat .... avait .... pénalisé les traitements différents accordés aux plus démunis avant 2016 ! En effet, depuis le 14 juin 2016, on .... peut plus mépriser les personnes en situation de détresse économique .... être puni par la loi.

La discrimination pour précarité sociale est désormais reconnue comme le 21e critère de discrimination et sera punie comme une insulte xénophobe ou sexiste. Une belle victoire pour ceux qui se voient refuser des contrats de location ou qui subissent des moqueries insultantes ; .... qu'ils ne souhaitent pas s'arrêter là. Comme ils l'ont fait remarquer, il s'agit d'un comportement discriminant .... nom spécifique, à l'inverse, par exemple de la discrimination raciale (« le racisme »).

Mais, ... de nouvelles mesures législatives .... une amende ne suffiront à faire prendre conscience de la force de l'offense : pour cela, il faudrait inventer un nouveau terme.

C'est pourquoi la campagne récente #UnNomPourDireNon veut aller plus loin et trouver une expression pour désigner ceux qui refusent les pauvres. Pour cela, nous sommes tous appelés à soumettre, sur les réseaux sociaux et via le hashtag ci-dessus, nos suggestions de noms.

.... en une semaine, l'association avait déjà reçu des centaines de propositions, dont six récurrentes. Pour les connaître et pour voter pour le terme qui vous semble convenir le mieux, rendez-vous sur leur site : http://lautre.com/nom-pour-dire-non/

5. En France, la loi sur le CV anonyme indique que ni la photo, ni la nationalité, ni le sexe, ni l'âge du candidat ne doivent apparaître sur les CV envoyés aux grandes entreprises. Depuis, cette loi est très critiquée. Reformulez ces critiques à l'aide de phrases négatives et restrictives. Puis, indiquez si vous êtes d'accord avec elles.

1. La seule chose que le CV anonyme permet c'est de repousser à l'entretien d'embauche la discrimination qui peut avoir lieu au moment de la lecture du CV.
→ ....

2. Il est difficile de se faire une idée de notre futur employé ou collègue quand on n'a pas de nom et qu'on n'a pas de photo.
→ ....

3. Une subvention pour les minorités victimes de discrimination à l'embauche suffirait à rétablir une égalité de traitement.
→ ....

6. Lisez l'introduction humoristique de ce guide de voyage sur la France. Puis réagissez à ces clichés en réécrivant le texte en utilisant des phrases négatives et restrictives.

Qui sont réellement les Français ?

Bien sûr, à table, ils sont tous de grands amateurs de vin : ils en consomment systématiquement au déjeuner, à l'apéritif et même au dîner. Le plateau de fromages l'accompagne toujours, évidemment. Comme vous le savez, tous les fromages – le roquefort, le comté, le brie... – et leurs amis ne peuvent être dégustés qu'avec une baguette fraîche ; c'est pourquoi vous verrez tout le monde se promener dans la rue avec une baguette sous le bras.

Dans la rue, vous croiserez seulement des gens en marinière avec un foulard rouge noué autour du cou et une fine moustache au-dessus de la lèvre supérieure. Attention de ne pas trop vous approcher d'eux : ils remplacent souvent la douche quotidienne par une bonne dose de parfum très odorant...

LES PROCÉDÉS ET FIGURES DE STYLE

7. Imaginez dans quel contexte ces litotes ont été prononcées. Puis, transformez-les en hyperboles.

1. Quand nos six mois de manifestations ont enfin abouti au retrait de la proposition de loi, nous n'étions pas mécontents du résultat !

→ ....

2. On lui a demandé de descendre de l'avion sous prétexte qu'il ne sentait pas la rose.

→ ....

3. Ce court-métrage sur l'hostilité envers les fumeurs n'était vraiment pas mal.

→ ....

4. Malheureusement, le responsable de leur groupe de solidarité n'est pas leur élément le plus brillant.

→ ....

8. A. Observez ces slogans utilisés lors d'une manifestation contre l'augmentation des frais de scolarité dans les universités québécoises.

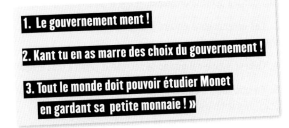

1. Le gouvernement ment !

2. Kant tu en as marre des choix du gouvernement !

3. Tout le monde doit pouvoir étudier Monet en gardant sa petite monnaie ! »

8. B. Comment les manifestants jouent-ils avec les mots ? Expliquez chaque jeu de mots.

1. ....

2. ....

3. ....

8. C. Observez ces panneaux aperçus lors d'une manifestation en France.

UN PETIT PAS POUR L'HOMME, UN GRAND PAS POUR L'HOMME ! **1**

LES HOMMES NAISSENT LIBRES ET ÉGAUX... ENTRE EUX. **2**

DES TRAITEMENTS ÉGAUX POUR DES ÉGOS ÉGAUX. **3**

DONNE DU POUVOIR AUX FEMMES SI T'ES UN HOMME. **4**

8. D. Quel était le thème de la manifestation ? Expliquez le sens de chaque panneau.

1. ....

2. ....

3. ....

4. ....

PISTE 6

9. Écoutez ces antiphrases et écrivez ce qu'elles veulent vraiment dire.

1. ....

2. ....

3. ....

4. ....

5. ....

LUTTER CONTRE LES DISCRIMINATIONS

10. Reliez les verbes aux compléments pour former des expressions, puis écrivez une phrase pour chaque expression. Il y a plusieurs réponses possibles.

1. Éradiquons   **A.** les actes sexistes !
2. Luttons contre   **B.** les mentalités !
3. Combattons   **C.** le grand public !
4. Interpellons   **D.** les idées reçues !
5. Faisons évoluer   **E.** les propos homophobes !

Éradiquons les idées reçues ! Encourageons les gens à faire connaissance avec ceux qui les entourent et à ne pas s'arrêter aux stéréotypes propagés.

11. L'association petits frères des Pauvres accompagne, depuis les années 1940, les personnes souffrant de l'exclusion, de la pauvreté, de maladies graves ou de la solitude. Elle donne la priorité aux plus de 50 ans et opère en France, au Canada, ainsi que dans de nombreux pays européens. Complétez la fiche descriptive de cette association. Vous pouvez vous servir de la carte mentale page 61.

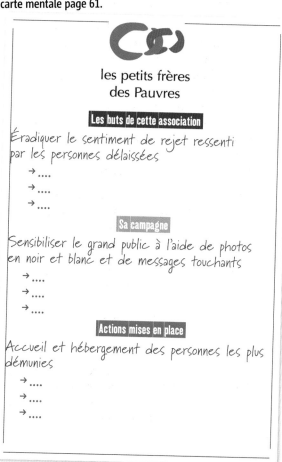

les petits frères des Pauvres

Les buts de cette association

Éradiquer le sentiment de rejet ressenti par les personnes délaissées

→ ....

→ ....

→ ....

Sa campagne

Sensibiliser le grand public à l'aide de photos en noir et blanc et de messages touchants

→ ....

→ ....

→ ....

Actions mises en place

Accueil et hébergement des personnes les plus démunies

→ ....

→ ....

→ ....

COMPRÉHENSION DES ÉCRITS

A. Lisez cet article et répondez aux questions.

La tyrannie de la beauté

La beauté est injuste. Elle crée des inégalités entre individus qui, bien que non dites, ont de très fortes implications sur le marché de l'amour ou sur celui du travail. [...]

De l'école au travail, la sélection par le beau

Le sociologue Jean-François Amadieu [...] a réalisé des expériences au constat sans appel. Un visage disgracieux sur une photo de candidature est un handicap certain. De même, un CV avec un visage d'obèse a moins de probabilités de décrocher un entretien d'embauche qu'un autre. [...] Au travail, être grand et beau est un avantage, y compris en matière de salaire.

Ce fait est encore renforcé dans nos sociétés de services où les relations publiques sont plus importantes que dans les sociétés industrielles. Certaines entreprises recrutent en tenant compte explicitement de l'esthétique. C'est le cas pour certaines tâches de représentation : hôtesse d'accueil, de l'air, steward, présentateur de télévision, etc.

Mais dans de nombreux autres cas, le critère esthétique opère sans être explicite : un manager qui recrute sa secrétaire, un chef qui recrute dans son service, un salon de coiffure ou un magasin de vêtements – il est toujours mieux pour l'image de marque d'une entreprise que les salariés qui la représentent soient beaux. Même à l'intérieur des équipes, bien qu'il n'y ait pas d'enjeu de représentation, le phénomène joue a priori. Dans les relations sociales ordinaires entre collègues, il a été démontré par des sociologues que les personnes les plus belles attirent plus de sympathie de la part de leurs collègues. On recherche plus volontiers leur compagnie. Inversement, il y a une mise à l'écart des obèses, des laids ou des handicapés.

La discrimination [...] se retrouve aussi dans la justice. Face aux juges, le « délit de sale gueule » joue un rôle et une mine patibulaire* appelle plus de suspicion qu'un visage d'ange.

Les beaux vers les beaux, les laids vers les laids

C'est incontestablement sur le marché de l'amour que la loi de la beauté est la plus implacable. Et la plus cruelle. En dépit de « l'amoureusement correct » qui voudrait que l'on aime une personne d'abord pour sa personnalité, sa générosité, son intelligence, son humour..., la beauté reste le facteur prédominant dans l'attraction entre les êtres.

Une belle gueule a évidemment infiniment plus de chance de pouvoir séduire la femme de ses rêves qu'un laideron. Et tout le monde n'a pas le bagout** et l'intelligence de Sartre pour compenser un physique ingrat. De ce point de vue, la sélection par le beau est assez intraitable. (...)

Bref, c'est triste à constater, à l'école, au travail, en amour, en amitié et dans les relations humaines en général, il vaut mieux être beau. Cela compte de façon significative dans le jugement porté sur nous. On comprend dans ces conditions que le maquillage, la musculation, les régimes amaigrissants, les produits « antiâge », antirides, la chirurgie esthétique, le Botox, bref tout ce que l'industrie de la beauté peut proposer, se portent bien. L'importance que l'on accorde aux apparences est tout sauf de la futilité. La beauté est un atout considérable dans les relations humaines.

* **patibulaire** effrayant, inquiétant
** **avoir du bagout** s'exprimer facilement

Source : Jean-François Dortier, www.scienceshumaines.com, août 2016.

1. Dans le monde professionnel, pourquoi le physique importe-t-il encore plus de nos jours que par le passé ? ....

2. Entre collègues, l'importance du critère de beauté opère de manière explicite. → V/ F

3. À votre avis, qu'est-ce que « le délit de sale gueule » ? ....

4. Expliquez la phrase suivante : « Et tout le monde n'a pas le bagout et l'intelligence de Sartre pour compenser un physique ingrat. »

5. Quelles sont les conséquences économiques de ce règne de la beauté ? ....

COMPRÉHENSION DE L'ORAL

PISTE 7

B. Écoutez cet extrait d'émission de radio et répondez aux questions ci-dessous.

1. L'orthographe n'est jamais un critère de discrimination en France. → V / F

2. À cause d'erreurs d'orthographe, on peut être jugé/e comme quelqu'un de peu sérieux, même si on est un/e excellent/e professionnel/le. → V / F

3. Ces erreurs sont encore plus discriminantes lorsqu'on cherche du travail. → V / F

4. Que se passe-t-il quand le recruteur repère une erreur ? ....

5. En quoi notre entourage peut-il nous aider à éviter la discrimination avant l'envoi de notre dossier ? ....

6. Bien que tous les Français fassent des erreurs, la discrimination à l'orthographe reste très forte. → V / F

PRODUCTION ÉCRITE

C. Vous participez à un forum en ligne dédié à l'accueil des étrangers. Une internaute poste le commentaire suivant. Répondez à ces propos en exprimant votre point de vue.

Bienvenue en France — Le forum pour s'exprimer

👤 **Elizaveta** 22 ans

Originaire de Moscou, je vis à Aix-en-Provence depuis deux ans, j'y ai de nombreux amis. Mon accent russe est très fort, et quand je rencontre de nouvelles personnes je remarque qu'elles présupposent souvent comment je vais me comporter. Elles espèrent que je « colle » au stéréotype russe. J'hésite à prendre des cours de phonétique pour gommer mon accent. J'aimerais être vue comme « Elizaveta » et non comme « la Russe ». Cependant, j'ai peur qu'une partie de ma personnalité disparaisse avec mon accent... Qu'en pensez-vous ?

L'EXPRESSION DES SENTIMENTS

1. Un conseiller conjugal partage les problèmes qu'il entend le plus souvent lors des thérapies de couple. À l'aide du vocabulaire ci-dessous, formez des phrases pour retrouver les reproches, les souhaits et les espoirs entendus en conjuguant les verbes au mode qu'il convient.

> accorder moins d'attention à leur apparence

> prendre plus d'initiatives dans leur relation

> être plus affectueux(se)   être moins égoïste

> ne pas exprimer ses sentiments

> faire plus de compromis à l'avenir

> faire passer sa vie professionnelle en premier

Les patients regrettent que leur conjoint(e) ....
Les patients souhaitent que leur conjoint(e) ....
Les patients espèrent que leur conjoint(e) ....

2. Ce site de rencontres amicales et amoureuses demande à ses membres de compléter leur profil. Dressez votre profil amical et romantique en complétant les phrases à l'aide du subjonctif.

WWW.MYTHOK.EN
trouvez vos âmes sœurs

Choisissez une photo qui vous représente bien

Mes relations

En amitié, j'aime bien que *mes amis soient aussi actifs et dynamiques que moi (qui suis presque hyperactive !)*

En amour, j'aime bien que ....

En amitié, je déteste que ....

En amour, je déteste que ....

Avec mes nouveaux amis, j'adorerais ....

Avec mon futur copain / ma future copine, j'adorerais ....

3. Lisez le discours de deux témoins pour le mariage de leur meilleur ami et complétez leurs phrases en utilisant le subjonctif, l'indicatif ou l'infinitif.

> Avant de commencer, Ruy, on est désolés que tu ..... (être) aussi fatigué par l'enterrement de vie de garçon mais on est sûrs que danser de manière endiablée t' ..... (permettre) de te détendre avant ce grand jour !
>
> Plus sérieusement, on est vraiment flattés d'..... (être) les témoins de votre union. On regrette que tu .... (ne plus vouloir) faire la fête avec nous jusqu'à 7 h du mat', mais on est tellement émus de vous ..... (voir) heureux avec Patrizia que rien d'autre ne compte.
>
> Par contre, on aimerait que vous ..... (arrêter) de vous embrasser quand on est au restaurant, que vous ..... (dire) adieu aux petits noms ridicules comme « mon loup » et « ma biche » en public, et que vous ..... - (ne plus se tenir) plus la main en permanence : vous ralentissez toujours le groupe quand on part en randonnée ! Mais surtout, on espère que vous ..... (s'occuper) bientôt d'un vrai bébé plutôt que de continuer à vous émerveiller devant votre labrador.

L'EXPRESSION DU BUT

4. Les techniques de séduction ont bien évolué au fil des époques. Pour en découvrir quelques-unes, reliez les deux parties des phrases à l'aide des expressions de but ci-dessous.

> de crainte de   de manière à   en vue de

> dans l'espoir que   en s'efforçant de

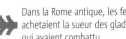 Dans la Rome antique, les femmes achetaient la sueur des gladiateurs qui avaient combattu...

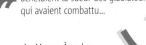 Au Moyen Âge, les hommes faisaient la cour à l'aide de poèmes...

 Aux XVIIIᵉ et XIXᵉ siècles, on faisait passer des billets doux à la sortie de l'église...

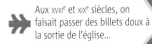 Dans les années 80, on discutait et s'agitait en discothèque sur la musique de l'époque...

 Aujourd'hui, on se rend à des phéromones parties, où l'on fait sentir notre t-shirt sale aux cœurs à prendre...

 danser de manière irrésistible.

 tester notre compatibilité génétique.

 toucher le cœur de leur bien-aimée.

 leur odeur attire les hommes.

 ne pas croiser l'élu(e) de son cœur ailleurs.

5. Est-ce que vos amis et vous avez des techniques de séduction ? Décrivez-en trois en utilisant les expressions de but.

Mon pote Raf aborde toujours les filles dans les bars en leur demandant : « Si on organisait un combat entre Scar, du Roi Lion, et Jafar, d'Aladdin, qui est-ce qui gagnerait ? ». Histoire de lancer un débat amusant... et pour savoir si elles ont de l'humour ! ....

1. ....
2. ....
3. ....

6. Quels sont les secrets d'une amitié qui dure ? Écoutez les témoignages de ces amis de longue date et résumez leurs conseils.

PISTE 8

Isa et Sophie : ....
Oscar et Benjamin : ....
Stef et Mo : ....

L'ACCORD DU PARTICIPE PASSÉ

7. A. Le site www.ruptures-pourries.en propose aux internautes de partager leurs pires histoires de ruptures amoureuses. Complétez ces témoignages avec les verbes entre parenthèses conjugués aux temps du passé.

Mayara

Je .... (se laisser séduire) par un Casanova ! Pour notre premier rendez-vous, il m' .... (inviter) dans un resto romantique, m' .... (apporter) un bouquet de roses rouges, m' .... (confier) qu'il .... (tomber) sous mon charme. Bon, j'avoue, tout ça m' .... (faire craquer), on .... (se donner rendez-vous) la semaine suivante. Le lendemain, je .... (se rendre) au café qu'il m'avait dit aimer pour le déjeuner, j'y .... (entrer) et l' .... (trouver) en train d'embrasser une jolie rousse ! Ils .... (s'arrêter) et il m' .... (regarder), perplexe. Une histoire vite commencée et vite finie !

> **Commentaires**

Valentin

Après un mois et demi de relation tiède avec Laura, nous .... (se donner) rendez-vous dans un bar « pour parler ». Juste avant qu'on se retrouve, elle m' .... (appeler) pour me dire de commander sans elle car elle aurait un peu de retard. Trois verres et quatre paquets de chips plus tard, elle n' .... (arriver) toujours pas. Bref, elle .... (poser) un lapin ! Pour me venger, j'ai partagé avec tous nos amis une photo d'elle avec de la salade entre les dents.

> **Commentaires**

Nathalie

Un après-midi, on .... (se quitter) de bonne heure car il avait prétendument un entraînement de handball le soir. Mais une heure plus tard, il .... (envoyer) un texto : « Douché, rasé, parfumé pour toi Natasha ;-) à tout de suite ! » Il m' .... (téléphoner) deux minutes plus tard et m' .... (laisser) un message paniqué, mais je l' .... (ignorer) : moi, c'est Nat... halie ! Natasha, c'est sa jolie prof de conduite. Et moi qui me demandais pourquoi il n'avait toujours pas son permis...

> **Commentaires**

Mohamed

Clémentine et moi, on .... (commencer) à discuter sur une appli qui ne dévoile pas de photos de son interlocuteur. Tous les deux, on .... (se lasser) de Tinder : on rencontrait des gens qui nous plaisaient physiquement mais avec qui on ne partageait pas grand-chose. Bref, on .... (passer) à cette nouvelle appli, et après une question marrante que Clem m' .... (poser), on .... (ne pas pouvoir) s'arrêter de discuter, jour et nuit ! J'étais sûr que ça allait devenir une grande histoire. Après trois semaines comme ça (et plein de « mon trésor » et de mentions subtiles d'un avenir à deux), elle .... (rentrer) de l'étranger et on .... (se trouver) enfin dans la même ville. On .... (se dépêcher) de se donner rendez-vous dans un joli café de Limoges : elle porterait une chemise à carreaux et moi mes lunettes à grosse monture. Arrive le jour J : tout transpirant, sur mon tabouret, j' .... (apercevoir) la chemise à carreaux tant attendue... portée par une fille faisant une tête de plus que moi et pas du tout mon style ! En une seconde à peine, j' .... (enlever) mes lunettes et .... (se mettre) à réfléchir : que faire ? Nos personnalités allaient si bien ensemble ! Je .... (se dire) qu'après tout, « avoir un style de fille » c'était complètement superficiel, que c'était sûrement le stress qui me faisait réagir comme ça. J' .... (remettre) mes lunettes... pour lire le message qu'elle m' .... (envoyer) : « Désolée Mohamed, ta personnalité est à la hauteur de mes attentes, mais tes lunettes n'arrivent même pas à la hauteur de mes épaules. »

> **Commentaires**

7. B. À votre avis, qui est le plus méchant ou la plus méchante dans chaque rupture ?

8. L'Américaine Hannah Brencher écrit des lettres d'amour... à des inconnus ! Deux personnes ont assisté à son discours à New York et nous expliquent en quoi consiste sa démarche. Écoutez-les et décrivez les lettres (qui les écrit ? qui les reçoit ? etc.) en utilisant les éléments ci-dessous.

PISTE 9

D'abord, les lettres ....
Puis, elles ....
Ensuite, ces lettres ....
Aujourd'hui, les lettres ....

L'EXPRESSION DES REGRETS

9. Dans un dossier sur le regret, un magazine publie deux histoires d'amitiés perdues. Lisez ces témoignages, puis formulez les sentiments de la personne interrogée à l'aide des expressions ci-dessous.

s'en vouloir de	être désolé/e	être navré/e
regretter de	regretter que	déplorer (que)

Lycia

J'ai eu le malheur d'écouter mon ex-copain, que je connaissais depuis 8 mois, plutôt que mon groupe d'amis et de potes du lycée. Ils ont tenté de me prévenir que mon amoureux de l'époque n'était pas aussi adorable qu'il le prétendait, mais je leur ai rétorqué qu'ils étaient célibataires depuis si longtemps qu'ils étaient devenus amers et jaloux, et j'ai suivi mon ex à New Delhi. Heureusement, j'ai rapidement trouvé un travail et je me suis bien intégrée. Malheureusement, mon ex me trompait depuis le début de notre relation, et notre histoire s'est finie un an plus tard. Le pire, c'est que je n'ai pas réussi à renouer avec ces amis de lycée.

Arthur

De la maternelle à la première, j'étais inséparable de Nico. Les profs comme nos potes nous appelaient «ArthuretNico». On faisait tout ensemble et on partageait tout. Malheureusement, le jour où il m'a confié qu'il était gay, quand on avait 17 ans, j'ai super mal réagi... Dans ma petite tête d'ado stupide, j'ai pensé qu'il était sûrement amoureux de moi. Alors que ce n'était pas du tout le cas. On était vraiment comme des frères. Mais je n'ai pas voulu l'écouter. Je lui ai lancé que notre amitié reposait sur un mensonge et qu'on ne pouvait plus être amis... Je suis revenu sur mes propos quelques semaines plus tard, mais c'était trop tard, quelque chose s'était brisé. J'avais perdu mon ami d'enfance.

10. Y a-t-il des choses que vous regrettez de ne pas avoir faites ou apprises quand vous étiez enfant ou adolescent/e ? Citez trois exemples.

Je regrette de ne pas avoir fait du hockey avec mon amie Colline. Elle me l'avait proposé et j'avais refusé. C'est dommage parce que j'aurais fait un peu de sport et, surtout, on se serait bien amusées.

EXPRESSIONS ET DÉFINITIONS DE L'AMOUR

11. Retrouvez la définition de chaque expression ou proverbe et observez leur sens littéral. Qu'en pensez-vous ? Choisissez ensuite l'expression qui vous plaît le plus et cherchez ou dessinez une image qui pourrait l'illustrer.

avoir quelqu'un dans la peau	être un cœur à prendre
se prendre un râteau	loin des yeux, loin du cœur
briser le cœur de quelqu'un	déclarer sa flamme

Exprimer son amour pour quelqu'un à qui on ne l'avait pas encore dit.

Éprouver de la passion pour quelqu'un, ne pas pouvoir s'empêcher de l'aimer.

Provoquer un chagrin d'amour ou faire souffrir quelqu'un qui est amoureux.

N'être amoureux/se de personne mais être disposé/e à vivre une histoire d'amour.

Draguer ou essayer de séduire quelqu'un et recevoir un refus.

Je l'ai dans la peau.

Proverbe signifiant que l'absence ou les distances peuvent fragiliser l'amour.

12. A. En Grèce antique, « l'amour » se définissait de nombreuses manières, en voici trois. Trouvez le mot ou l'expression en français qui correspond à chaque terme grec. Ensuite, dites pour qui l'on ressent souvent cette forme d'amour.

amour familial	amitié	passion amoureuse

Eros : ....
Il s'agit d'un amour intense, d'un feu ardent alimenté par le désir physique. Il peut demeurer superficiel et égoïste, ou se transformer en amour profond à mesure qu'on connaît mieux la personne qu'on aime.
En général, on ressent ce type d'amour pour...

Philia : ....
C'est un amour complice, d'égal à égal, en toute confiance et loyauté. Il grandit avec le temps et permet de faire face, côte à côte, aux diverses épreuves de la vie.
En général, on ressent ce type d'amour pour...

Storgê : ....
Dépourvu d'attirance physique, c'est souvent la première forme d'amour qu'on expérimente. On peut être lié/e à vie aux personnes envers lesquelles on éprouve cette forme d'amour très puissante.
En général, on ressent ce type d'amour pour...

12. B. Quelles sensations ou sentiments associez-vous à chaque forme d'amour ?

Quand on est amoureux ou amoureuse, on a le cœur qui bat la chamade dès que l'autre s'approche. On a envie de le toucher, de lui dire qu'on est dingue de lui...

COMPRÉHENSION DES ÉCRITS

A. Lisez cet article et répondez aux questions.

Tous fous de leur toutou

Publié le 2 janvier 2016 par Louise

10 000 ans avant Jésus-Christ, en Israël, on enterrait les chiens avec leur maître. En Égypte antique, on érigeait des statues à la gloire des chats. Aujourd'hui, on fabrique pour nos amis à quatre pattes des colliers à 2,4 millions d'euros à l'heure où les Français dépensent déjà 4,3 milliards d'euros par an pour eux. Arrêtons donc de nous moquer du directeur artistique de Chanel qui crée une ligne de vêtements pour Choupette, sa chatte birmane : nous sommes tout aussi obsédés !

Comment justifier les liens affectifs à toute épreuve entre humains et animaux ?

Nous sommes les seuls mammifères à en adopter d'autres (avez-vous déjà vu des chevaux s'occuper de lapins ?). Contrairement à ce qu'affirment les détracteurs de nos compagnons poilus, cette envie d'avoir un animal à nous ne relève pas d'un désir de domination ; c'est en réalité un désir de complicité et de simplicité.

La relation simple que nous entretenons avec notre animal de compagnie a un aspect apaisant. La relation homme-bête est émotionnellement rassurante parce que l'amour que nous portons à nos animaux est simple, sans complications. Les animaux sont francs, faciles à comprendre, directs, fidèles à leur maître… un trait qui nous incite à laisser notre cerveau au repos. Les animaux ne nous jugent pas. De nombreux programmes thérapeutiques fondés sur le jeu et la tendresse avec chiots et chatons ont d'ailleurs été mis en place. La facilité de la relation avec l'animal, l'humour et la légèreté qu'il nous inspire, ont incité des hôpitaux, des écoles, et des programmes de réinsertion à faire appel à eux, encadrés par des thérapeutes.

Les liens affectifs que nous tissons avec nos bêtes à poils se créent aussi à l'aide… de la communication ! Quand Lassie aboie, quand Flipper le dauphin siffle, quand l'orque Willy remue ses nageoires, leurs fidèles compagnons humains savent immédiatement ce qu'ils sont en train de leur dire. Certes, leur vocabulaire est limité, mais avec le temps, nous associons leurs bruits et gestes aux besoins qu'ils expriment, si bien que nous comprenons ce qu'ils nous disent.

La communication avec l'animal est parfois encore plus transparente que celle entre humains. Effectivement, nos confidents poilus sont extrêmement perceptifs à nos changements d'humeur ; ils ressentent instinctivement notre non-dit émotionnel. Nous ne pouvons guère leur cacher notre frustration ou notre mal-être, ils lisent en nous sans que nous ayons besoin d'ouvrir la bouche. Qu'on le veuille ou non, nous nous mettons à nu pour nos bêtes à poils.

D'autres adoptent un animal de compagnie non pour communiquer avec ce dernier, mais pour qu'il l'aide à communiquer avec d'autres maîtres. Pensez aux 101 dalmatiens : la rencontre entre les deux chiens au parc mène à la rencontre des deux propriétaires. De la même manière, en promenant un adorable chiot au parc on s'attire une foule de regards et de remarques pleines de tendresse, qui, en outrepassant les habituels rituels de communication, la facilitent grandement.

Par conséquent, nos amis poilus occupent une place primordiale dans notre vie pour des motifs loin d'être superficiels et si nous sommes fous d'eux, nous avons bien raison.

1. L'enthousiasme disproportionné des propriétaires pour leur animal domestique est caractéristique du XXIe siècle. → V / F

2. En quoi notre relation avec notre animal de compagnie est-elle apaisante ? Citez deux raisons.

→ ....
→ ....

3. Comment les animaux communiquent-ils avec leurs maîtres ? ....

4. Les animaux ne ressentent pas nos changements d'humeur. → V / F

5. En quoi l'animal peut-il faciliter la communication entre humains ? ....

COMPRÉHENSION DE L'ORAL

PISTE 10

B. Écoutez l'émission de radio suivante puis répondez aux questions.

1. Que propose le nouvel outil de Facebook ? ....

2. Il est indiqué à la personne filtrée que nous ne souhaitons plus qu'elle apparaisse. → V / F

3. Indiquez deux éléments qui n'apparaîtront plus pour vous sur Facebook.

→ ....
→ ....

4. Si vous souhaitez continuer de voir l'actualité de votre ex, Facebook ne vous en empêchera pas. → V / F

5. À quel moment l'option de filtrer un ex vous est-elle proposée ? ....

PRODUCTION ÉCRITE

C. À l'occasion de la journée internationale de l'amitié, un magazine masculin propose un numéro spécial : « L'amitié homme-femme : contradiction impossible à dépasser ou fraternité transcendant nos instincts ? » Vous rédigerez l'éditorial de ce numéro.

LES CONSTRUCTIONS IMPERSONNELLES

1. A. Chaque année, les États membres des Nations unies se réunissent lors d'une conférence (la COP) sur le réchauffement climatique. Reliez les phrases pour retrouver les résultats de la COP 22 qui a eu lieu à Marrakech.

1. Il est décevant de...
2. Il est navrant que...
3. C'est fantastique que...
4. C'est incroyable de...
   A. 83 millions de dollars aient été collectés lors de la COP22.
   B. tous les pays n'aient pas encore établi leur plan « zéro émissions net ».
   C. observer les États accepter tour à tour les mesures écologiques.
   D. apprendre que 48 pays n'ont toujours pas commencé à produire d'énergies renouvelables.

1. B. À l'aide des actions suggérées ci-dessous, rédigez la marche à suivre pour chaque enjeu de l'exercice 1A en utilisant les constructions impersonnelles.

> inciter tous les États membres à faire de même

> s'engager à réduire considérablement les gaz à effet de serre

> utiliser la somme reçue pour continuer de lutter contre le réchauffement climatique

> obliger les mauvais élèves à passer à l'action

Parce qu'il est décevant de..., il faut que les États membres...
1. → ....
2. → ....
3. → ....
4. → ....

2. A. Observez ces récentes inventions écologiques assez originales. Complétez ces phrases pour expliquer le fonctionnement de chaque invention en utilisant les constructions impersonnelles.

DES INVENTIONS ÉCOLOGIQUES ORIGINALES

LA MACHINE À TRANSFORMER VOS DOCUMENTS EN PAPIER TOILETTE

Quel gâchis chaque jour au travail quand vous détruisez les feuilles de papier dont vous n'avez plus besoin. Heureusement, une entreprise japonaise a inventé une machine pour transformer ces documents en papier... toilette. Les feuilles mises dans la machine sont d'abord coupées, puis mélangées à de l'eau, affinées, séchées, avant de sortir de la machine sous forme de rouleau de papier toilette, utilisable immédiatement.

LE RIDEAU DE DOUCHE ANTI-LONGUES DOUCHES

Pour gaspiller moins d'eau, il suffit de prendre des douches plus courtes ; c'est évident, mais une fois sous l'eau bien chaude, vous perdez toute notion du temps. Votre montre ne va pas sous l'eau ? Ce n'est plus une excuse ! Grâce à ce rideau qui gonfle avec l'humidité, vous n'aurez plus la place de rester dans la baignoire. Ainsi, finies les douches de plus de 5 minutes !

LES CHARGEURS DE TÉLÉPHONE « PORTABLES »

Si vous culpabilisez de recharger sans arrêt votre smartphone, mettez-vous à l'énergie solaire.

Mieux, mettez de l'énergie solaire !

Il est désormais possible de porter des vestes à panneaux solaires intégrés et d'y brancher jusqu'à deux téléphones pour en recharger la batterie. À l'extérieur, votre batterie ne sera jamais à plat et vous ne consommerez pas d'énergie polluante.

1. La machine à transformer les documents en papier toilette.
   → *Pour l'utiliser correctement, il convient juste...*

2. Le rideau de douche anti-longues douches.
   → *Il s'agit en fait...*

3. Les chargeurs de téléphone « portables ».
   → *Afin d'arrêter de consommer des énergies polluantes pour recharger son téléphone, il suffit...*

2. B. Que pensez-vous de chaque invention ? Donnez votre avis en utilisant les constructions impersonnelles.

3. Une empreinte écologique inexistante, ou presque ? C'est possible ! Sélectionnez les cinq conseils qui vous paraissent absolument essentiels et rassemblez-les dans un petit texte en utilisant les constructions impersonnelles.

CONSEILS POUR VIVRE SANS LAISSER D'EMPREINTE ÉCOLOGIQUE

1 Dites au revoir aux produits importés et hors saison, préférez-leur des produits locaux.

2 Renoncez à commander pizzas et autres plats à emporter livrés dans des boîtes.

3 Passez aux produits de toilette (rasoirs, couches pour les bébés, produits d'hygiène féminine) sans plastique mais lavables et réutilisables.

4 Une fois leur contenu mangé, rapportez vos boîtes d'œufs et vos barquettes de framboises aux vendeurs du marché pour qu'ils les réutilisent.

5 Abonnez-vous en ligne aux journaux et magazines que vous lisez et arrêtez d'acheter la version papier.

6 Dites adieu aux moyens de transport motorisés.

7 Allez faire les courses avec vos boîtes et Tupperware et n'achetez aucun produit dans un emballage.

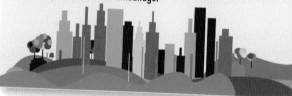

LES PRONOMS INDÉFINIS

4. Complétez le texte avec les pronoms indéfinis suivants.

| tout le monde | tous | rien | nul | chacun |

| personne | aucun | quelque chose |

12/10/16

AOÛT ÉCOLO : INITIATIVES

Ravi travaille dans une entreprise de surveillance de la qualité de l'eau. Avec ses collègues, ils ont décidé de ne plus se laver les cheveux pendant un mois et demi. Cet éco-geste, en vogue depuis 2015, permet non seulement d'économiser l'eau (rare à cette période) mais aussi d'éviter d'utiliser du shampooing, qui renferme des produits chimiques polluants pour les sols.

J'ai découvert cet éco-geste en Australie : là-bas, parmi mes amis, ... ne se lavait les cheveux ! Hommes comme femmes, ... se contentaient de se frotter le cuir chevelu pour en faire tomber la poussière ; ils utilisaient leurs mains et ... de plus. Leur motivation est de limiter la pollution des sols, mais ils souhaitent aussi qu'aucun animal ne soit utilisé pour tester les produits cosmétiques. ... peut faire ..., selon eux. Ce sont les mêmes raisons qui m'ont conduit à présenter ce geste écolo à mes collègues.

Après six semaines, ... ne niera que ses cheveux sont encore plus beaux qu'avant ! Et ... ne semble regretter le shampooing. En effet, le corps est censé s'autoréguler et absorber l'excès de gras, rendant le shampooing superflu pour ....

5. Observez les résultats de l'expérience et détaillez-les dans un mail pour les employés en utilisant les pronoms indéfinis.

Pendant l'expérience, sur 22 hommes et 28 femmes :
- ont seulement utilisé la technique « frotter pour laver » : 20 hommes, 0 femme
- ont utilisé du talc pour absorber l'excès de gras : 13 personnes
- ont acheté un shampoing sec biodégradable : 15 personnes
- ont abandonné avant mi-septembre : 0 personne

Après l'expérience :
- ont constaté que leurs cheveux avaient poussé plus vite : 50 personnes
- ont admis qu'après 6 semaines, le shampooing n'était plus nécessaire : 15 personnes
- ont décidé d'abandonner le shampooing : 10 personnes
- sont prêts à retenter l'expérience l'année prochaine : 47 personnes

6. Complétez les réactions de ces internautes à un documentaire sur l'aggravation de la crise écologique avec les pronoms indéfinis ci-dessous. Puis, associez chaque argument écolo au commentaire auquel il répond.

| tout le monde | tous | quiconque | plusieurs |

| n'importe quoi | n'importe qui |

a
L'échange de biens dans les petites communautés qu'on voit ici, ce troc, c'est pour une minorité de gens ; il faut sûrement avoir des poules, de la laine, ou d'autres produits agricoles précis pour pouvoir y participer. Mais on n'est pas tous fermiers !!

b
Vous affirmez que chacun peut agir, que chacune de nos actions compte, mais je suis d'avis que personne ne peut avoir d'impact à l'échelle mondiale.

c
On voit ici des marchés bio locaux, mais ils sont hors de prix !

d
J'ai l'impression que si on veut protéger l'environnement, on ne doit plus rien manger ! Ou alors, que de l'herbe et des graines. Ce n'est pas une vie !

Mais .... peut choisir d'acheter, au supermarché, des clémentines et des carottes plutôt que des cerises et des tomates en plein mois de décembre !

Vous dites sûrement ça parce que vous êtes paresseux ! .... dispose d'un peu de motivation peut avoir un impact. .... peut éteindre la lumière en sortant d'une pièce et fermer le robinet d'eau pendant qu'il se brosse les dents, c'est à la portée de ....

Il est vrai que .... produits sont diabolisés, mais vous n'êtes pas forcé d'y renoncer, il suffit d'en consommer de manière exceptionnelle. L'idéal serait de se soucier de la provenance, de la quantité, des conditions de fabrication, des emballages. Ça demande de faire plus attention, mais ça ne vous oblige pas à vous nourrir comme un lapin !

Avec le système du troc, vous pouvez échanger ...., du moment que ce que vous avez correspond aux besoins d'un autre membre de la communauté.

L'EXPRESSION DE LA CAUSE

PISTE 11

7. Écoutez ces extraits de l'émission de radio « la crise écologique expliquée aux enfants », puis décrivez de manière plus soutenue la cause de chaque enjeu environnemental en variant les expressions de cause.

> 1. LA FONTE DE LA BANQUISE.
> → ....
> 2. LA DÉFORESTATION.
> → ....
> 3. LA DISPARITION DES ESPÈCES.
> → ....

8. A. Économie collaborative rime parfois avec écologie collaborative ! Observez les initiatives collaboratives ci-dessous.

- le covoiturage
- les boutiques de vêtements d'occasion
- les cafés-réparation
- le partage d'objets ménagers

8. B. Reformulez-les en remplaçant les structures suivies de phrases par des structures suivies de noms, puis retrouvez la forme d'économie collaborative dont il s'agit.

1. Parce que la fabrication d'un jean neuf requiert entre 5 000 et 25 000 litres d'eau, Philippe a décidé de ne porter que des pantalons de seconde main.
→ *À cause des conditions de fabrications des jeans neufs,....*
2. Étant donné qu'elle utilise rarement son aspirateur et sa machine à laver très performants, Ikram a proposé à tout l'immeuble de les utiliser le week-end.
→ ....
3. Sous prétexte qu'elle n'a pas de patience et n'est pas douée pour les choses manuelles, Julia se rend avec ses objets cassés dans des lieux où l'on s'entraide pour les réparer.
→ ....
4. Comme en discutant un jour ils se sont rendu compte qu'ils habitaient tous dans le même quartier, trois collègues ont décidé de faire le trajet ensemble tous les matins en changeant de conducteur chaque semaine.
→ ....

9. Des recherches fausses et farfelues ont conclu que le régime végan pourrait être plus néfaste pour la planète qu'un régime omnivore. Observez ces relations de cause à effet et transformez-les en phrases en utilisant les expressions de cause.

Les personnes véganes :
1. se nourrissent en grande partie de fruits et légumes → ces produits sont gourmands en eau et en surfaces cultivées → exploitation excessive des ressources naturelles.

Étant donné que les personnes véganes se nourrissent en grande partie de fruits et légumes, les ressources naturelles sont exploitées excessivement. En effet, les fruits et légumes sont des produits gourmands en eau et en surfaces cultivées.

2. substituent souvent le lait de vache par du lait de soja → remplacement de la forêt amazonienne par des champs de soja → déforestation de l'Amazonie
→ ....
3. mangent une quantité de légumes considérable → la production de légumes requiert plus de ressources pour le même nombre de calories que des produits issus des animaux → augmentation de l'émission de gaz à effet de serre
→ ....
4. consomment plus de noix (noix de cajou, amandes...) que les omnivores → il faut quatre litres d'eau pour produire une seule amande → gaspillage d'eau
→ ....
5. remplacent les protéines animales par le tofu et le substitut Quorn → ces produits doivent être importés et transportés par avion → émissions de CO_2
→ ....

L'ENGAGEMENT ÉCOLOGIQUE

PISTE 12

10. À l'occasion de la journée de la transition énergétique à l'université de Corse, des bénévoles interrogent les étudiants sur leur engagement écologique. Écoutez les témoignages des trois personnes interrogées. À l'aide des expressions ci-dessous, définissez leur profil puis décrivez leur attitude envers la cause de l'écologie et de la transition énergétique.

> écolo-sceptique | je m'en foutiste | écologiste
> se désintéresser de | être indifférent à | se sentir concerné par
> en avoir marre de | être optimiste quant à | émettre des doutes sur

Lofred
en licence de commerce international
Son profil : ....

Son attitude envers la transition énergétique : ....

Leïla
en master d'algèbre appliquée
Son profil : ....

Son attitude envers la transition énergétique : ....

Akash
doctorant en littérature anglaise
Son profil : ....

Son attitude envers la transition énergétique : ....

COMPRÉHENSION DES ÉCRITS

A. Lisez cet article et répondez aux questions.

Si les vaches rotaient moins, on respirerait mieux

Les défenseurs d'une alimentation sans lait et sans viande rouge accusent généralement l'agriculture bovine d'être trop gourmande en eau. Ils oublient souvent d'accuser les vaches elles-mêmes… À tort ! Ces dernières émettent, en un an, autant de gaz à effet de serre que 15 millions de voitures. Nous ne reprochons pas aux vaches de manger ou de boire à excès : nous blâmons leurs rots. Le maïs et le soja qui constituent la base de leur alimentation sont transformés, dans leur estomac, en méthane, un gaz qu'elles expulsent par la bouche, polluant ainsi au même titre que les camions qui transporteront leur lait.

Et si la solution était simplement… une meilleure alimentation ? Des recherches menées depuis 2013 dans 75 exploitations européennes ont démontré que compléter les repas des bovins par des graines de lin cuit permettraient de réduire la production de méthane de 10 à 37 % (selon la quantité d'herbe consommée en plus). Ces chiffres ne vous paraissent pas épatants ? Gardez à l'esprit que comparé au CO_2 (un autre gaz à effet de serre) le méthane est 25 fois plus puissant ; ainsi, toute chance d'en réduire la production est à accueillir à bras ouverts.

Réduire les importations de soja et les rots des vaches grâce au lin, c'est faire d'une pierre deux coups ! Mais cette amélioration a un coût. Les éleveurs ont d'abord fait la grimace : la ration de lin coûte 10 % de plus que celle de soja ou de maïs. Cependant, sur le long terme, tout le monde y gagne ; en effet, le lin augmente la lactation : non seulement, les vaches produisent plus de lait, mais en outre, celui-ci est de meilleure qualité. La qualité de la viande elle-même est rehaussée : comme le lin contient une foule d'oméga-3, ceux-ci sont stockés dans la viande et nous en bénéficions en la mangeant.

Ces découvertes auront donc un impact positif sur la planète et sur les consommateurs, mais seulement à une condition. Les écologistes craignent qu'avec l'annonce de ce remède aux rots de vache, nous culpabilisions moins en dégustant notre steak et qu'ainsi nous augmentions notre consommation de viande. Celle-ci resterait de meilleure qualité, la pollution issue du transport du soja serait diminuée, mais l'objectif de préservation de l'environnement tomberait à l'eau comme la quantité de bovins élevés serait accrue. Le conseil des écolos : la situation n'est pas résolue, nous l'aggravons moins, c'est tout. Restons donc raisonnables dans notre consommation de viande.

En parallèle à ces découvertes alimentaires, une équipe indienne de chercheurs en génétique a eu l'idée de trouver le gène permettant aux vaches de rejeter moins de méthane. Une fois trouvé, ils souhaitent l'isoler et développer des troupeaux de super-vaches dont l'organisme produirait moins de gaz. Devons-nous craindre de voir bientôt, en faisant nos courses, une étiquette « vache génétiquement modifiée » ?

Sophie, Quoideneufsurterre.en, août 2016

1. Les émissions de méthane issues de l'agriculture bovine proviennent principalement :

☐ de la quantité d'eau requise pour nourrir les animaux et en transformer la viande.
☐ des moyens de transports utilisés pour l'importation et la distribution des produits.
☐ de l'organisme des vaches.

2. Une amélioration de 10 % à 37 % ne vaut pas la peine de changer l'alimentation des bêtes. → V / F

3. Quels sont les deux avantages de l'alimentation au lin pour le commerce des éleveurs ?
→ ....
→ ....

4. Que redoutent les écologistes ? ....

5. Comment les chercheurs indiens comptent-ils réduire les quantités de méthane émises par les vaches ? ....

COMPRÉHENSION DE L'ORAL

PISTE 13

B. Écoutez cette émission de radio puis répondez aux questions suivantes.

1. Le « pollueur payeur » doit payer une somme proportionnelle à la quantité d'ordures recyclables et non-recyclables qu'il jette. → V / F

2. Quel est l'objectif de la redevance incitative ? ....

3. La redevance incitative est plus juste que la taxe sur l'enlèvement des ordures ménagères car cette dernière est calculée par rapport :
☐ au nombre de personnes vivant dans un foyer.
☐ à la surface habitée.
☐ au prix des impôts payés.

4. En quoi cette façon de calculer la taxe était-elle injuste ?
....

5. Où les habitants malhonnêtes vont-ils se débarrasser de leurs sacs poubelles ? Citez deux exemples.
→ ....
→ ....

PRODUCTION ÉCRITE

C. Une cause environnementale vous tient à cœur et vous culpabilisez de faire si peu pour la défendre. Un mois avant la journée internationale de la Terre, vous décidez de mobiliser les employés de votre entreprise afin de lutter activement pour votre cause et de pouvoir présenter les résultats de votre action commune lors de cette journée. Vous rédigez un mail expliquant vos objectifs à vos collègues pour les convaincre de s'engager à vos côtés pendant un mois.

LES PRÉFIXES

1. Lisez le nom de ces associations, puis devinez leur slogan en y ajoutant des préfixes. (Plusieurs solutions sont possibles.)

LES GUIDES DU PÉRIGORD

« Vous voulez vous balader mais vous êtes un peu .... orienté ? Venez nous demander conseil ! Ici, les possibilités de promenades sont .... limitées et nous serions .... contents de vous informer. »

Le Troc du quartier

« ....habillez-vous ! Mais attention, vous allez prendre froid, ...mettez un pull : celui de votre voisin. C'est du troc : .... -gâchis ! »

Des chocolats pour Médor

« Nos toutous ne peuvent pas manger de chocolat ; vous si ! Pour récolter de l'argent pour notre foyer, essayez nos chocolats concoctés par des bénévoles artisans en chocolaterie. .... chocolatés, goûteux, ... délicieux ! »

Cantines Chantantes

« Suivez-nous dans notre combat contre la .... bouffe, pour .... ajouter des légumes à la cantine à la place de ces plats .... sains. »

2. Complétez le discours de remerciements du fondateur de l'association belge « Parrains de rêves » en sélectionnant le bon terme parmi les paires ci-dessous. Faites les changements nécessaires.

irréalisable / ultra réalisable   inattendu / super attendu

surestimer / sous-estimer   irresponsable / hyper responsable

mésaventure / aventure   désespéré / inespéré

malintentionné / bien intentionné

Mes amis, quelle .... depuis le jour où nous avons eu l'idée de réaliser les rêves des enfants de l'hôpital Molière-Longchamp ! À nos débuts, je pense que je nous .... : je ne nous pensais pas capables de grandir aussi vite et de rendre le sourire à tant d'enfants, ce projet me semblait .... . Nous devons tout à l'équipe de bénévoles et à tous ces gens .... qui nous ont soutenus au fil des épreuves. Avec le prix, nous recevons une aide financière .... qui arrive au moment où nous allions nous voir obligés de mettre des rêves « sur pause » en attendant de trouver de nouveaux parrains. C'est .... mais très opportun ! L'équipe et moi-même ne prenons pas ce titre à la légère, nous nous sentons .... et ne souhaitons décevoir ni le jury qui nous a sélectionnés ni les enfants qui ont besoin de vivre leurs rêves. Merci à tous !

PISTE 14

3. Trois bénévoles racontent leurs débuts dans le nouveau foyer d'accueil « L'hiver arrive », ouvert en urgence à l'approche de la vague de froid. Écoutez leur témoignage et résumez leur expérience en utilisant les préfixes.

1. L'accueil : *ultra convivial.* → ....
2. Repas et en-cas : → ....
   - Boissons chaudes : → ....
   - Nourriture : → ....
3. La propreté : → ....
4. État des locaux : → ....
5. Les pensionnaires : → ....
6. Projets pour l'hiver suivant : → ....

4. Parmi ces questions sociales d'actualité, lesquelles vous touchent particulièrement ? Choisissez-en trois et détaillez vos sentiments à l'aide des termes ci-dessous.

découragé   surexcité   désespéré   insatisfait

super-enthousiaste   inconsolable   désenchanté

archi-défensif   démotivé   rassuré

Les régimes de retraite   *la pauvreté*

l'action syndicale

la sécurité intérieure

la protection et la sécurité sociale

L'INÉGALITÉ DES REVENUS

la crise du logement

la famille et l'évolution des mœurs

LES MOTS COMPOSÉS

5. A. Observez les définitions suivantes et retrouvez le mot composé dont il s'agit en associant les mots ci-dessous.

porte   super   entre   bien   café   mille   demi   sans   beau

feuille   sœur   être   manteau   vue   héros   cœur   frère   théâtre

1   Une personne qui ne fait preuve d'aucune pitié ni compassion : ....

2   On peut dire de Superman qu'il en est un : ....

3   Une pâtisserie composée de nombreuses couches fines de pâte feuilletée et de crème : ....

4   Lieu où on peut prendre un verre et voir en même temps des spectacles, écouter des chansons : ....

5   Le frère de mon mari : ....

6   Un objet souvent placé dans l'entrée pour y accrocher ses habits d'extérieur : ....

5. B. Formez trois autres mots à partir des éléments que vous n'avez pas utilisés.

6. A. Les termes ci-dessous ont chacun un synonyme composé de deux mots. Les connaissez-vous ? Complétez-les. Vous pouvez utiliser votre dictionnaire.

1. Les aveugles → les non-.... / les mal-....
2. Un mensonge → une contre-....
3. Les SDF → les sans-....
4. Les sourds → les mal-....
5. Un loisir → un passe-....
6. Une préoccupation → un casse-....

6. B. Dans les manifestations, on trouve des gens très engagés. Citez au moins 4 types de manifestants qu'on peut y croiser en utilisant les préfixes ci-dessous.

les pro-

pro-nucléaire
pro-Européens

les anti-

anti-sous-marins
anti-impérialistes

LES REGISTRES DE LANGUE

PISTE 15

7. Écoutez ces plaintes prononcées à la suite du discours d'un élu municipal à une manifestation pour des loyers plus accessibles. Pour chaque remarque, indiquez s'il s'agit du registre soutenu ou familier. Puis, rapportez-la en langage standard.

a. ☐ Registre soutenu / ☐ Registre familier
→ Registre standard : *Les élus vivent tous dans des maisons impressionnantes, c'est facile pour eux de fermer les yeux sur la question.*

b. ☐ Registre soutenu / ☐ Registre familier
→ Registre standard : ....

c. ☐ Registre soutenu / ☐ Registre familier
→ Registre standard : ....

d. ☐ Registre soutenu / ☐ Registre familier
→ Registre standard : ....

e. ☐ Registre soutenu / ☐ Registre familier
→ Registre standard : ....

8. Des amis, qui ont fondé leur propre coopérative d'habitation en réaction aux loyers exorbitants, discutent sur Whatsapp à la suite d'un refus du gouvernement de faciliter la mise en place des coopératives. Lisez leurs échanges en langage familier. Puis, transformez les phrases en utilisant le registre standard pour retrouver ce qu'ils diront aux membres d'autres coopératives.

Andy
Nan mais si on s'est cassé du secteur privé pour s'installer dans notre maison partagée « Petit Bois » (que nous kiffons plus que tout, évidemment !!), c'est parce que c'était le bordel dans le privé, alors faut que le gouvernement arrête de nous dire que ça fonctionne bien !
17:07 ✓✓

Audrey
C'est clair, quel mauvais souvenir ! Se tuer au taf pour ensuite faire 2 h de transports pour rentrer, tout ça parce que notre loyer était hors de prix... On est tellement mieux à Petit Bois ! 🖤
17:10 ✓✓

Miranda
Et nous, trop naïfs, on pensait qu'avec cette situation inadmissible et les progrès des coop' le gouvernement allait arrêter de nous prendre pour des te-bê... Eh ben, on en est loin !
17:13 ✓✓

Juliette
C'est clair, ils n'en ont rien à foutre de nous 😠
17:15 ✓✓

Andy
Ils se marrent bien tous là-haut ! 😟
17:20 ✓✓

Miranda
Ouais mais y aura toujours de belles bandes de potes & colocs qui continueront de lutter pour cette cause qui nous tient à cœur ! On va pas baisser les bras à cause d'un discours, allez !
17:21 ✓✓

Audrey
Continuons à aider ceux qui veulent suivre la même route que nous !! On écrit aux membres des coop' de Tours et de Montpellier pour échanger après ce discours révoltant ?
17:25 ✓✓

LES ACCENTS ÉCRITS

9. Un accent peut faire toute la différence ! Complétez les phrases ci-dessous avec le bon homophone.

1. Pour protester, ils ont fait des graffitis sur le .... **mur / mûr** juste devant le commissariat.
2. En tant que bénévoles, on s'attend à ce que vous soyez actifs ! Je vais vous détailler les .... **taches / tâches** à accomplir avant la fin de la semaine.
3. Tu es .... **sur / sûr** que c'est une bonne idée d'interpeller les gens après le film ? Il sera tard quand même !
4. Ils ne m'ont même pas vue hier ! J'étais sur le .... **côte / côté** c'est vrai, mais j'avais une grosse pancarte !
5. J'ai voulu impressionner tout le monde et j'ai sauté du char. Problème, je me suis fait mal au pied et maintenant je .... **boite / boîte** !

10. Faites une phrase avec chaque homophone que vous n'avez pas sélectionné.

11. À l'école primaire Schnapper, en Île-de-France, les enfants se mobilisent pour collecter des livres afin de remplir la bibliothèque de la nouvelle école de Ségou, au Mali. La classe de CE2 rédige un dépliant pour convaincre tous les élèves de s'impliquer dans ce projet. Leur instituteur a tout corrigé, sauf les accents. Lisez ce dépliant et corrigez le texte en y ajoutant ou supprimant des accents.

COLLÈCTE DE LIVRES, MÊRCREDI 14 DÉCEMBRE

L'école de Ségou à besoin de livres pour sa nouvèlle bibliotheque : aidons-les ! Nous sommes surs que vous avez des tônnes d'anciens livres que vous avez deja lus sur vos etagères.

Ne les laissez pas la : faites une bonne action et donnez-les a ceux qui n'en ont pas !

Là semaine prochaine, de 9 h à 16 h en sâlle B, vous pourrez deposer vos romans, bandes déssinees, dictionnaires et magazines bien consèrvés. (Il y aura des gateaux faits-maison pour vous remèrcier de participer). Ensuite, avec l'aide de là mairie, nous envêrrons tout au Mali juste avant le week-ènd et les livres arriveront avant Noel. Parfait !

Et les elèves de maternèlle ? Ils ne sont pas trop petits pour être genereux ; il n'y a pas de petit engagement !! Ils peuvent aider des maintenant, en donnant leurs anciens livres pour les jeunes freres et sœurs de nos camarades de Ségou.

A vos livres, prets, donnez !

Toute la classe de CE2

LES VALEURS DE L'ENGAGEMENT

12. Observez ces attitudes à adopter pour aider son prochain. Définissez les mots soulignés en les décomposant. Puis, indiquez comment vous réalisez ou vous aimeriez réaliser chaque expression.

faire preuve de bienveillance

« bienveillance » est composé de « bien » et « veiller », qui signifie surveiller et protéger. Faire preuve de bienveillance signifie plus généralement ....
Pour faire preuve de bienveillance, j'essaye toujours d'être poli et d'utiliser des termes qui ne blesseront pas les autres. Aussi, ...

encourager l'entraide :

....
....
....
....
....

apporter un peu de bien-être aux sans-abris : ....

....
....
....
....
....

13. Parmi ces différentes manières de se rendre utile pour les causes qui nous tiennent à cœur, lesquelles vous paraissent les plus pertinentes ? Justifiez vos choix en donnant des exemples.

donner de son temps en étant bénévole

faire un don d'argent   récolter des fonds pour une association

donner des coups de main ponctuels

créer un hashtag et encourager à le relayer

s'investir au quotidien directement auprès des personnes

COMPRÉHENSION DES ÉCRITS

A. Lisez cet article et répondez aux questions.

LA RELATION AMOUREUSE D'AUJOURD'HUI : UN ENGAGEMENT À DURÉE LIMITÉE ?

« Ils se marièrent et eurent beaucoup d'enfants », une fin de conte de fées qui ne ferait plus rêver en France ? À en croire les chiffres, il faut se poser la question. En effet, le nombre de mariages célébrés chaque année est redescendu aussi bas que pendant l'après-guerre. En outre, les Français se marient beaucoup plus tard qu'en 1980, quand les conjoints convolaient à, respectivement, 26 et 28 ans : aujourd'hui, ils attendent d'avoir 30 et 32 ans. Un des résultats est que la moitié des bébés de l'Hexagone naît hors-mariage. Avec de moins en moins de tourtereaux prêts à se passer la bague au doigt, le recul devant l'engagement amoureux s'exprime ici de manière institutionnelle.

Sur le plan interpersonnel, cette peur de s'engager s'accroît d'année en année, et atteint son comble au sein de la génération des 25-35 ans d'aujourd'hui.

Les sociologues voient s'exprimer à travers cette tendance une ambition semblable à l'ambition professionnelle dont fait preuve cette tranche d'âge. Quand les 25-35 ans sont arrivés sur le marché du travail, celui-ci était plus égalitaire que lorsque leurs grands-parents étaient actifs. La volonté de progresser professionnellement et l'impression que tout est à leur portée sont des sentiments propres à leur génération. Cette quête du « toujours mieux » a dépassé le contexte du travail pour empiéter sur la vie sentimentale. Alors qu'en 1960 il était plus délicat de rencontrer l'élu de son cœur passé les 30 ans, de nos jours, les sites de rencontre et les applications type Tinder donnent l'illusion qu'une foule de prétendants se tient prête à nous faire chavirer. Ainsi, pourquoi offrir si tôt les clés de son cœur à une seule personne quand des galants plus prestigieux pourraient arriver sans tarder ?

Mais ne soyons pas mauvaise langue ; si l'engagement amoureux se fait plus fragile, c'est aussi pour des raisons romantiques. La première, vous l'aurez devinée : l'éternelle crainte d'avoir le cœur brisé. Se donner entièrement à une relation, ouvrir son cœur, faire des projets, construire sa vie avec quelqu'un, c'est courir le risque de voir ses rêves s'envoler en fumée sans avoir son mot à dire. Contrairement au statut d'un couple (couple libre, couple au jour le jour…), les sentiments de l'autre ne se décident pas et ne se contrôlent pas. La peur de perdre le contrôle et de se retrouver vulnérable conduit les individus à se protéger, en refusant de s'investir entièrement.

Enfin, cette incitation à l'absence d'obligation peut être vue de manière poétique ; plutôt que de vivre tout à 100 à l'heure, prenons au moins notre temps en amour : laissons place à plus de légèreté. Si l'engagement recule, l'amour, heureusement, reste à la même place.

Arnaud Fauconnier,
Réagissons ! numéro spécial vie personnelle.

1. Comment la peur de s'impliquer dans une relation du cœur s'illustre-t-elle au niveau institutionnel ? ....

2. Quel parallèle peut-on établir entre l'ambition professionnelle des 25-35 ans et leur hésitation à s'engager ?

3. En quoi ne pas s'investir dans notre couple réduirait-il nos chances de souffrir ? ....

4. La volonté de ne pas faire de projets d'avenir et de promesses relève du désir de vivre à toute vitesse. → V / F

COMPRÉHENSION DE L'ORAL

B. Écoutez ce podcast puis répondez aux questions suivantes.

PISTE 16

1. Quelle situation a conduit le journaliste à réfléchir à la tendance au désengagement ? ....

2. Le domaine associatif souffre sérieusement de la crise de l'engagement. → V / F

3. On s'engage de plus en plus auprès d'associations qu'auprès de particuliers car :
☐ Avec une association, l'engagement est plus formel.
☐ Auprès de particuliers, cela implique d'avoir des compétences manuelles, une voiture…
☐ Auprès de particuliers, cela demande plus de temps.

4. Si les employés français s'investissaient encore plus dans leur travail, quelle somme l'économie du pays pourrait-elle gagner ? ....

5. En quoi le fait de travailler dans l'urgence a-t-il un impact sur la motivation des employés ? ....

PRODUCTION ÉCRITE

C. Vous êtes membre de l'association « Altruisme Efficace France », qui réfléchit aux meilleurs moyens d'aider les autres et se demande comment les mettre en œuvre de manière concrète. À la suite d'une assemblée générale, vous décidez d'intervenir dans plusieurs classes de votre ancien collège afin de présenter aux élèves les valeurs que votre association défend et comment eux aussi pourraient contribuer à les faire respecter au quotidien au collège.

L'EXPRESSION DE LA SUBJECTIVITÉ

1. Fin 2016, les lecteurs du magazine *L'Artitille* ont dressé la liste des 8 phénomènes actuels qui, selon eux, vont prendre ou perdre de l'importance en 2017. Choisissez 5 phénomènes et faites une prédiction en utilisant un adjectif ou un adverbe pour exprimer la subjectivité.

Les phénomènes de 2017 !!

- Les célébrités se transforment en artistes
- L'art se politise
- Les flash mobs se multiplient
- La sécurité dans les musées est renforcée
- Les célébrités se font moins collectionneuses
- La bulle du marché de l'art risque d'exploser
- Les foires d'art contemporain prolifèrent dans les métropoles
- Les œuvres d'art incorporent la technologie

109 commentaires · Le 11/12/2016 à 10:20

Malheureusement, je crois qu'il est probable que les célébrités continuent de se prendre pour des artistes ! On va sûrement encore s'extasier devant une horreur peinte par une pop-star, ou voir des acteurs chanter faux sur un album médiocre.

2. Complétez l'article suivant en conjuguant les verbes au temps et au mode approprié (présent, passé composé, futur, futur antérieur, conditionnel ou subjonctif présent ou passé).

culture

23 000 œuvres d'art envolées

L'État français affirme que 23 000 des 430 000 objets d'art de son patrimoine (disparaître) ... et estime que les chances de retrouver ce que les générations précédentes lui ont laissé (être) ... infimes. Les cuillères, broches, pierres et autres objets légers ... vraisemblablement (être volé) ... discrètement ; mais que faire des tapisseries de 6 mètres ou des lits du château de Versailles qui manquent ? Ils (être subtilisé) ... eux aussi ? Il semble évident qu'ils (être volé) ..., et il est fort probable que les coupables (être) .... également responsables de la « perte » de la documentation qui authentifie les objets. Ces informations manquantes jouent un rôle dans la perte des œuvres, car personne ne peut revendiquer leur paternité. On suppose aussi, malheureusement, qu'une partie du patrimoine (être détruit) ..., par négligence notamment. Enfin, il se peut que les disparitions (avoir lieu) ... lors du passage des mains de l'État à celles des musées, mairies et ambassades, auquel cas nous espérons que les deux parties (apprendre) ... de leurs erreurs pour qu'à l'avenir les citoyens puissent profiter du patrimoine national.

3. À chaque saison, Teresa publie sur Instagram une photo d'une chose du quotidien dont l'esthétique la touche comme le ferait une œuvre d'art. Observez le commentaire sous chaque photo et modifiez la phrase en y introduisant plus de subjectivité (utilisez la typographie, les figures de style...). Puis, ajoutez votre propre commentaire.

 Instagram

 TeresitaChemine :   15 h
L'été

JanineG : Ils viennent du marché de Toulon, non ? Couleurs éblouissantes, goût incroyable.

JanineG : Je crois les reconnaître : il me semble que ce sont les petits bijoux du maraîcher du marché de Toulon, non ? Couleurs éblouissantes, goût INCROYABLE !

 TeresitaChemine :   16 h
Le printemps

AnnaLazareva : Ce sont les bleuets qui pointent le bout de leur nez ? Ça veut dire que le printemps est enfin arrivé ?

AnnaLazareva : ....

 TeresitaChemine :   10 h
L'automne

Maximilien82 : Dorées, jaunes, brunes, orangées, ah les feuilles pas encore tombées, joli.

Maximilien82 : ....

 TeresitaChemine :   13 h
L'hiver

LuluGloutonne : Ça ne représente pas beaucoup l'hiver, si ? Personne ne s'attarde dans l'escalier en hiver. Enfin, le mien n'est pas aussi classe que le tien.

LuluGloutonne : ....

4. Lisez cet extrait d'interview du chef cuisinier Raúl Lesieutre. Quelles idées avance-t-il ? Que souhaite-t-il pour l'avenir ? Reformulez son opinion en utilisant des synonymes des verbes soulignés.

avosfourneaux.com : Chef, vous établissez un parallèle entre cuisine et architecture, pourriez-vous nous en dire plus ?

Raúl Lesieutre : Je ne vais pas prétendre que tous les cuisiniers sont des artistes, mais je suis d'avis que la cuisine est une forme d'art. Si on devait l'apparenter à un autre art, je citerais l'architecture. Il y a tellement de similitudes entre les deux ! Je vous assure que nous préparons nos œuvres de la même manière : étude des matériaux (dans les deux cas, il faut que nos constructions tiennent) puis dessin de l'œuvre à réaliser avant de commencer. Je doute qu'un pâtissier qui réalise une pièce montée puisse se lancer sans avoir d'abord réfléchi aux textures qu'il utilise et sans avoir esquissé son idée sur un bout de papier. De la même manière, je ne crois pas qu'un architecte se lance dans un projet sans avoir fait exactement pareil ! Enfin, à mon avis, l'art culinaire et l'architecture sont surtout liés par le désir de déclencher une émotion, un « waouh », du plaisir pour ceux qui contemplent l'œuvre… et la mangent dans l'un des cas ! Je n'affirme pas que ces deux arts sont les mêmes ; j'estime juste que les excellents chefs devraient être admirés comme le sont les excellents architectes.

En tout cas, je souhaite que tous ceux qui bâtissent des constructions exquises soient conscients qu'ils sont des artistes. Et j'espère quand même qu'un jour l'art culinaire sera reconnu comme le 10ᵉ art !

– Raúl Lesieutre affirme que…

5. Plusieurs critiques d'architecture réagissent aux affirmations de Raúl Lesieutre. Lisez leurs commentaires et sélectionnez un ou plusieurs sentiments et attitudes pour chacun. Puis, relevez les indices de la subjectivité.

> Oui, parce que si une pièce montée pour un mariage et une tour de 12 étages tombent, ça aura les mêmes conséquences, bien sûr. Défendre la cuisine, oui, mais laissons l'architecture tranquille. Les échelles ne sont pas du tout les mêmes. Est-ce qu'on peut vraiment comparer les deux ?
>
> 26 commentaires · Le 17/04/2017 à 09:10

| l'ironie | l'exaspération | le doute | la curiosité |

> Méga-fan de pâtisserie, l'entendre comparée à ma passion, c'est la cerise sur le gâteau ! Je dégusterai mes éclairs au café avec encore plus de plaisir désormais. C'est étonnant que je n'aie pas remarqué les similitudes entre les deux arts plus tôt !
>
> 15 commentaires · Le 17/04/2017 à 11:10

| l'étonnement | l'indifférence | la crainte | la joie |

> C'est sans doute assez juste cette comparaison, mais j'aimerais bien en savoir plus avant de me prononcer. Le pâtissier et l'architecte ont vraisemblablement des points communs, mais à partir de quel niveau de maîtrise de l'art pâtissier ?
>
> 42 commentaires · Le 18/04/2017 à 17:10

| la gêne | la curiosité | l'approbation | l'extase |

> Faire tenir une religieuse au chocolat, ce n'est pas chose facile ! J'ai bien tenté, j'ai de bons souvenirs de dimanches durant lesquels j'essayais sans arrêt… Archi-compliqué ! Je finissais toujours par manger les parties du gâteau séparément. Il est clair que le pâtissier est un artiste.
>
> 25 commentaires · Le 29/04/2017 à 23:14

| l'admiration | la nostalgie | le mécontentement | la moquerie |

LE SUBJONCTIF PASSÉ

6. Pour fêter son dixième anniversaire, le centre d'art-thérapie de Mulhouse a organisé une journée portes ouvertes. Cette journée sert notamment à faire découvrir l'art-thérapie aux visiteurs. Complétez les remarques des visiteurs en conjuguant les verbes au subjonctif passé.

PORTES OUVERTES CENTRE D'ART-THÉRAPIE MULHOUSE

C'est fascinant que l'art-thérapie …. déjà …. (guérir) des patients pour qui les traitements psychiatriques avaient échoué.

25   15 commentaires   12 partages

Bien que l'art-thérapie …. (apparaître) vers 1940, c'est étonnant qu'elle soit encore si méconnue.

18   10 commentaires   9 partages

C'est génial que l'art-thérapie …. (parvenir) à aider les enfants ayant des problèmes d'apprentissage.

27   3 commentaires   1 partages

Alors qu'on sait que l'art-thérapie a soigné des patients atteints de dépression ou de lésions cérébrales, j'ai du mal à croire que la Sécurité sociale française ne l'…. toujours pas …. (prendre en charge).

7   14 commentaires   6 partages

7. Complétez le discours de la directrice du centre d'art thérapie une fois la journée terminée en conjuguant les verbes au subjonctif présent ou passé.

« Je suis agréablement surprise que les gens …. (venir) si nombreux ! Notre petit centre s'élargit un peu plus chaque année, nous sommes heureux que tout le monde nous …. (faire) de la pub dès notre ouverture. Je crois que si les gens souhaitent que nous …. (prendre) de l'ampleur, c'est notamment parce qu'ils voudraient que l'art-thérapie …. (être) reconnue par le grand public comme une méthode thérapeutique solide. Ça m'étonne que les nouveaux …. (réagir) comme ça aujourd'hui ; en général, ils ont peur qu'on ne …. (faire) que prétendre avoir un rôle médical ; ils croient souvent que nous sommes une arnaque, qu'on va leur demander de peindre et espérer qu'ils se sentent mieux ensuite… . Qu'ils …. (ne pas poser) de questions sarcastiques, qu'ils …. (se montrer) si ouverts d'esprit, ça prouve que les choses changent ! Nous sommes ravis que tant de personnes …. (s'inscrire) ce matin, nous avons hâte de commencer les nouvelles sessions. »

8. Observez ce post sur Facebook et complétez les commentaires des internautes en utilisant le subjonctif passé et en faisant attention aux accords.

9. Écoutez ces descriptions d'œuvres championnes du monde. Pour chacune d'entre elles, qu'est-ce qui vous choque le plus ? Répondez en utilisant le subjonctif passé.

 PISTE 17

1. La décoration murale → ….
2. La sculpture en allumettes→ ….
3. Le concert d'accordéon → ….
4. La représentation de Mickael Jackson → ….

LES PRATIQUES ARTISTIQUES

 PISTE 18

10. Le magazine *Passions-nées* présente chaque mois à ses lecteurs deux artistes contemporains et leurs œuvres. Ce mois-ci, Valérie et Ulysse sont à l'honneur. Écoutez leurs entretiens et remplissez les fiches signalétiques qui seront publiées dans le magazine.

Valérie Masson, 29 ans
Mes arts de prédilection : ….

Pourquoi je suis artiste ? ….

Mon moment le plus gênant : ….

Ulysse Sourillon, 44 ans
Mes arts de prédilection : ….

Pourquoi je suis artiste ? ….

Mon moment le plus gênant : ….

11. L'art participatif est une forme d'art au sein de laquelle la participation du public est le moteur de la création : les spectateurs deviennent coauteurs et coacteurs, s'impliquant physiquement dans le processus de création artistique. À partir de cette définition, trouvez un exemple de performances participatives pour chaque art ci-dessous.

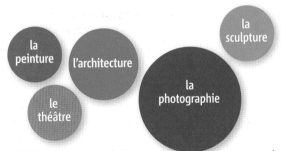

Théâtre : les comédiens sur scène commencent à jouer une pièce et mentionnent dans le premier acte l'arrivée de nouveaux personnages… qui se trouvent en fait dans le public ! Ils vont directement chercher les spectateurs, à qui ils s'adressent comme s'ils étaient des personnages bien précis de la pièce. Les spectateurs doivent improviser et la pièce se crée au fur et à mesure.

COMPRÉHENSION DES ÉCRITS

A. Lisez cet article et répondez aux questions.

L'art de choisir

Après avoir longuement hésité entre une aquarelle aux tons pastel et une toile expressionniste aux couleurs vives, vous avez choisi le doux paysage de Sisley pour orner votre salon. Tous vos invités l'admireront à peine entrés, pile au-dessus du canapé, la décoration principale de votre petit appartement. Mais une fois votre choix fait, vous ne remarquez que les défauts de cette peinture : trop fade, trop banale, pas assez voyante, comment ciel avez-vous pu la préférer à la magnifique œuvre de Pollock ? Arrêtez de culpabiliser : ni votre jugement ni votre sens de l'esthétique ne sont à remettre en cause. Il se peut que le responsable de vos regrets soit votre liberté de choix.

Une étude conduite à Harvard en 2002 s'est penchée sur le rapport entre choix et bonheur grâce à deux photographies. Les professeurs Gilbert et Ebert ont invité deux groupes d'étudiants à apprendre à développer des photos en noir et blanc. Ils leur ont fourni des appareils photo performants et leur ont demandé de photographier des sujets et objets qui leur étaient chers. Après une longue journée passée à développer leurs deux meilleurs clichés, les étudiants se sont vu proposer d'en garder... un seul. Et de décider immédiatement. Mais alors que le premier groupe devait effectuer un choix irréversible, on a laissé au second groupe quatre jours pour, s'il le souhaitait, revenir sur sa décision et choisir l'autre photo.

Une fois le choix effectué, les professeurs de psychologie (qui font ici semblant d'être des professionnels des arts visuels) demandent immédiatement aux deux groupes de prédire s'ils seront contents de leur choix dans 4 jours. Tous s'accordent à dire que la photo choisie leur plaira toujours autant. Rien d'étonnant à leur réponse – ils viennent de choisir et ont ici jugé, en partie, d'après leurs goûts artistiques. Cependant, on leur repose la question trois, puis cinq jours plus tard et là, leur réponse a de quoi surprendre.

Tandis que la satisfaction du groupe qui ne pouvait pas revenir sur son choix n'a cessé d'augmenter et qu'au cinquième jour il ne pourrait être plus heureux de posséder la photo choisie, il n'en va pas du tout de même pour le second groupe. Les membres de ce dernier ont été de moins en moins satisfaits de leur choix, pour se retrouver, après la date limite d'échange, presque trois fois moins heureux qu'au premier jour - et ce même s'ils avaient choisi de troquer la photo !

Comme vous l'imaginez, leurs préférences esthétiques n'ont pas évolué en une semaine. Mais la possibilité d'échanger, ce doute permanent (« Ai-je fait le bon choix ? Après tout, l'autre a ces qualités que celle-ci n'a pas ») et l'importance accordée à la décision, ont fait évoluer le point de vue des étudiants. On apprend à aimer ce que l'on possède, alors que, selon le professeur Gilbert, la « condition réversible n'est pas propice au bonheur ». Si notre ambition et nos désirs d'une réalité autre sont injustifiés et démesurés, alors nous serons malheureux, ingrats, à envier constamment ce qui pourrait être notre plan B.

Si vous n'êtes pas satisfait de votre aquarelle, peut-être n'est-ce pas dû à la qualité du tableau ; l'existence d'un autre tableau et votre liberté de choix sont les vrais coupables.

Eléonore Pereira, magazine en ligne Penséespresentes.fr

1. Le propriétaire de l'aquarelle ne déplore pas l'achat de ce tableau. → V / F

2. Résumez le déroulement de l'étude jusqu'au moment du choix entre les deux photos.
→ ....

3. L'option proposée au second groupe était :

☐ de choisir une photo quatre jours plus tard.
☐ de garder les deux photos pendant quatre jours avant d'effectuer un choix.
☐ de choisir une seule photo avec la possibilité de l'échanger.

4. Cinq jours après avoir choisi la photo, en quoi diffèrent les choix des deux groupes ? ....

5. « La condition réversible n'est pas propice au bonheur » ; expliquez la phrase du professeur Gilbert avec vos propres mots. ....

COMPRÉHENSION DE L'ORAL

PISTE 19

B. Écoutez le podcast puis répondez aux questions suivantes.

1. En quoi consiste la pratique de la place de théâtre suspendue ? ....

2. La loi sur le mécénat est avantageuse pour l'acheteur car :

☐ il peut acheter deux places pour 20 €.
☐ il bénéficie d'une réduction de 66 % sur le billet à offrir.
☐ il bénéficiera d'une réduction sur ses impôts.

3. Les bénéficiaires des places suspendues ont leur photo accrochée dans le hall du théâtre. → V / F

4. À qui les billets suspendus sont-ils offerts en priorité ? Citez trois exemples.
→ ....
→ ....
→ ....

PRODUCTION ÉCRITE

C. Le magazine sur les nouvelles technologies *Nec + Ultra* s'intéresse aux filtres proposés par l'application Instagram pour retoucher vos photos. Ces filtres vous permettent de transformer en un clic les ombres et les couleurs de votre photo, d'en gommer les défauts, de la modifier à volonté. *Nec + Ultra* lance le débat suivant : ce genre d'applis et les filtres qu'elles proposent sont-ils une manière de rendre l'art photographique accessible à tous, ou conduisent-ils au contraire à l'appauvrir ? Vous exprimerez votre opinion dans une lettre structurée qui sera publiée dans la section « l'avis des lecteurs ».

LE PASSÉ SIMPLE

1. Une association suisse venant en aide aux réfugiés présente chaque semaine le portrait d'un mineur isolé qu'elle a aidé. Elle a demandé au jeune Freselam de partager les moments-clés de son voyage, qu'il a reconstitué dans le tableau de bord ci-dessous. Retracez l'expérience de Freselam en utilisant le passé simple.

Durant l'automne 2014, Freselam rendit visite à ses cousins pour la dernière fois puis quitta l'Érythrée pour l'Égypte. Peu après, ...

Automne 2014 : dernière visite à mes cousins et départ d'Érythrée jusqu'en Égypte.

Automne-hiver 2014 : départ pour le Soudan, puis la Libye. Traversée de la mer et arrivée en Italie.

Printemps 2015 : arrivée à Genève et prise en charge par l'association.

2015-2016 : reprise d'études et cours de français dans un centre de formation.

2017 : j'ai obtenu la maturité suisse. Mon premier diplôme !

2. Sur les réseaux sociaux, à l'occasion de la Journée mondiale de la diversité culturelle, quelques internautes partagent des anecdotes sur leurs propres maladresses culturelles. Complétez leurs récits avec des verbes au passé simple.

Cherchez des personnes...

Jeanne Rouault
Hier, à 20:06

La rencontre des grands-parents de mon copain, dans le Nord de la Finlande, quel stress ! Je revois encore la scène. Sa grand-mère m' ... (ouvrir) la porte, sans prononcer un mot. Mon amoureux et moi .... (entrer) dans la jolie maison. Pour détendre l'atmosphère, je ... (dire) bonjour en finnois, je ... (faire) des compliments sur la décoration du salon, et je leur ... (dire) à quel point j'étais heureuse de faire enfin leur connaissance. Face à l'absence de réponse, je ... (aller) dans la cuisine, où mon chéri me ... (expliquer) pour me rassurer : là-bas, il est plus poli de garder le silence quelques minutes quand on reçoit des invités. Merci de m'avoir prévenue !

16   8 commentaires   14 partages

Chen Gong
Hier, à 21:15

Lors de mon premier mois à Cherbourg, je .... (rencontrer) un jeune homme qui souhaitait échanger des cours de français contre des cours de mandarin, ce qui me .... (paraître) idéal. Au fil des cours, nous .... (devenir) amis, si bien qu'il me ... (proposer) un dimanche midi de rester déjeuner avec sa famille. Je .... (manger) avec plaisir, le repas était délicieux ! Je .... (montrer) que je me régalais en faisant claquer ma langue dans ma bouche, en aspirant la sauce avec force, puis en rotant. Il y .... (avoir) un grand silence autour de la table. Mon ami .... (dire) : « Pendant nos cours de conversation, on devrait peut-être parler plus de culture et moins de grammaire ! » Puis il .... (éclater) de rire et m' .... (expliquer) qu'en France c'est très impoli de faire du bruit en mangeant.

22   6 commentaires   13 partages

Georgina Fassano-Aurio
Hier, à 21:20

Sentiment de solitude hier matin, tôt dans le tramway de Nantes : le wagon étant vide, je ... (s'asseoir) sur un siège libre juste à côté d'un monsieur qui lisait le journal. Aussitôt, il .... (se lever) et .... (partir) s'asseoir ailleurs. Après m'être demandé si j'avais pensé à mettre du déodorant avant de partir, je .... (comprendre) : je ne suis plus en Argentine, ici les usagers du tram préfèrent que je leur laisse le plus d'espace possible !

31   7 commentaires   21 partages

LES MARQUEURS TEMPORELS

3. Greg a choisi de tout quitter pour travailler comme cuisinier sur des bateaux de croisière. Il dessine les moments forts de sa nouvelle vie pour les partager avec ses amis restés sur la terre ferme. Complétez les légendes à l'aide des phrases.

Depuis que...

Chaque fois que...

Avant que...

Lorsque...

A. ... je prenne la décision de transformer mes rêves en réalité.
B. ... je nage 1 h par jour dans la piscine du pont principal.
C. ... j'aperçois un requin au large.
D. ... j'ai appris que mon nouvel appart serait un paquebot.

PISTE 20

4. L'émission de radio d'un lycée luxembourgeois souhaite attirer l'attention des élèves sur l'expérience de leurs camarades migrants. Écoutez les témoignages de quatre d'entre eux. Décrivez leur expérience en vous aidant des marqueurs temporels ci-dessous.

| le jour où | chaque fois que | lorsque |
| depuis que | avant que | après que |

Ryan s'est senti à sa place le jour de son arrivée après avoir passé la douane à l'aéroport.

Lucia, elle, a mis plus de temps. En effet, ...

Waseem ....

Marta ....

5. Avez-vous déjà été surpris par des différences culturelles entre vous et des amis étrangers ? Racontez votre expérience en utilisant les marqueurs temporels.

Avant que Sheng-Yu me le dise, je ne savais pas qu'il était malpoli, à Taïwan, d'ouvrir un cadeau lorsque des invités sont présents. Je l'ai appris le jour où ....

LA CONSÉQUENCE ET AUTRES CONNECTEURS

6. Lors d'un remue-méninges, une association a dressé la liste de quelques difficultés auxquelles les migrants font face au quotidien. Expliquez-les en exprimant la conséquence.

- ne peuvent pas comprendre un contrat -> ne peuvent pas le signer -> ne trouvent pas de travail

- ne peuvent pas communiquer avec les enseignants -> impossible de suivre la scolarité de leurs enfants

- ne peuvent pas expliquer ce qui leur arrive quand ils sont malades -> plus difficile pour les médecins de les soigner

7. Qu'est-ce qui motive vraiment à suivre son conjoint à l'étranger ? Lisez les réponses de ces quatre Français expatriés au Sénégal et résumez ce qui a motivé leur décision en utilisant les expressions de cause et de but.

Bonnes et vraies raisons de suivre ou rejoindre son conjoint à l'étranger

Antoine, à Saint-Louis du Sénégal depuis 6 mois

Raison officielle : Ma copine était à Saint-Louis pour son entreprise. Comme on commençait à penser au mariage, je me suis dit qu'habiter ensemble à l'étranger serait un bon test pour notre couple avant de sauter le pas.

Raison officieuse : Elle m'envoyait sans cesse des photos de poulet yassa et de plages idylliques : irrésistible.

Liliane, à Mexico D.F. depuis 9 mois

Raison officielle : Un possible renouveau professionnel au Mexique aux côtés de mon copain de longue date.

Raison officieuse : Mon ex-copain collant, dont je voulais m'éloigner le plus possible !

Thierry, près du parc national de Khao Sok en Thaïlande depuis 2 mois

Raison officielle : Je pensais l'attendre en France 6 mois, et puis j'ai vu passer une offre d'emploi dans le même parc national qu'elle.

Raison officieuse : La peur que ma chère et tendre se laisse séduire par quelqu'un d'autre sur place...

Maryam, à Budapest depuis 1 an et demi

Raisons officielles : Apprendre le hongrois pour mon travail de recherche sur l'histoire des langues européennes et être aux côtés de mon fiancé.

Raison officieuse : Il me manquait trop...

1. Antoine affirme qu'il voulait s'installer avec sa copine pour tester leur couple avant de se marier. Mais c'est surtout à la suite de photos de poulet yassa et de plages idylliques envoyées par sa copine qu'il a pris la décision de la rejoindre.

2. Liliane....

3. Thierry....

4. Maryam ....

MIGRATIONS ET PAYS D'ACCUEIL

8. A. Les étrangers vivant dans un pays ont-ils tous le même statut ? Retrouvez le terme correspondant à chaque définition du dictionnaire.

8. B. Quels sont les deux mots qui sont presque synonymes ? Dont les définitions sont très proches ?

8. C. Quelle est la définition la plus large ? Quel est le mot qui englobe / réunit tous les autres ?

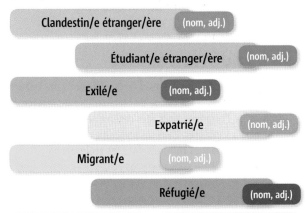

Clandestin/e étranger/ère (nom, adj.)

Étudiant/e étranger/ère (nom, adj.)

Exilé/e (nom, adj.)

Expatrié/e (nom, adj.)

Migrant/e (nom, adj.)

Réfugié/e (nom, adj.)

Se dit d'une personne qui a été obligée de fuir le pays où elle vivait parce qu'elle y était en danger, en raison de graves problèmes politiques, économiques, écologiques, ou de persécutions ethniques, religieuses, linguistiques, etc.

Se dit d'une personne qui vit dans un autre pays que celui où elle est née et qui n'a pas (encore) la nationalité de ce pays.

Se dit d'une personne qui a été forcée de quitter le pays où elle vivait et voulait vivre.

Se dit d'une personne qui séjourne plus ou moins longtemps dans un pays dont il/elle n'a pas la nationalité à des fins d'études.

Se dit d'une personne qui vit dans un pays où elle n'a pas de statut légal (nationalité, permis de séjour) et qui doit se cacher de peur d'être expulsée.

Se dit d'une personne (employé/e, fonctionnaire) envoyée par son entreprise ou État pour travailler dans un autre pays.

PISTE 21

9. Pour préparer une campagne de promotion de Montréal, la mairie a interrogé des migrants qui en ont fait leur ville d'adoption. Écoutez ce micro-trottoir et retrouvez le slogan qui correspond à chaque témoignage.

MONTRÉAL CAPITALE DES FESTIVALS

La force, la grâce, la glisse, le fun !

Les saveurs du monde entier à la sauce québécoise.

Multiculturelle et fière de l'être !

10. A. Quel mot reconnaissez-vous dans l'adjectif « déboussolé » ? En vous aidant de ce mot, définissez l'adjectif avec vos propres mots.

10. B. Dans quelles situations peut-on se sentir déboussolé dans un nouveau pays ? Avez-vous des exemples ?

10. C. Peut-on se sentir déboussolé dans son pays de naissance ? Connaissez-vous des exemples ?

COMPRÉHENSION DES ÉCRITS

A. Lisez cet article et répondez aux questions.

L'appel à l'expatriation

La France est souvent présentée comme une terre d'accueil : le nombre de naturalisations ne cesse de croître depuis 2012, tout comme l'attribution des titres de séjour (plus de 212 000 en 2015) et les arrivées d'étrangers sur le territoire. Mais la verra-t-on un jour se transformer en terre d'exil ? Cette éventualité est à prendre en compte, surtout à l'heure où l'émigration est encouragée par quelques autochtones, comme le journaliste Mouloud Achour, le rappeur Mokless et le consultant international Félix Marquardt dans leur tribune intitulée : « Jeunes de France, votre salut est ailleurs : barrez-vous ! »

Pourquoi ces Français invitent-ils leurs concitoyens à quitter le navire ? Dans le journal *Libération* et le *New York Times*, ils énumèrent les raisons de faire sa valise, avant de chanter les louanges de systèmes étrangers aux quatre coins du globe.

Ces auteurs, trentenaires et quarantenaire, décrient d'abord la « gérontocratie ultracentralisée et sclérosée » dont souffrirait le pays. Le pouvoir serait entre les mains d'une élite soixantenaire et tenu à distance des jeunes aux idées novatrices, étouffant ainsi toute possibilité de création et de renouveau dans le pays. Notre système rouillé aurait du mal à confier de hautes responsabilités aux cadets, préférant se reposer sur des valeurs sûres et se concentrer sur la question économique.

Cet aspect économique est également la cible des attaques de ces trois militants pour l'exode : aujourd'hui, un quart des jeunes Français sont au chômage. Ce phénomène est d'autant plus inquiétant que nos dirigeants n'accorderaient que peu d'intérêt aux moins de 25 ans. Pas de responsabilités, pas d'emploi, pourquoi donc ne pas aller voir si l'herbe est plus verte ailleurs ?

Les auteurs persistent et signent le chapitre financier en avançant des arguments salariaux : si un nouveau départ implique un certain nombre de frais, sur le long terme, les jeunes expatriés amélioreraient leur niveau de vie. Il est regrettable de ne pas disposer de chiffres, de preuves, d'exemples illustrant cet argument.

Enfin, quitter le pays est annoncé comme une alternative au vote contestataire en politique. Partir serait la meilleure manière de montrer son mécontentement et aurait des conséquences moins sérieuses que l'élection d'un dirigeant qui ne représenterait pas les convictions du peuple.

Son argumentaire ne prend toutefois pas en compte le fait que si les jeunes désertent le pays, la personne à la tête de la nation sera encore moins susceptible de les représenter, étant donné qu'il ou elle s'efforcera de contenter les citoyens présents et actifs par leur vote et leur engagement sur le territoire.

La vie post-exil n'est abordée qu'en passant dans cette tribune argumentative. Quand rentrer ? Comment se réintégrer ? Tant de questions laissées en suspens. Leur est préféré un vague « partez, revenez, repartez encore, revenez de nouveau », le tout pour se « réinventer et revenir riches d'expériences nouvelles ».

Et si les jeunes ne revenaient pas ? Comment redresser le pays et y insuffler des changements positifs sans cette jeunesse plurielle, cultivée et parfois animée d'une indignation qui conduit à faire bouger le *statu quo* ?

Cet appel à l'expatriation est considéré par certains comme déloyal : plutôt que d'inviter les jeunes à déserter la France, pourquoi ne pas plutôt les mobiliser pour qu'ils la pensent, l'embellissent, la façonnent à leur image ?

Hélène Beaugeais, *Actualités*, septembre 2016

1. La France est de moins en moins une terre d'accueil. → V / F

2. Que dénoncent les trois auteurs de « Barrez-Vous » ? Cochez les bonnes réponses.

☐ Le fait que 25% des jeunes Français soient sans emploi.
☐ L'exil fiscal des hauts salaires.
☐ Le vieillissement de la population.
☐ La mainmise sur le pouvoir par une minorité de personnes âgées.

3. Les moins de 25 ans ayant choisi de s'exiler gagneraient mieux leur vie dans leur pays d'adoption qu'en France. → V / F

4. Que signifie l'expression « voter avec ses pieds » ? ....

5. Quelles sont les deux inquiétudes de la journaliste face à cet appel à l'exode ?
→ ....
→ ....

COMPRÉHENSION DE L'ORAL

PISTE 22

B. Écoutez et répondez aux questions.

1. Qui sont les impatriés ? ....

2. À quoi la psychologue compare-t-elle l'état des victimes de la dépression post-retour ? Cochez la bonne réponse.

☐ À une nostalgie profonde.
☐ À un état apathique.
☐ À un état de deuil.

3. Pourquoi les impatriés ne se sentent-ils pas chez eux ? ....

4. De lourdes formalités administratives compliquent le quotidien des victimes du choc culturel inversé. → V / F

5. Que conseille la psychologue pour se sortir de la dépression post-retour ? Citez deux conseils.
→ ....
→ ....

PRODUCTION ÉCRITE

C. Convaincu que les élèves d'écoles primaires ont beaucoup à apprendre de l'expérience de leurs camarades récemment arrivés de l'étranger, vous êtes déterminé(e) à aider ces derniers à s'intégrer. Vous souhaitez mettre en place des ateliers d'échanges culturels dans les écoles de votre municipalité. Pour convaincre les écoles primaires d'adopter votre idée, vous leur écrivez une lettre structurée dans laquelle vous décrivez votre projet et les invitez à y participer.

GRAMMAIRE

PRÉFIXES

page 112

Le préfixe est l'élément qui précède le mot (verbe, nom, adjectif et rarement adverbe).

PRINCIPAUX PRÉFIXES	SENS DU PRÉFIXE	EXEMPLES
in- / im- / il- / ir-	négation	inutile, inefficace, impensable ; illisible ; irresponsable
re- / ré-	répétition	recommencer, refaire, revenir, reprendre, réécouter, réutiliser
dé- / dés-	négation	défaire, dénouer, désunir, déshabiller
en- / em-	mettre à l'intérieur de	encadrer, embastiller, emprisonner
pré-	mettre avant, devant	une préface, un préfixe, la préhistoire, prédire, prévenir
anti-	contre	antisystème, antivirus
hyper- / ultra- / archi-	intensité, supériorité	hypermarché, ultrasurgelé, archi-connus

LE NOM (RAPPEL)

Le genre

Il est arbitraire mais :
- les noms terminés en -e ont la même forme → *Un élève, une élève ; un philosophe, une philosophe...*
- Quelquefois, la terminaison permet de connaître le genre du mot :
- Sont féminins : les noms terminés en **-aille**, **-eille** et **-euille** ; **-ance** et **-ence** ; **-ée** ; **-ère** et **-ière** ; **-erie** ; **-ette** ; **-ie** ; **-sion**, **-tion**, **-xion** ; **-ude** ; **-ure**.
- Sont masculins : les noms terminés en **-ail** , **-eil** et **-euil** ; **- eau** ; **-er** et **-ier** ; **-in** ; **-isme** ; **-ment** ; **-teur**.

Le nombre

En général, on ajoute un **-s** pour le pluriel → *la maison, les maisons* mais attention :
- Les noms terminés en **-s**, **-x**, **-z** ne changent pas au pluriel ;
- Les noms terminés en **-eau** ont un pluriel en **-eaux** ;
- Les noms terminés en **-eu** ont un pluriel en **-eux** (sauf : *des pneus*) ;
- Les noms terminés en **-al** ont un pluriel en **-aux** (sauf : *des bals, des festivals, des carnavals...*).
- ⚠ *Un œil → des yeux*

LES NOMS COMPOSÉS

page 113

Il y a quatre cas de figure pour lesquels les deux éléments varient :
- nom + nom
Ex. : *un bateau-mouche, des bateaux-mouches*
- nom + adjectif
Ex. : *une bande dessinée, des bandes dessinées*
- adjectif + nom
Ex. : *un grand-père, des grands-pères*
- adjectif + adjectif
Ex. : *un sourd-muet, des sourds-muets*

Il y a quatre cas de figure pour lesquels seul le nom varie :
- verbe + nom nombrable
Ex. : *des essuie-glaces, des tire-bouchons*
- nom + préposition + nom
Ex. : *des tasses à café, des pommes de terre*
- nom + préposition + verbe
Ex. : *une machine à laver, des machines à laver*
- préposition + nom
Ex. : *un sans-abri, des sans-abris*

Dans deux cas de figure, tout est invariable :
- verbe + nom abstrait
Ex. : *un faire-part, des faire-part*
- verbe + verbe
Ex. : *un laissez-passer, des laissez-passer*

LA NOMINALISATION

page 25

Ajouter un suffixe permet de passer d'une catégorie grammaticale à une autre, par exemple d'un verbe à un nom.
Principaux suffixes :
-age → Ils sont toujours masculins.
Ex. : *un tournage, un reportage, un assemblage...*
-ement → Ils sont toujours masculins.
Ex. : *un aménagement, un développement, un comportement...*
-tion, **-sion**, **-ation** ou **-ition**, **-aison** → Ils sont toujours féminins.
Ex. : *une évolution, une décision, une opération, une livraison...*

Dans un texte, la nominalisation permet de reprendre le verbe par le nom correspondant et d'éviter la répétition du verbe :
Ex. : *Le gouvernement a décidé de s'attaquer à la question de l'obésité des enfants. Cette décision fait suite aux résultats alarmants de l'enquête sur les habitudes alimentaires des moins de quinze ans.*

La nominalisation peut aussi reprendre l'ensemble de la phrase :
Ex. : *L'enquête INSERM 2016 montre qu'il existe un réel problème en ce qui concerne les habitudes alimentaires des moins de quinze ans en France. Face à cette situation, le gouvernement a décidé d'agir.*

LES PRONOMS (RAPPEL)

LES PRONOMS PERSONNELS

SUJETS	RÉFLÉCHIS	COD	COI	TONIQUES
je / j'	me / m'	me / m'	me / m'	moi
tu	te / t'	te / t'	te / t'	toi
il / elle / on	se / s'	le / la / l'	lui	lui / elle
nous	nous	nous	nous	nous
vous	vous	vous	vous	vous
ils / elles	se / s'	les	leur	eux / elles

⚠ *Je*, *me*, *te*, *se*, *le* et *la* deviennent *j'*, *m'*, *t'*, *s'*, *l'* devant une voyelle ou un *h* muet → Ex. : *Tu m'écoutes ?*

LES PRONOMS COD

On les utilise quand le verbe se construit directement, sans préposition : *connaître quelqu'un* ou *quelque chose*.

- Les pronoms *me*, *te*, *nous*, *vous* remplacent toujours des personnes : Ex. : *Tu m'aimes ?*
- Les pronoms *l'*, *le*, *la*, *les* peuvent remplacer des personnes ou des choses : Ex. : *Ce pays, je ne le connais pas, je ne l'ai jamais visité.*

Les pronoms COD remplacent un nom précédé :
- **d'un article défini** (*l'*, *le*, *la*, *les*)
- **d'un adjectif possessif** (*mon*, *ton*, *son*...)
- **d'un adjectif démonstratif** (*ce*, *cet*, *cette*, *ces*)
Ex. : *Tu connais l'appartement de Karen ?*
Ex. : *Tu connais son appartement ?* → *Oui, je le connais.*
Ex. : *Tu connais cet appartement ?*

LES PRONOMS COI

On utilise les pronoms COI quand le verbe se construit indirectement, avec la préposition *à* : *parler à quelqu'un, écrire à quelqu'un...*

Les pronoms COI remplacent toujours des noms de personnes.
Ex. : *Tu lui as raconté ton périple en Australie ?*
Qu'est-ce que tu lui as conseillé de faire là-bas ?

Avec le verbe **penser à quelqu'un**, on utilise *à* + pronom tonique.
Ex. : *- Tu penses encore à lui ?*
- Non, je ne pense plus à lui, c'est une vieille histoire !

LE PRONOM *EN*

Le pronom *en* est invariable et il remplace un nom précédé :
- **d'un article indéfini**
Ex. : *- Vous avez des enfants ?*
- Oui, j'en ai deux.

- **d'un article partitif**
Ex. : *- Il a de la chance ! Et toi ?*
- Non, je n'en ai pas du tout.
- **d'un verbe suivi de la préposition *de*** (*parler de quelque chose, s'occuper de quelque chose, se douter de quelque chose...*).
Ex. : *- Tu lui parleras de tes problèmes ?*
- Oui, je lui en parlerai certainement.

LE PRONOM *Y*

Le pronom *y* remplace un nom de chose précédé d'un verbe suivi de la préposition *à* (*s'intéresser à quelque chose, s'opposer à quelque chose, se consacrer à quelque chose...*).
Ex. : *- En vacances, il s'intéresse à la culture ?*
- Oui, il s'y intéresse beaucoup.

LES PRONOMS RÉFLÉCHIS ET RÉCIPROQUES

Les pronoms réfléchis représentent la même personne que le sujet :
Ex. : *Elle se regarde dans la glace.* = Elle regarde **elle-même**.

Ils peuvent être COD :
Ex. : *Elle s'admire beaucoup.* = Elle admire **elle-même**.

ou COI :
Ex. : *Tu te racontes des histoires !* = *Tu racontes des histoires à toi-même.*

Les verbes pronominaux sont précédés du pronom réfléchi : *s'arrêter, s'asseoir, se coucher, se dépêcher,* etc.

Les pronoms réciproques demandent un sujet pluriel ou deux sujets.
Ex. : *Ils se disputent sans arrêt.*

LA PLACE DES PRONOMS COD ET COI, RÉFLÉCHIS ET RÉCIPROQUES

- **Avec un verbe à temps simple** : devant le verbe
Ex. : *Tom ? Je le vois souvent. / Je lui raconte tout. / On s'aime bien.*

- **Avec un verbe à temps composé** : devant le verbe
Ex. : *Tom ? Je l'ai vu hier soir. / Je lui ai dit bonjour de ta part. / Nous nous sommes bien amusés en voyage.*

- **Avec un verbe + un infinitif** : devant l'infinitif
Ex. : *Tom ? Je vais le voir demain. / Je peux lui annoncer ?*

- **Avec un verbe à l'impératif affirmatif** : après le verbe
Ex. : *Embrasse-le pour moi ! / Dis-lui bonjour ! / Amusez-vous bien !*

- **Avec un verbe à l'impératif négatif** : avant le verbe
Ex. : *Ne le fatigue pas ! / Ne lui parle pas de ses problèmes !*

LA PLACE DES DOUBLES PRONOMS

Quand il y a un pronom COD et un pronom COI dans la même phrase, il faut faire attention à leur place.

À la 3e personne, le COD est avant le **COI**.

Ex. : *Donner son accord à quelqu'un.*

Il **me** le donne	Il **nous** le donne
Il **te** le donne	Il **vous** le donne
Il le **lui** donne	Il le **leur** donne

Quand les pronoms *en* ou *y* sont COD, ils sont toujours en 2e position.

Ex. : *Offrir des fleurs à quelqu'un.*

Il **m'en** offre	Il **nous** en offre
Il **t'en** offre	Il **vous** en offre
Il **lui** en offre	Il **leur** en offre

Ex. : *Accompagner quelqu'un à une manifestation.*

Il **m'y** accompagne	Il **nous** y accompagne
Il **t'y** accompagne	Il **vous** y accompagne
Il **l'y** accompagne	Il **les** y accompagne

GRAMMAIRE

LES PRONOMS INDÉFINIS

Généralement, le pronom indéfini remplace un nom introduit par un adjectif indéfini. Il sert à désigner de façon vague des choses dont l'idée est exprimée ou non dans le contexte.

PRONOMS INDÉFINIS AVEC ACCORD	PRONOMS INDÉFINIS INVARIABLES
aucun	nul
quelque chose	rien
quelqu'un	plusieurs
certains	chaque
chacun	quelques
tous	tout

LE PRONOM ON

Il est toujours sujet et le verbe est toujours à la troisième personne du singulier. **On** peut signifier :

- **les gens en général** → *À Paris, on roule de plus en plus à bicyclette.*
- **nous** → *Mes amis et moi, on milite pour la sauvegarde des espèces.*
- **quelqu'un** → *Écoute. On parle des éco-quartiers à la radio.*

QUELQUES/PLUSIEURS
Quelques indique une petite quantité, *plusieurs* une quantité plus importante.

LES PRONOMS RELATIFS

Le pronom relatif **QUI** est souligné. Il représente quelqu'un ou quelque chose.
Ex. : *Jean Dujardin est un acteur français. Il est très célèbre en France.*
→ *Jean Dujardin est un acteur qui est très célèbre en France.*
⚠ QUI reste toujours QUI même devant une voyelle.

Le pronom **QUE** (ou **QU'** devant une voyelle ou un **h** muet) est complément d'objet direct. Il représente quelqu'un ou quelque chose.
Ex. : *Jean Dujardin est un acteur. J'adore cet acteur !*
→ *Jean Dujardin est un acteur que j'adore !*

Le pronom **OÙ** est complément de lieu ou de temps.
Il représente un lieu ou un moment.
Ex. : *C'est le village où il est né.* (lieu) *1990, c'est l'année où il est né.* (temps)

CE QUI, CE QUE, CE DONT
ce = les choses, les faits, les idées...

Expliquez-moi →
- ce qui est arrivé (Qu'est-ce qui est arrivé ? Qu'est-il arrivé ?)
- ce que vous avez fait (Qu'avez-vous fait ?)
- ce dont il s'agit (De quoi il s'agit ? De quoi s'agit-il ?)

Remarque : À la place de **ce dont**, assez formel, on utilise souvent **de quoi**. Ex. : *Expliquez-moi de quoi il s'agit.*

LES PRONOMS RELATIFS COMPOSÉS

On les forme à partir d'une préposition (**à, avec, de, par, pour, sans, chez, contre**...) et d'un pronom relatif (**lequel, laquelle, lesquels, lesquelles**).
Ex. : *Un petit ventre chez leur mari, c'est un défaut pour lequel les femmes ont souvent de l'indulgence.*

- **à + le** → auquel
Ex. : *Le médecin auquel je pense pourra certainement t'aider.*
- **à + la** → à laquelle
Ex. : *Qui est cette fille à laquelle tu as parlé ?*
- **à + les (masc.)** → auxquels
Ex. : *Tu n'imagines pas les sacrifices auxquels il s'est condamné.*
- **à + les (fém.)** → auxquelles
Ex. : *Les difficultés auxquelles tu fais allusion sont fausses.*
- **de + le** → duquel
Ex. : *Le village à côté duquel il habite est Noiron.*
- **de + la** → de laquelle
Ex. : *La rue près de laquelle je me trouve...*
- **de + les (masc.)** → desquels
Ex. : *Ce sont des bois auprès desquels on a construit une scierie.*
- **de + les (fém.)** → desquelles
Ex. : *Regardez les maisons en face desquelles nous sommes.*

LES PRONOMS POSSESSIFS

	SINGULIER		PLURIEL	
	MASCULIN	**FÉMININ**	**MASCULIN**	**FÉMININ**
à moi	le mien	la mienne	les miens	les miennes
à toi	le tien	la tienne	les tiens	les tiennes
à lui / à elle	le sien	la sienne	les siens	les siennes
à nous	le nôtre	la nôtre	les nôtres	les nôtres
à vous	le vôtre	la vôtre	les vôtres	les vôtres
à eux / à elles	le leur	la leur	les leurs	les leurs

Remarque :
- Il y a toujours un article devant le pronom possessif.
⚠ Attention à l'accent sur le **o** pour les pronoms possessifs !
Ex. : *- C'est votre valise, messieurs-dames ?*
- Non, ce n'est pas la nôtre, nous avons des sacs à dos.

- Au pluriel, **les nôtres**, **les vôtres** et **les leurs** ont la même forme au masculin et au féminin.

LES PRONOMS DÉMONSTRATIFS

FORMATION

	MASCULIN	FÉMININ	NEUTRE
SINGULIER	celui / celui-ci celui-là	celle / celle-ci / celle-là	ce, ceci, cela (ça)
PLURIEL	ceux / ceux-ci ceux-là	celles / celles-ci / celles-là	

EMPLOI

Les pronoms démonstratifs désignent la personne, l'animal ou la chose dont on parle. Ils permettent d'éviter de répéter. Ils sont suivis :
- d'un pronom relatif (**qui, que, où**).
Ex. : *Sur Airbnb, il y a ceux qui pensent qu'ils sont chez eux.*
- d'une préposition (**de, en**).
Ex. : *Prends l'autre couloir, celui de gauche.*
Pour désigner quelque chose de précis, on utilise **celui-ci** (plus près) et **celui-là** (plus loin).
Ex. : *- Vous voulez quel livre ? Celui-ci (ce livre-ci) ou celui-là (ce livre-là) ?*

206 deux cent six

- **Ce (C')** + **être** + nom ou pronom
Ex. : *C'est moi ! Ce sont mes cousins italiens.*
- **Ce (C')** + **être** + adjectif masculin
Ex. : *Les mathématiques, c'est intéressant.*
- **Cela** (dans la langue courante : **Ça**)
Ex. : *Comment ça va ? Répète-moi ça !*

L'ABSENCE D'ARTICLE (Ø)

- **Avec les noms propres de personnes :**
Ex. : *Je vous présente Ø Michel Vierville.*

- **Dans les définitions :**
Ex. : *Ø Chat a quatre lettres.*

- **Dans les énumérations :**
Ex. : *Nous devons acheter beaucoup de choses : Ø pain, Ø lait, Ø beurre, Ø huile…*

- **Devant les noms reliés par une conjonction :**
Ex. : *Ø Fromage ou Ø dessert ?*

- **Lorsque le nom est en position d'attribut et marque la nationalité, la profession, la fonction :**
Ex. : *Il est Ø médecin. Elle est Ø française.*
Il est Ø cadre supérieur chez Peugeot.

- **Devant un nom mis en apposition :**
Ex. : *La France, Ø pays où l'on produit plus de 300 sortes de fromages.*

- **Dans les groupes préposition + nom**
- **Compléments de nom (à valeur d'adjectif) :**
Ex. : *un blouson de cuir ; une patience d'ange ; une tasse à café ; un banc en bois ; une table en marbre ; un bijou en or.*

- **Complément circonstanciel (valeur d'adverbe) :**
Ex. : *voyager à pied, en voiture, en bateau, en avion ; être en peine ; marcher en silence ; travailler avec énergie, sans goût.*

⚠ Attention, si le nom est accompagné d'un élément déterminatif, l'article redevient obligatoire, souvent, avec un changement de préposition :

Ex. : *Il travaille avec énergie → avec une très grande énergie → avec l'énergie du désespoir.*
Ex. : *On lui a annoncé la nouvelle avec ménagements → avec de grands ménagements → avec les plus grands ménagements.*

LES ACCENTS ÉCRITS page 115

Les accents peuvent indiquer la manière de prononcer (*é, è, ê / e*) ou permettent de distinguer deux mots (*a / à ; ou / où*).

L'accent aigu se place sur le **-e** pour marquer le timbre fermé.
Ex. : *la beauté - le désir - la sévérité…*

⚠ On ne met pas d'accent si le mot se termine par **-d**, **-f**, **-r**, **-z**.
Ex. : *le pied, la clef, chanter, le nez, vous parlez.*

L'accent grave se place sur le **-e**, sur le **-a** ou sur le **-u**.

- Sur le **-e**, il indique un ɛ ouvert,
soit à l'intérieur du mot → *il achète ; ma chère ; la mère*
soit en finale devant **-s** → *dès que ; après ; le succès ; le progrès*

⚠ On ne met pas d'accent si le mot se termine par un **-t**.
→ *un tabouret ; un volet ; un cachet ; un billet*

⚠ **Attention à ces verbes :**
jeter → *je jette, il jette, ils jettent* mais *j'ai jeté, nous jetons, il jeta.*
acheter → *j'achète, ils achètent* mais *nous achetons, j'ai acheté.*

- Sur le **-a** uniquement dans les mots suivants :
à, au-delà, voilà, déjà.

- Sur le **-u** uniquement dans le mot *où.*

L'accent circonflexe a plusieurs fonctions :

- **c'est « l'accent du souvenir » :** il remplace une lettre disparue, le plus souvent le **-s** latin.

Ex. : *fête* (mais festin), *bête* (mais bestial), *forêt* (mais forestier), *hôpital* (mais hospitalisation).

- **il assure la distinction entre deux homophones :** *du/dû ; mur/mûr ; sur/sûr ; notre/nôtre ; jeune/jeûne ; la tache/la tâche ; il boite/une boîte.*

On l'utilise aussi :

- **dans certains verbes** sans raison étymologique : *ôter, frôler, câbler.*

- **au passé simple :** *nous allâmes, vous allâtes / nous fîmes, vous fîtes.*

- **dans les adjectifs péjoratifs** en **-âtre** (*bleuâtre, verdâtre, blanchâtre*, etc.).

Le tréma se place sur les lettres **-e** et **-i** pour indiquer qu'il faut prononcer les deux voyelles : *Noël - Joël - le maïs - naïf - haïr.*

LA PHRASE

LES DIFFÉRENTS TYPES DE PHRASES

Une phrase simple n'a qu'une seule proposition et donc un seul verbe conjugué :
Ex. : *Il a voyagé longtemps en Asie. / Venez vite !*

Une phrase complexe a deux ou plusieurs propositions, chacune avec son verbe. Ces propositions peuvent être :

- **reliées par une virgule, par deux points ou par un point-virgule.**
Ex. : *Nous avons hésité, nous avons finalement décidé d'accepter.*

- **reliées par un terme de coordination** (*car / puis / mais / et / ou*).
Ex. : *Avant, j'aimais beaucoup le foot mais j'ai cessé d'assister aux matches en 2010.*

- **reliées par une conjonction de subordination. La proposition subordonnée dépend de la proposition principale.**
Ex. : *Ce sont les amis que j'ai rencontrés à Madacasgar.*

LES PHRASES IMPERSONNELLES page **97**

Dans les phrases impersonnelles, le *il* ne correspond à aucun référent. C'est comme si aucun agent n'avait la responsabilité de l'action. Le verbe est invariable, il est toujours à la 3e personne du singulier, même si le sujet réel est pluriel.

Ex. : *Il s'est produit une chose épouvantable.*

Il existe différentes sortes de constructions impersonnelles :

A - Certains verbes sont toujours et uniquement impersonnels

- *il y a* + nom
  il faut + nom ou + infinitif / *il faut* + *que* + subjonctif /
  il s'agit de + nom ou + infinitif / *il s'agit que* + subjonctif

- les verbes « **météorologiques** » : *il pleut, il neige, il grêle, il fait beau, il fait chaud, il fait froid, il fait bon, il fait doux, il fait gris, il fait soleil, il fait jour, il fait nuit...*

B - D'autres verbes s'emploient à la forme personnelle ou impersonnelle

- *il est* + adjectif + *de* + infinitif

- *il est* + *que* + indicatif ou + subjonctif

Quand le *il* est impersonnel, il s'agit souvent d'un ordre, d'un conseil, d'une évaluation, d'un jugement.

Ex. : *Il est indispensable de venir / Il est indispensable que tu viennes.*

⚠ Quand le fait est certain, connu, le verbe est à l'indicatif.

Ex. : *Il est évident qu'il viendra.*
Ex. : *Il est certain que tu as raison.*

C - Des verbes « situationnels » qui font état d'une situation ou d'un événement :

Ex. : *Il se passe des choses bizarres ici. / Il s'est produit un accident sur l'A1. / Il existe des pays où il ne pleut pas.*

⚠ Les verbes *sembler* et *paraître* ont le même sens quand ils sont personnels.
Ex. : *Tu sembles fatigué. = Tu parais fatigué.*

Mais quand ils sont impersonnels, le sens est différent :

- *Il semble que* (+ indicatif ou subjonctif) = On a l'impression que...

- *Il paraît que* (+ indicatif) = On dit que, les gens disent que...

LE VERBE

LE CONDITIONNEL PRÉSENT

FORMATION

Le conditionnel est une forme en **-r**, comme le futur. Pour les verbes en **-er** et **-ir**, on part de l'infinitif et on ajoute les terminaisons de l'imparfait : **-ais, -ais, -ait, -ions, -iez** et **-aient**.

Ex. : - *Si j'avais de l'argent, je voyager-ais toute l'année. Et toi ?*
- *Pas moi. Avec Paul, nous acheter-ions un appartement.*

AIMER	PARTIR
J'aimer**ais**	Je partir**ais**
Tu aimer**ais**	Tu partir**ais**
Il / Elle / On aimer**ait**	Il / Elle / On partir**ait**
Nous aimer**ions**	Nous partir**ions**
Vous aimer**iez**	Vous partir**iez**
Ils / Elles aimer**aient**	Ils / Elles partir**aient**

⚠ Les verbes irréguliers sont les mêmes que pour le futur :

aller → j'irais	**mourir** → je mourrais
avoir → j'aurais	**pleuvoir** → il pleuvrait
courir → je courrais	**pouvoir** → je pourrais
devoir → je devrais	**savoir** → je saurais
envoyer → j'enverrais	**tenir** → je tiendrais
être → je serais	**venir** → je viendrais
faire → je ferais	**voir** → je verrais
falloir → il faudrait	**vouloir** → je voudrais

EMPLOIS

On utilise le conditionnel présent pour :

- demander quelque chose poliment avec *vouloir* et *pouvoir*.
Ex. : *Bonjour. Je **voudrais** des renseignements sur vos séjours en Irlande, s'il vous plaît.*
Ex. : *Tu **pourrais** m'aider, s'il te plaît ?*

- exprimer un désir, un souhait avec les verbes *aimer* et *vouloir*.
Ex. : *J'**aimerais** faire des progrès au piano.*
Ex. : *Je **voudrais** m'inscrire à l'examen de septembre.*

- conseiller, proposer ou suggérer quelque chose à quelqu'un avec les verbes *devoir, pouvoir* et *falloir*.
Ex. : *Tu **devrais** te coucher moins tard et te lever plus tôt.*
Ex. : *On **pourrait** sortir ce soir, non ?*
Ex. : *Il **faudrait** faire trois heures de gym pour être en forme.*

- On utilise aussi le conditionnel présent dans les phrases hypothétiques. Il est souvent en relation avec une proposition subordonnée en *si* + imparfait.

> dans l'hypothèse possible
Ex. : *S'il faisait beau demain, j'irais faire un tour à la campagne.* (= s'il ne fait pas beau, je n'irai pas.)

> dans l'irréel du présent
Ex. : *Si j'étais à ta place, je ne ferais pas ça !* (On l'utilise quand une situation est peu probable : *Si j'étais milliardaire, si j'étais toi...*)

- Il sert aussi à parler d'une nouvelle non confirmée.
Ex. : *Le prix du Pass Navigo pourrait augmenter de 15 %.*

LE CONDITIONNEL PASSÉ

FORMATION

Il est formé de l'auxiliaire *être* ou *avoir* au conditionnel présent et du **participe passé** du verbe.

EMPLOIS

On utilise le conditionnel passé pour :

• **demander** quelque chose (au passé) **de manière polie.**
Ex. : *Vous n'**auriez** pas **vu** Mathieu ? Je le cherche partout.*

• **exprimer un reproche ou un regret.**
Ex. : *- Tu **aurais pu** faire attention ! Tu as failli la renverser !*
*- Tu as raison, j'**aurais dû** faire plus attention.*

• Dans les phrases hypothétiques, le conditionnel passé exprime l'irréel du passé : quelque chose qui ne s'est pas produit.
Il est presque toujours en relation avec une subordonnée en **si** + plus-que-parfait.
Ex. : *Si j'avais continué le piano, j'**aurais pu** devenir célèbre !*
Ex. : *Si j'avais gardé contact avec Gabriel, j'**aurais pu** l'inviter à ma fête.*

• Le conditionnel passé sert aussi à **parler au passé d'une nouvelle non confirmée.**
Ex. : *Un BOEING 747 **se serait écrasé** hier dans le désert de Gobi.*

LE FUTUR ANTÉRIEUR page **40**

FORMATION
Le futur antérieur se forme à partir de l'auxiliaire **être** ou **avoir** au **futur** et du **participe passé** du verbe conjugué.

EMPLOI
• Le futur antérieur **exprime l'antériorité d'un fait futur par rapport à un autre fait futur pas encore accompli.**
Ex. : *Quand mon père **aura fini** de travailler, il **s'installera** en Provence. (= d'abord, il termine et ensuite, il part)*

• Il peut aussi **exprimer une action qui sera déjà accomplie dans le futur.**
Ex. : *En 2025, il **aura fini** de travailler.*
(= ce sera terminé à ce moment-là)

LE SUBJONCTIF PRÉSENT page **70**

FORMATION
Pour presque tous les verbes, on forme le subjonctif à partir de la 3e personne du pluriel du présent de l'indicatif sauf pour les deux premières personnes du pluriel, **nous** et **vous**, qui ont la même forme qu'à l'imparfait.

TRAVAILLER : ils travaillent
→ il faut que je travaille, que tu travailles, qu'il travaille, que nous travaillions, que vous travailliez, qu'ils travaillent.

FINIR : ils finissent
→ il faut que je finisse, que tu finisses, qu'il finisse, que nous finissions, que vous finissiez, qu'ils finissent.

PARTIR : ils partent
→ il faut que je parte, que tu partes, qu'il parte, que nous partions, que vous partiez, qu'ils partent.

LIRE : ils lisent
→ il faut que je lise, que tu lises, qu'il lise, que nous lisions, que vous lisiez, qu'ils lisent.

⚠ Cinq verbes sont entièrement irréguliers : **avoir, être, faire, savoir** et **pouvoir.**

INFINITIF	SUBJONCTIF	
AVOIR	que j'aie	que nous ayons
	que tu aies	que vous ayez
	qu'il/elle ait	qu'ils/elles aient
ÊTRE	que je sois	que nous soyons
	que tu sois	que vous soyez
	qu'il/elle soit	qu'ils/qu'elles soient
FAIRE	que je fasse	que nous fassions
	que tu fasses	que vous fassiez
	qu'il/elle fasse	qu'ils/elles fassent
SAVOIR	que je sache	que nous sachions
	que tu saches	que vous sachiez
	qu'il/elle sache	qu'ils/elles sachent
POUVOIR	que je puisse	que nous puissions
	que tu puisses	que vous puissiez
	qu'il/elle puisse	qu'ils/elles puissent

Ex. : *Ses parents aimeraient qu'il **fasse** un peu plus de sport.*
Ex. : *Je voudrais que tu **sois** un peu plus aimable avec les gens !*
Ex. : *Il faut qu'elle **sache** la vérité.*

⚠ Trois verbes sont « mixtes » : **aller, vouloir** et **valoir.**

• Ils sont irréguliers pour les trois personnes du singulier (**je/tu/il-elle**) et la dernière du pluriel (**ils**).

• Pour les 1re et 2e du pluriel (**nous** et **vous**), ils se conjuguent comme à l'imparfait.

ALLER	que j'aille	que nous **allions**
	que tu ailles	que vous **alliez**
	qu'il/elle aille	qu'ils/elles aillent
VOULOIR	que je veuille	que nous **voulions**
	que tu veuilles	que vous **vouliez**
	qu'il/elle veuille	qu'ils/elles veuillent
VALOIR	que je vaille	que nous **valions**
	que tu vailles	que vous **valiez**
	qu'il/elle vaille	qu'ils/elles vaillent

Ex. : *J'aimerais que nous **allions** ensemble voir cette expo.*
Ex. : *Il faut que j'**aille** faire des courses.*

⚠ Le verbe **falloir** (il faut) : qu'il faille
Ex. : *Ta photo de profil est sympa, je ne pense pas qu'**il faille** la changer. Garde-la !*

page 131
page 144

EMPLOIS

Le subjonctif s'emploie essentiellement dans les propositions subordonnées :

A - APRÈS DES VERBES EXPRIMANT UN JUGEMENT, UNE ATTITUDE OU UN SENTIMENT

- **Le désir, le souhait :** *vouloir, aimer, adorer, préférer, désirer, souhaiter...*
  Ex. : *J'aimerais que tu **fasses** attention à toi.*
- **Le doute :**
  Ex. : *Ça m'étonnerait qu'il **réussisse** à la reconquérir.*
- **La crainte :**
  Ex. : *J'ai bien peur que la situation n'**aille** en empirant !*
- **Le regret :**
  Ex. : *Je regrette qu'on **ait perdu** le contact. C'était une bonne amie.*
- **L'ordre et l'interdiction :**
  Ex. : *Je veux que tu **éteignes** cet ordinateur !*

⚠ Il faut que les sujets des 2 propositions soient différents.
a) *Je veux sortir.* (1 seul sujet : je)
   Je veux que tu sortes. (2 sujets différents : je + tu)

b) *Tu as peur de ne pas comprendre ?* (1 seul sujet : tu)
   J'ai peur que vous ne compreniez pas. (2 sujets)

c) *Je regrette beaucoup de partir.* (1 sujet : tu)
   Je regrette beaucoup que tu partes. (2 sujets)

⚠ Parfois, le verbe est à l'indicatif à la forme affirmative et au subjonctif à la forme négative ou interrogative.
Ex. : *Je pense qu'il **viendra**. / Je ne pense pas qu'il **vienne**. (doute)*
*Je suis certain qu'elle **a raison**. / Êtes-vous certain qu'elle **ait raison** ? (doute)*

B - APRÈS DES CONSTRUCTIONS IMPERSONNELLES

- **exprimant une obligation, une possibilité, un doute :**
il faut que, il est important que, il est nécessaire que, il vaut mieux que, il est temps que, ça m'étonnerait que, etc.
Ex. : *Il est possible qu'on **parte** plus tôt que prévu.*
Ex. : *Il est temps que nous **réagissions** à cette provocation.*

C - APRÈS CERTAINES CONJONCTIONS EXPRIMANT LE BUT, L'OPPOSITION, LA CONCESSION, L'HYPOTHÈSE ET LA CONDITION

pour que (but), *avant que* (temps), *de peur que* (crainte), *sans que, en attendant que, jusqu'à ce que* (temps), *à condition que, à supposer que* (condition, supposition, hypothèse), *bien que* (concession), etc.
Ex. : *Elle a mis cette photo sur Facebook pour que Mateo **sache** où elle a été ce week-end et qu'il **soit** jaloux.*

D - APRÈS DES RELATIFS POUR EXPRIMER L'ÉVENTUALITÉ, L'INCERTITUDE, LE SOUHAIT

Comparez :
Ex. : *Je cherche une amie qui s'appelle Ellen et qui vient d'arriver d'Oslo.* (elle existe)
Ex. : *Je cherche une amie **qui** soit gentille et **qui** veuille bien vivre à la campagne.* (je ne sais pas si une fille comme ça existe ou non, c'est un souhait = **qui** + subjonctif)

LE SUBJONCTIF PASSÉ

FORMATION

On utilise l'auxiliaire ***être*** ou ***avoir au subjonctif présent*** et le **participe passé** du verbe.
Ex. : *Je ne pense pas qu'il **soit** déjà **venu** ici.*

EMPLOIS

- Le subjonctif présent exprime une **action simultanée** (= maintenant) **ou postérieure** (= après) à celle de la proposition principale.
  Ex. : *Je regrette que tu ne puisses pas venir.*
  maintenant   après

- Le subjonctif passé exprime une **action antérieure** (= avant) à celle de la proposition principale.
  Ex. : *Je regrette que tu n'aies pas pu venir.*
  maintenant   avant

LE PASSÉ SIMPLE

FORMATION

Pour les verbes en **-er**	Pour la plupart des verbes en **-ir**	Pour les verbes comme devoir, pouvoir, savoir, croire	Pour les verbes comme venir, tenir
radical + **-ai, -as, -a, -âmes, -âtes, -èrent**.	radical + **-is, -is, -it, -îmes, -îtes, -irent**.	radical + **-us, -us, -ut, -ûmes, -ûtes, -urent**.	radical + **-ins, -ins, -int, -înmes, -întes, -inrent**.
Dès que l'hiver arriva, les touristes s'en allèrent vers des contrées plus ensoleillées.	*Nous partîmes le lundi suivant mais eux choisirent de rester au chalet quelques jours de plus.*	*Quand ils disparurent, personne ne crut ni ne voulut croire à leur mort.*	*Ils vinrent à la réunion mais ils s'abstinrent de tout commentaire.*

⚠ Les verbes terminés par **-cer** → **ç** devant **-a**
je commençai, tu commenças, il commença, nous commençâmes, vous commençâtes, ils commencèrent

⚠ Les verbes terminés par **-ger** → gardent le **-e** devant le **-a**
je déménageai, tu déménageas, il déménagea, nous déménageâmes, vous déménageâtes, ils déménagèrent

⚠ Attention, certains verbes sont irréguliers :
Être : *je fus, tu fus, il fut, nous fûmes, vous fûtes, ils furent*
Avoir : *j'eus, tu eus, il eut, nous eûmes, vous eûtes, ils eurent*
Naître : *je naquis, tu naquis, il naquit, nous naquîmes, vous naquîtes, ils naquirent*
Vivre : *je vécus, tu vécus, il vécut, nous vécûmes, vous vécûtes, ils vécurent*

EMPLOI

- On l'utilise pour parler d'un fait ou d'une action complètement coupés du moment présent. On l'appelle souvent « passé historique » et on le rencontre presque uniquement à l'écrit, dans les récits (récits historiques, romans, contes...). C'est pour cela que le plus souvent, on le trouve à la troisième personne :

*Voltaire **naquit** à Paris en 1694. Il **connut** la célébrité très jeune avec sa pièce Œdipe. Son engagement contre l'absolutisme et l'intolérance lui **valut** une grande notoriété mais il **fut** aussi en butte aux persécutions de la part du pouvoir. Il **s'engagea** en particulier vigoureusement contre l'intolérance religieuse et **écrivit** son Traité sur la tolérance en 1763, au moment de l'affaire Calas. Il **dut** s'exiler en Suisse puis **s'installa** à Ferney, à la frontière franco-suisse. Mais c'est à Paris qu'il **mourut** en 1778. En 1791, Voltaire **devint** le premier « homme illustre » à être enterré au Panthéon.*

LE PARTICIPE PRÉSENT

FORMATION
C'est un mode impersonnel. On le forme en partant de la racine de la 1re personne du pluriel du présent (*nous*) et en ajoutant la terminaison **-ant**. Il est toujours invariable.
nous allons → all**ant**
nous prenons → pren**ant**
nous faisons → fais**ant**

⚠ Il y a quelques participes présents irréguliers :
savoir → sach**ant** / avoir → ay**ant** / être → ét**ant**

EMPLOIS
• On l'emploie surtout à l'écrit. Il indique une action en cours de déroulement, qui se passe en même temps que l'action de la proposition principale.

• **Il peut se référer au sujet.**
Ex. : *Ne comprenant rien à la situation, il a décidé de tout arrêter.*
    (Il y a un seul sujet : il)
• **Il peut aussi se référer au complément d'objet direct.**
Ex. : *J'ai vu Patrice entrant dans l'ascenseur.*
    (Il y a deux sujets : j'/Patrice)
• **Il remplace souvent une proposition relative avec *qui*.**
Ex. : *C'est un homme aimant la bonne vie.* = qui aime la bonne vie.

LE GÉRONDIF

Le gérondif est aussi un mode impersonnel qui n'a qu'un seul temps : le présent. Il s'emploie avec un autre verbe pour indiquer la simultanéité de deux actions faites par le même sujet.

FORMATION
en + participe présent : **en** *marchant*, **en** *dansant*, **en** *riant*...

⚠ Avec le gérondif, le sujet des deux verbes est le même.
Ex. : *Je l'ai vu **en** entrant dans l'ascenseur.* (C'est la même personne qui voit et qui entre dans l'ascenseur : **je**)

EMPLOIS
Il peut exprimer :
• la simultanéité
Ex. : *Tu arrives à travailler **en écoutant** la radio ?*

Tout en → permet d'insister sur la simultanéité de deux actions :
Ex. : *Elle fait la cuisine **tout en** écoutant la radio.*

• le temps (Quand ?)
Ex. : ***En allant** chez Jules, j'ai croisé Caroline.*

• la manière (Comment ?)
Ex. : *Il a acheté son studio **en cherchant** sur immo.com.*

• la condition (Si)
Ex. : ***En prenant** des leçons, tu améliorerais ton niveau.*

L'ACCORD DU PARTICIPE PASSÉ   p. 72
AVEC L'AUXILIAIRE *AVOIR*

• On **n'accorde pas** le sujet et le participe passé.
Ex. : *Elle a rencontr**é** Pierre et ils ont bavard**é** un moment.*

• On accorde le participe avec **le COD** s'il se trouve placé **avant le verbe**.
Ex. : *La Corse, c'est une région qu'ils ont ador**ée** !*

⚠ On **n'accorde pas** le participe des verbes impersonnels :
il fait, il faut, il tombe.

⚠ Les participes passés des verbes **se laisser** et **se faire** restent toujours invariables.

AVEC L'AUXILIAIRE *ÊTRE*

• On accorde le sujet et le participe passé :
Ex. : *Elles sont devenu**es** meilleures amies.*

• Les verbes pronominaux s'emploient toujours avec l'auxiliaire **être**, donc le participe passé s'accorde dans la plupart des cas car le pronom est le COD du verbe.
Ex : *Vous vous êtes rencontrés* → se rencontrer = rencontrer quelqu'un.

⚠ Si le verbe pronominal est suivi d'un COD, on n'accorde pas.
Ex. : *Elle s'est fai**t** plaisir, elle s'est offer**t** un voyage en Australie et s'est **acheté** une voiture neuve !*

LE PASSIF   page 54

La forme passive est comme la forme active « inversée » : l'objet devient sujet et le sujet devient complément d'agent.
Ex. : *L'association « Stop discrimination » a annoncé sa campagne d'affichage.* → on insiste sur l'association.

Ex. : *La campagne d'affichage a été annoncée par l'association « Stop discrimination »* → on insiste sur la campagne.

FORMATION ET CONTRAINTES
• L'objet devient le « sujet grammatical » du verbe et le sujet devient le complément d'agent.

	SUJET	VERBE	COMPLÉMENT
VOIX ACTIVE	l'association « Stop discrimination »	a annoncé	sa campagne d'affichage
VOIX PASSIVE	la campagne d'affichage	a été annoncée	par l'association

GRAMMAIRE

- Le verbe passif est toujours conjugué avec l'auxiliaire **être**. Il se met au même temps et au même mode que dans la forme active.

Ex. : *Le Monde a publié la déclaration du juge Dennis.* (passé composé) → *La déclaration du juge Dennis a été publiée par Le Monde.* (passé composé passif)

Ex. : *Il faut que la police fasse une enquête.* (subjonctif présent)
→ *Il faut qu'une enquête soit faite par la police.* (subjonctif présent passif)

- En général, le complément d'agent est introduit par : **par**.
Ex. : *Ce scandale a été révélé par des « lanceurs d'alerte » en mars.*

Mais il peut aussi être introduit par la préposition **de** avec des verbes exprimant un sentiment (*aimer, détester...*) ou avec les verbes *connaître, accompagner, suivre, entourer...*
Ex. : *La mauvaise situation de cette entreprise est connue **de** tout le monde depuis longtemps.*

Remarque : on peut toujours remplacer **de** par **par** mais non l'inverse.
Ex. : *La mauvaise situation de cette entreprise est connue **par** tout le monde depuis longtemps.*

L'ABSENCE DE COMPLÉMENT D'AGENT

Souvent, la phrase passive n'a pas de complément d'agent :
- soit parce qu'on l'ignore ;
- soit parce que l'agent responsable est connu de tous ;
- soit parce qu'on préfère ne pas mentionner le responsable.
Ex. : *Un vaccin aurait été découvert récemment.* (Par qui ? On ne sait pas.) *La loi a été votée en seconde lecture.* (Par le Parlement)

AUTRES MANIÈRES D'EXPRIMER LE PASSIF

La forme passive n'est pas la seule façon d'exprimer la notion de passif. Il y a d'autres possibilités :

- **Les formes pronominales.** Dans ce cas, l'agent (toujours inanimé) est considéré comme peu important ou évident.
Ex. : *Ce livre s'est très bien vendu.* = a très bien été vendu.
Ce vin blanc doit se boire assez jeune. = doit être bu assez jeune.

- **Les constructions avec se faire, se laisser, se voir, s'entendre + infinitif.** Dans ces phrases, le sujet est toujours animé.
Ex. : *Il **s'est fait** renvoyer du lycée.* = Il a été renvoyé du lycée.
*L'animal **s'est laissé** capturer* = Il a été capturé.
→ Avec **se laisser**, il y a une idée de passivité, d'acceptation.

- **Certains verbes ou locutions verbales qui portent en eux-mêmes un sens passif :** *subir, souffrir, endurer, être l'objet de, être la victime de, être la cible de...*
Ex. : *Il **a été l'objet de** moqueries à cause de sa petite taille.*

LES MARQUEURS TEMPORELS page 145

Les marqueurs temporels établissent un rapport chronologique entre deux propositions : une principale et une subordonnée. Ce rapport peut être d'<u>antériorité</u>, de <u>simultanéité</u> ou de <u>postériorité</u>.

Rapport d'antériorité	Rapport de simultanéité	Rapport de postériorité
avant que... *en attendant que...*	*En même temps que...* *Au moment où...*	*Dès que...* *Une fois que...*

⚠ La majorité des marqueurs sont suivis de l'indicatif mais certains comme *avant que, en attendant que* s'utilisent avec le subjonctif.

L'EXPRESSION DU REGRET page 73

Pour exprimer un regret, on emploie le plus souvent le verbe *regretter* :
- **Je regrette** + <u>nom</u> / **Je regrette de** + <u>infinitif</u> / **Je regrette que** + <u>subj</u>.
Ex. : **Je regrette** <u>le début</u> de notre relation.
Ex. : **Je regrette de** <u>devoir</u> m'absenter.
Ex. : **Je regrette que** mon ami ne <u>vienne</u> pas.

Mais on peut aussi utiliser des expressions comme :
- **être désolé/navré, déplorer, quel dommage, malheureusement...**
- **c'est dommage** + **que** + <u>subjonctif</u>.
- **J'aurais bien aimé** + <u>infinitif</u> / **J'aurais bien aimé que** + <u>subjonctif</u>
Ex. : **J'aurais bien aimé** <u>t'avoir</u> à mes côtés.
- **S'en vouloir de** + <u>infinitif passé</u>
Ex. : *Il **s'en veut de** ne pas l'avoir rappelée.*

LES RELATIONS LOGIQUES

LA COMPARAISON PAGE 38

Pour exprimer la comparaison, on utilise :
- *plus, aussi, moins* + <u>adjectif ou adverbe</u> + *que*
Ex. : *Mon fils aîné travaille **plus** <u>dur</u> **que** le cadet mais il gagne moins.*

- *plus de, autant de, moins de* + <u>nom</u> + *que*
Ex. : *Entre 2000 et 2050, la population mondiale comptera **autant de** <u>jeunes</u> **que** de personnes âgées pour la première fois de l'histoire.*

- <u>verbe</u> + *plus, autant, moins* + *que*
Ex. : *Les personnes âgées <u>dorment</u> **moins que** les personnes jeunes.*

⚠ bon → meilleur / bien → mieux / mauvais → pire

LA PROGRESSION ET L'INTENSITÉ
- *plus... plus...*
Ex. : ***Plus** il grandit, **plus** il ressemble à son père.*
- *autant... autant...*
Ex. : ***Autant** il adore sa tante, **autant** il déteste ses cousins.*
- *moins... moins...*
Ex. : ***Moins** on bouge, **moins** on a envie de bouger.*

Pour comparer, on utilise aussi :
- **des noms :**
- ⤴ *une augmentation, une hausse, la supériorité*
- ≈ *une comparaison, une similitude, un parallèle, la ressemblance*
- ⤵ *une diminution, une baisse, l'infériorité*

- **des adjectifs qualificatifs :**
- ⤴ *supérieur (à)*
- ≈ *égal (à), identique (à), semblable (à), comparable (à), pareil (à), tel*
- ⤵ *inférieur (à)*

- **des verbes et des expressions verbales :**
- ⤴ *augmenter, croître, s'accroître*
- ≈ *égaler, ressembler à, évoquer, faire penser à*
- ⤵ *diminuer, décliner, décroître, baisser, chuter*

LA CAUSE PAGE 99

Pour exprimer la cause, on utilise :
parce que / car / comme / en effet + proposition.
à cause de / grâce à + nom ou pronom.

- Avec **parce que** + proposition, on donne une explication.
  Parce que répond à la question : **Pourquoi ?**
  Ex. : *Pourquoi tu as trois poubelles chez toi ?*
  Parce que *je trie. C'est pour recycler, éviter le gaspillage et limiter les pollutions.*

- **car** + proposition a le même sens que **parce que** mais on l'utilise surtout à l'écrit.
  Ex. : *J'ai arrêté de parler d'écologie* **car** *personne ne m'écoute.*
  ⚠ Il ne peut jamais être en début de phrase.

- Avec **comme** + proposition, on souligne la relation évidente entre la cause et le résultat.
  Ex. : **Comme** *personne ne m'écoute, j'ai arrêté de parler d'écologie.*
  ⚠ **Comme** se place toujours en début de phrase.

- Avec **en effet**, on introduit une explication. **En effet** se trouve presque toujours après un point ou un point-virgule.
  Ex. : *Ce « lanceur d'alerte » est inquiet.* **En effet**, *on l'accuse de trahison.*

- **grâce à** + nom ou pronom : idée de cause positive.

- **faute de** + infinitif ou + nom : idée de cause négative.

- **en raison de** + nom : pour les informations officielles.

- Avec **Sous prétexte que/de :** la cause est un mensonge.
  Ex. : *Il n'est pas venu* **sous prétexte qu'**il était malade. (Mais en fait il n'était pas malade.)

Rappel : Les participes présents ou passés peuvent également exprimer une relation de cause.
Ex. : *Ne comprenant rien à ses discours, je suis parti sans rien dire.*
Trop fatigué pour prendre le volant, il est resté dormir chez lui.

LA CONSÉQUENCE page 147

Pour exprimer la conséquence, on utilise **donc**, **alors**, **par conséquent** ou **c'est pourquoi**.

- **(et) donc**
Ex. : *Ils ne sont pas d'accord avec la ligne politique de ce journal* **et donc / par conséquent / c'est pourquoi**, *ils ont arrêté leur abonnement.*

- **(et) alors** a le même sens que **donc** ou **par conséquent** mais s'emploie plutôt à l'oral. On l'utilise aussi pour demander quelle est la conséquence d'un fait.

Ex. : - *J'ai envoyé une lettre de protestation au journal.*
      - **Et alors** ?
      - **Et alors**, *ils n'ont rien répondu, bien sûr !*

- **C'est pourquoi** exprime aussi la conséquence. Cette expression s'utilise plutôt à l'écrit.

Ex. : *Je trouve que votre article sur notre quartier est totalement scandaleux.* **C'est pourquoi** *je demande un droit de réponse.*

LE BUT page 71

Le but est le résultat, l'objectif que l'on cherche à atteindre.
Pour exprimer une idée de but, on utilise le plus souvent :
- **pour / afin de** + infinitif
Ex. : **Pour** vivre *avec lui, elle ferait n'importe quoi !*

- **pour que / afin que** + subjonctif
Ex. : *Je dis à mes amis de lire la presse* **pour qu'**ils sachent *ce qui se passe dans le monde.*

- **afin de** + infinitif
Ex. : **Afin de** *lui* changer *les idées, sa meilleure amie la fit rire.*

- **de sorte que / de manière que** + subjonctif
Ex. : *Arrangez-vous* **de sorte que** *la situation* soit réglée *avant notre retour. (= afin que)*

L'OPPOSITION ET LA CONCESSION page 41

Pour opposer deux situations ou deux réalités différentes mais qui peuvent coexister, on peut utiliser : **alors que, même si** + indicatif
Ex. : *La situation des retraités est plutôt bonne* **alors que** *celle des jeunes est beaucoup moins enviable.*
Ex. : **Même si les** *Français se disent heureux au travail, le taux de satisfaction diminue.*

Pour opposer deux situations ou deux réalités qui sont contradictoires, on utilise le plus souvent
(et) pourtant ou **malgré** + nom ;
ou **en dépit de** + nom.

Ex. : *Il a un bon budget* **et pourtant** *il ne trouve pas de robots intéressants.*
Ex. : **Malgré** *ses* fonctionnalités, *il ne trouve pas d'acheteurs.*
Ex. : **En dépit de** *ses* fonctionnalités, *il ne trouve pas d'acheteurs.*

- On peut également utiliser, surtout à l'écrit, **cependant**, **toutefois** ou **néanmoins**.

Ex. : *Demain, on vivra probablement plus vieux, **cependant** on ne sait pas encore comment lutter contre les défaillances du cerveau.*

- Ou encore **bien que, quoique** + <u>subjonctif</u>

Ex. : ***Bien que** son fils <u>fasse</u> beaucoup de caprices, sa mère ne se fâche jamais.*

- Ou, enfin, **quand même** qui est toujours placé <u>après le verbe</u>.

Ex. : *Mon frère est prof, il est souvent fatigué mais il <u>aime</u> bien son travail **quand même**.*

LA CONDITION ET L'HYPOTHÈSE

Quand la condition se situe dans le présent, la conséquence peut être ou dans le présent ou dans le futur.

- **La condition est dans le présent**, avec une **conséquence dans le présent** aussi :

Si + <u>présent</u> → <u>présent</u> : ***Si** tu <u>veux</u>, tu <u>peux</u> venir avec moi...*

Si + <u>présent</u> → <u>impératif présent</u> : ***Si** tu <u>veux</u>, <u>viens</u> avec moi !*

- **La condition est dans le présent**, avec une **conséquence dans le futur** :

Si + <u>présent</u> → <u>présent</u> : ***Si** on <u>se prépare</u> bien, on <u>réussit</u> toujours.*

Si + <u>présent</u> → <u>futur proche</u> : ***Si** tu te <u>prépares</u> bien, tu <u>vas réussir</u> !*

Si + <u>présent</u> → <u>futur simple</u> : ***Si** les gens ne <u>vont</u> plus voir des films, les cinémas <u>fermeront</u>.*

Si + <u>présent</u> → <u>impératif présent</u> : ***Si** tu <u>n'aimes</u> plus cette revue, arrête de l'acheter !*

→ Dans tous ces cas, la réalisation de l'action est possible.

- **L'hypothèse est dans le présent** mais la **condition est irréalisable** :

Si + <u>imparfait</u> → <u>conditionnel présent</u> : ***Si** <u>j'avais</u> vingt ans de moins, <u>je monterais</u> un groupe de rock. (Mais je n'ai pas 20 ans de moins !)*

- **L'hypothèse est dans le passé**, la condition ne s'est pas réalisée.

Si + <u>plus-que-parfait</u> → <u>conditionnel passé</u> : ***Si** <u>j'avais vécu</u> en 1789, <u>j'aurais participé</u> à la Révolution française. (Mais je n'ai pas vécu à cette époque !)*

Et aussi...

À condition de + <u>infinitif</u> (un seul sujet)

Ex. : *Je veux bien venir samedi **à condition de** <u>partir</u> tôt.*

À condition que + <u>subjonctif</u> (deux sujets différents)

Ex. : *Je veux bien venir samedi **à condition que** Lisa <u>vienne</u> aussi.*

Sauf si :

Ex. : *Impossible de faire cet exercice **sauf si** tu m'aides, bien sûr.*

DISCOURS DIRECT, DISCOURS INDIRECT (RAPPORTÉ)

LE TEMPS DES VERBES   page **23**

- **Discours direct**

Il met en scène des interlocuteurs et fait entendre à l'identique les paroles prononcées par quelqu'un. À l'oral, la personne qui parle imite parfois celle dont elle reprend les paroles. À l'écrit, cela est signifié par les deux points et l'ouverture de guillemets.

*« Alain Passard **a commencé** à travailler à 14 ans comme apprenti cuisinier. Il **est** mondialement connu aujourd'hui. Depuis plusieurs années, il **délaisse** la viande au profit des légumes et beaucoup de ses menus **sont** strictement végétariens. De nombreux jeunes cuisiniers **continueront** certainement ce combat pro-légumes. »*

- **Discours rapporté dans un contexte de présent ou de futur**

Les paroles prononcées sont en quelque sorte « neutralisées », intégrées à la syntaxe de la phrase. À l'écrit comme à l'oral, cela est signifié par un <u>verbe introducteur</u> suivi d'une <u>proposition complétive</u> commençant par **que**.

*Le journaliste <u>explique</u> **qu'**Alain Passard a commencé à travailler à 14 ans comme apprenti cuisinier. Il <u>rappelle</u> **qu'**il est mondialement connu aujourd'hui. Il <u>note</u> aussi **que** depuis plusieurs années, il délaisse la viande au profit des légumes et **que** beaucoup de ses menus sont strictement végétariens. Il <u>conclut</u> en disant **que** de nombreux jeunes cuisiniers continueront certainement ce combat pro-légumes.* → **Le temps des verbes <u>subordonnés</u> ne change pas.**

- **Discours rapporté dans un contexte de passé (passé composé, imparfait, plus-que-parfait...)**

*Le journaliste <u>a expliqué</u> **qu'**Alain Passard avait commencé à travailler à 14 ans comme apprenti cuisinier. Il <u>a rappelé</u> **qu'**il était mondialement connu aujourd'hui. Il <u>a noté</u> aussi **que** depuis plusieurs années, il délaissait la viande au profit des légumes et **que** beaucoup de ses menus étaient strictement végétariens. Il <u>a conclu</u> en disant **que** de nombreux jeunes cuisiniers continueraient certainement ce combat pro-légumes.*

→ **Le temps des verbes <u>subordonnés</u> change :**
- le présent → l'imparfait *(délaisse→ délaissait)*
- le passé composé → plus-que-parfait *(a commencé → avait commencé)*
- le futur → conditionnel présent *(continueront → continueraient)*

verbes au style direct	→	verbes au style indirect (rapporté)
au présent	→	à l'imparfait
au futur	→	au conditionnel présent
au futur antérieur	→	au conditionnel passé
au passé composé	→	au plus-que-parfait
à l'impératif	→	de + infinitif
les autres temps	→	pas de changement

- **Le cas de l'impératif**

Au discours indirect, une seule possibilité : **de** + <u>infinitif</u>.

Ex. : *« Écoutez bien et répétez après moi ! »*

Il nous dit ⎫
Il nous dira ⎬ **de** bien <u>écouter</u> et **de** <u>répéter</u> après lui.
Il nous a dit ⎭

LES EXPRESSIONS DE TEMPS

Quand le verbe qui introduit le discours est au passé, il faut modifier les expressions de temps.

DISCOURS DIRECT	DISCOURS INDIRECT
• *aujourd'hui*	• *ce jour-là*
• *ce soir*	• *ce soir-là*
• *en ce moment*	• *à ce moment-là*
• *hier*	• *la veille*
• *avant-hier*	• *l'avant-veille*
• *la semaine dernière*	• *la semaine précédente*
• *il y a quinze jours*	• *quinze jours avant/plus tôt*
• *demain*	• *le lendemain*
• *après-demain*	• *le surlendemain*
• *la semaine prochaine*	• *la semaine suivante*
• *dans quinze jours*	• *quinze jours après/plus tard*

Ex. : « *On mange comme des rois. Avant-hier, bœuf mariné au saké. Hier, une orgie de crabe et aujourd'hui, festin de poissons crus à la mode de Kobe. Demain, nous irons à Osaka et après-demain, nous sommes invités chez Yumiko pour connaître la fameuse Okonomiyaki, la grande spécialité du coin... ».*

Chris et Vanessa sont allés au Japon. Ils nous ont envoyé une carte très gastronomique pour nous dire qu'ils mangeaient comme des rois. L'avant-veille ils avaient mangé du bœuf mariné au saké, la veille, une orgie de crabe et ce jour-là, un festin de poissons crus à la mode de Kobe. Le lendemain, ils iraient à Osaka et le surlendemain, ils étaient invités chez Yumiko pour connaître la fameuse Okonomiyaki, la grande spécialité du coin...

LES VERBES INTRODUCTEURS DE DISCOURS page 22

Les verbes du « *dire* » sont très nombreux. Certains sont neutres, comme *dire* par exemple. D'autres apportent une nuance.

• **Verbes introducteurs neutres :**
dire que, déclarer que, affirmer que, remarquer que, faire remarquer que, indiquer que, expliquer que, informer que...

• **Verbes apportant un complément d'information :**
préciser que, ajouter que...

• **Verbes pour répondre :**
répondre que, répliquer que, riposter que, rétorquer que...
→ Les trois derniers sont plus énergiques.

• **Verbes marquant la réticence ou le doute :**
avouer que, prétendre que, prétexter que...

• **Verbes exprimant la manière de s'exprimer :**
balbutier que, murmurer que, marmonner que, grogner que, chuchoter que, glisser que, crier (s'écrier) que, hurler que...

Tous ces verbes sont suivis de l'indicatif.

LA NÉGATION page 55

La négation s'exprime par deux particules : *ne... pas*, *ne... jamais*, *ne... rien*, *ne... plus*, *ne... pas encore*, *ne... personne*.

PLACE DE LA NÉGATION

• Avec les temps simples, les deux particules négatives encadrent le verbe :
Ex. : *On ne connaît personne à Marseille.*
      Il ne sera jamais président de la République.

• Avec les temps composés :
Pas, *plus*, *rien* et *jamais* se placent entre l'auxiliaire et le participe :
Ex. : *Elle n'est pas venue. Il n'a plus parlé à Patricia.*
      Vous n'avez rien vu ? Ils n'ont jamais fumé.

Personne et *aucun...* se placent après le participe :
Ex. : *Je n'ai rencontré personne.*
      Ils n'ont entendu aucun bruit.

NE... NI... NI...

La négation concerne deux ou plusieurs termes de même nature (deux noms, deux verbes...). Attention, en ce cas, on ne peut pas utiliser *pas*.
Ex. : *Elle s'en moque, ça ne lui fait ni chaud ni froid.*
      Il ne veut ni continuer ses études ni se mettre à travailler.

QUAND LE NE EST TOUT SEUL

On rencontre parfois le *ne* tout seul, sans autre négation (*pas*, *rien*, *personne*, etc.). Attention, il peut avoir deux valeurs différentes :

A - UNE PLEINE VALEUR NÉGATIVE : si l'on rajoute *pas*, le sens de la phrase ne change pas. Cette forme négative sans *pas* appartient à la langue soutenue. On la rencontre :
• dans des expressions figées : *n'importe quand, n'importe comment, n'importe où... / Si je ne me trompe...*

• avec certains verbes à valeur modale : *pouvoir, savoir, oser, cesser.*
Ex. : *Je ne peux comprendre son attitude ! Il ne cesse de se plaindre .*

B - IL PEUT S'AGIR DU « NE EXPLÉTIF » (OU « FAUSSE NÉGATION »).
On peut le supprimer sans changer le sens de la phrase.
On le rencontre :
• **Avec les verbes craindre, redouter, avoir peur ; empêcher ; éviter (+ subjonctif) :**
Ex. : *Il faudra éviter que cela (ne) se reproduise.*

• **Avec les conjonctions *de peur que...*, *de crainte que...* ; *avant que...* ; *à moins que...* (+ subjonctif) :**
Ex. : *Il a dû oublier notre rendez-vous, à moins qu'il (ne) soit malade.*

• **Avec les comparatifs d'inégalité :**
Ex. : *Il est moins bête qu'on (ne) le dit.*

→ On remarquera que dans tous les cas, il y a une idée négative implicite.
Ex. : *J'ai peur qu'il ne soit trop tard = J'espère qu'il n'est pas trop tard.*
      Il faudra éviter que cela ne se reproduise = Il faudra s'arranger pour que cela ne se reproduise pas.

LA RESTRICTION page 55

Ne... que... (= seulement)
Ex. : *Il **n'a** que seize ans et il travaille déjà.*
*Ils **n'**ont reçu **que** des compliments pour leur action dans les quartiers difficiles.*
Rien que (= ne...que)
Ex. : *Je l'ai vu mais **rien qu'**un moment (= je **ne** l'ai vu **qu'**un moment / seulement un moment).*
Ne... pas grand-chose - ne... pas grand monde
Ex. : *Il est timide, il **ne** dit jamais **grand-chose**.*
*Après 22 h, dans ce quartier, il **n'**y a **pas grand monde**.*

GRAMMAIRE DE LA COMMUNICATION

DONNER SON OPINION

• *Penser que, croire que, trouver que* + indicatif
Ex. : *Je **pense**/Je **crois qu'**il faut réviser toute la leçon pour demain.*
Ex. : *J'aime bien ce prof, je **trouve qu'**il explique bien.*
• *Avoir l'impression que* + indicatif
Ex. : *J'**ai l'impression qu'**il a fait des progrès en français.*
• *Il me semble que* + indicatif
Ex. : ***Il me semble que** tu as partagé son post, non ?*
• *À mon avis,...*
Ex. : ***À mon avis**, tu devrais ouvrir un compte Linkedin.*
• *Pour moi,...*
Ex. : ***Pour moi**, les réseaux sociaux sont indispensables.*

EXPRIMER DES SENTIMENTS page 70

Pour exprimer des sentiments, on peut utiliser des verbes introducteurs tels que *vouloir, aimer, apprécier, regretter, désirer, souhaiter...*

Quand la phrase a deux sujets	Quand la phrase a un sujet
verbe + *que* + subjonctif Ex. : *Je veux **que** tu viennes me voir.*	verbe + *de* + infinitif Ex. : *Solal regrette **de** ne pouvoir venir.*

On peut aussi exprimer des sentiments avec les verbes *être* ou *se sentir* + adjectif.

Quand la phrase a deux sujets	Quand la phrase a un sujet
être/se sentir + adjectif + *que* + subj. Ex. : *Je suis heureuse **que** tu puisses venir.*	être/se sentir + adjectif + *de* + inf. Ex. : *Je suis content **de** te voir.*

LA CONSTRUCTION DES VERBES

admettre	• qqch • + infinitif • *que* + indicatif	*J'**admets** sa bonne foi.* *J'**admets** avoir eu tort.* *J'**admets qu'**il a raison.*
acheter	• qqch (à qqn)	*Il a **acheté** un cadeau à sa sœur.*
aimer	• qqn • qqch • + infinitif • *que*	*J'**aime** mon copain Nicolas.* *J'**aime** le sport.* *J'**aime** beaucoup danser.* *J'**aimerais que** tu sois là ce soir.*
aller	• à, à la, au, chez • + infinitif	*Ce soir, on **va** chez Tom.* *Demain, on **va** dîner chez Sonia.*

appeler	• qqn	*On dîne ! **Appelle** ton père !* *Tu **as appelé** ta grand-mère ?*
apporter	• qqch + à, aux qqn	*J'**ai apporté** des chocolats **aux** enfants.*
apprendre	• qqch • qqch à qqn • à + infinitif • *que*	*Il n'a pas **appris** sa leçon.* *Il a **appris** la bonne nouvelle à son père.* *Elle n'a jamais **appris à** conduire.* *J'**ai appris que** tu avais été malade.*
arrêter	• qqch • qqn • de + inf.	***Arrête** tes mensonges !* *On a **arrêté** l'assassin.* ***Arrêtez** de vous plaindre.*
arriver	• à faire qqch	*Je n'**arrive** pas **à faire** cet exercice. Tu peux m'aider ?*
attendre	• qqn • qqch • de + infinitif • *que* + subj.	*Tu **attends** Lou ? Elle arrive..* *Elle **attend** un mail de son patron.* ***Attends d'**avoir seize ans.* *On **attend qu'**il revienne ?*
avoir	• qqn • qqch • + âge • + yeux, cheveux... • + ...	*Ils **ont** deux enfants.* *J'**ai eu** un scooter l'an dernier.* *Il **a** dix-sept ans.* *J'**ai** les yeux et les cheveux noirs.* ***avoir** peur, **avoir** mal, **avoir** faim, **avoir** soif, **avoir** chaud (sans article)*
avoir besoin de	• qqn • qqch • infinitif	*J'**ai besoin de** toi.* *Il **a besoin de** lunettes.* *Il est fatigué, il **a besoin de** dormir.*
avoir envie de	• qqch • + infinitif	*J'**ai envie d'**un bon chocolat chaud.* *J'**ai envie d'**aller à la plage cet été.*
changer	• de + qqn • de + qqch	*Elle **change de** copains tout le temps.* *Tu **changes de** robe ?*
commencer	• qqch • à + infinitif	*J'**ai commencé** le judo il y a n.* *Tu **commences à** travailler demain.*
comprendre	• qqn • qqch • *que*	*Il ne **comprend** pas son frère.* *Je ne **comprends** pas tes explications.* *On a **compris qu'**il n'était d'accord.*
compter	• qqn • qqch • + infinitif • sur qqch ou qqn	*Tu **as compté** les élèves présents ?* *Il **compte** ses sous.* *Je **compte** continuer mes études.* *- Je **compte sur** son aide.* *- Ah non, ne compte pas **sur** lui.*
connaître	• qqn • qqch	*Tu **connais** cette actrice ?* *On ne **connaît** pas encore Paris.*
continuer	• qqch • à (de) + infinitif	*Je veux **continuer** le judo l'an prochain.* *Il **continue à (de)** pleuvoir.*
craindre	• qqch • qqn • de + infinitif • *que* + subjonctif	*Je **crains** l'orage.* *Il **craint** son père.* *Je **crains d'**être en retard.* *Tu **crains qu'**il soit fâché ?*
croire	• qqn • à qqch / qqch • *que* • + infinitif	*Il ne faut pas toujours **croire** ses amis.* *Je ne **crois** pas **à** tes histoires !* *Je **crois qu'**il est parti.* *J'**ai cru** comprendre que c'était pire.*
défendre	• qqn • qqch • à qqn de + inf. • *que* + subjonctif	*L'avocat a bien **défendu** son client.* ***Défends** ton point de vue !* *On lui **défend de** manger du chocolat.* *Il **défend que** Paul aille seul à l'école.*
demander	• qqn • qqch (à qqn) • à qqn de + inf.	*On **demande** un pédiatre au 3e étage.* ***Demande** la permission **à** tes parents.* *Il **a demandé à** Jean **de** partir.*
dépêcher (se)	• de + infinitif	***Dépêche-toi de** t'habiller !*

détester	• qqn • qqch • + <u>infinitif</u>	*Je **déteste** ce garçon, il est horrible !* *Ils **détestent** le foot.* *Il **déteste** <u>se lever</u> tôt.*
devoir	• qqch (à qqn) • qqch + <u>infinitif</u>	*Je vous **dois** combien ?* *On **doit** <u>être</u> à la gare à sept heures.*
dire	• qqch (à qqn) • à qqn **de** + <u>inf.</u> • **que**	*Tu lui **as dit** la vérité ?* *Elle **a dit à** sa fille **de** <u>se dépêcher</u>.* *Ils **disent qu'**ils sont très contents.*
douter	• **de** qqch • **de** qqn • **de** + <u>infinitif</u> • **que** + <u>subjonctif</u>	*Je **doute de** ses intentions.* *Ne **doutez** pas **de** lui.* *Je **doute** <u>d'avoir</u> le temps d'aller la voir.* *Je **doute qu'**il <u>ait compris</u> le message.*
donner	• qqch (à qqn) • **sur**	*On **a donné** un cadeau à Lucie.* *La cuisine **donne sur** la rue.*
écrire	• qqch • qqch **à** qqn • **à** qqn + **de** + <u>inf.</u> • **à** qqn + **que**	*Il **a écrit** un roman policier.* *Tu **as écrit** un SMS **à** Laure ?* *Je lui **ai écrit de** <u>venir</u> chez moi à Noël.* *Il nous **écrit que** tout va bien.*
empêcher	• qqch • qqn **de** + <u>inf.</u> • **que** + <u>subj.</u>	*Essayons **d'empêcher** cette situation.* ***Empêchons**-le **de** <u>faire</u> cette bêtise.* *Qui **empêchera qu'**il <u>fasse</u> ça ?*
entendre	• qqn • qqch • **que**	• *Tu **as entendu** le bébé ?* • *Chut ! J'**ai entendu** un bruit.* • *J'**ai entendu qu'**il va neiger demain.*
essayer	• qqch • **de** + <u>infinitif</u>	*Je peux **essayer** cette veste ?* *Je vais **essayer de** <u>travailler</u> un peu plus cette année.*
être	• + adjectif • + métier • qqn • + lieu • + heure	*Elle **est** chinoise.* *Il **est** architecte. (sans article)* *Tu **es** la sœur d'Alexandre ?* *Salut ! On **est** à Montréal !* *Il **est** dix heures.*
expliquer	• qqch (à qqn) • **à** qqn **que**	*Tu peux m'**expliquer** cet exercice ?* *Le professeur nous **explique qu'**il sera absent deux jours.*
faire	• qqch • + activité • + mesure • + prix • + durée • Il fait + temps	*On **fait** un gâteau ?* *Je **fais** du piano et Léo **fait** du judo.* *L'appartement **fait** 100 m².* *Ça **fait** 18 euros.* *Ça **fait** deux heures que je t'attends !* *Il **fait** chaud, il **fait** froid. (il impersonnel)*
il faut	• qqch • + <u>infinitif</u>	***Il faut** un plan pour y arriver.* *Pour l'examen, **il faut** <u>se préparer</u> !*
finir	• qqch • **de** + <u>infinitif</u> • **par** + <u>infinitif</u>	***Finis** ton travail, tu iras jouer après.* *Elle **finit de** <u>travailler</u> à 18 h.* *Il **a fini par** <u>réussir</u> !*
habiter	• **à**+ville / **en**+pays • **dans** • **chez**	*Tu **habites à** Lyon ou **à** Marseille ?* *Elle **habite dans** une belle maison.* *Vous **habitez chez** vos parents ?*
interdire	• **à** qqn **de** + <u>inf.</u>	*Je vous **interdis de** <u>parler</u> comme ça !*
inviter	• qqn • qqn + **à** + nom • qqn + **à** + <u>inf</u>	*Tu **as invité** tous tes copains ?* *Il nous **invite à** son anniversaire.* *Je vous **invite à** <u>déjeuner</u> dimanche.*
laisser	• qqch • qqn • + <u>inf</u>	***Laisse** la vaisselle, on la fera demain.* *J'**ai laissé** les enfants chez leur tante.* ***Laissez** <u>faire</u>, ce n'est pas grave.*
manquer	• qqch • qqn • **de** qqch • + <u>infinitif</u>	*Zut ! J'**ai manqué** le bus !* *Tu l'**as manquée**, elle vient de partir.* *Ils **manquent de** tout !* *Elle **a manqué** <u>mourir</u> plusieurs fois.*
mettre	• qqch • qqch + lieu • + durée	*Je **mets** ma veste rouge ou noire ?* ***Mets** ton passeport dans ton sac.* *On **a mis** trois heures pour y aller.*
oublier	• qqch • qqn • **de** + <u>infinitif</u> • **que** + <u>indicatif</u>	*Il n'**a** jamais **oublié** cette aventure.* *Elle **a oublié** son copain d'enfance.* *N'**oubliez** pas **de** <u>écrire</u> un mot.* *Tu **as oublié que** je devais y aller ?*
parler	• Ø • + une langue • **à** qqn • **de** qqn • **de** qqch	*Il a six mois, il ne **parle** pas encore.* *Elle **parle** anglais, français et italien.* *Il ne **parle** plus **à** Vanessa.* ***Parle**-moi **de** tes copains.* ***Parle**-moi **de** tes cours.*
partir	• Ø • + lieu (**à**, **en**, **au**)	*On peut **partir** ?* *Tu **pars à** Rome ? Non, je ne **pars** pas **en** Italie, je **pars au** Portugal.*
passer	• qqch **à** qqn • + lieu • + <u>infinitif</u>	*Tu me **passes** ton livre ? (→ donner)* *Je **suis passée** chez toi ce matin.* *Je **passerai** te <u>chercher</u> à huit heures.*
penser	• **à** qqn • **à** qqch • qqch **de** qqn • qqch **de** qqch • **à** + <u>infinitif</u> • **que**	***Pense à** moi. Ne m'oublie pas !* *Tu **as pensé à** son anniversaire ?* *Qu'est-ce que tu **penses de** Mathias ?* *Qu'est-ce que tu **penses de** ce livre ?* *Je n'**ai** pas **pensé à** <u>faire</u> ce devoir.* *Tu **penses qu'**il va réussir son examen ?*
permettre	• qqch **à** qqn • **à** qqn • **de** + <u>infinitif</u>	*Elle ne **permet** rien **à** personne !* *Tu **permets à** Lucie de venir ?* *Tu me **permets de** <u>sortir</u> ce soir ?*
prendre	• qqch • + une direction • + transport	*Je vais **prendre** un jus d'orange.* ***Prenez** la 2ᵉ rue à gauche.* *On **prend** le bus ou le métro ?*
se rappeler	• qqch • qqn • **de** + <u>infinitif</u> • **que** + <u>indicatif</u>	***Rappelle**-toi tes promesses.* *Je me **rappelle** bien ma grand-mère.* ***Rappelez**-vous **de** <u>faire</u> ces analyses.* *Je me **rappelle qu'**il <u>était</u> très beau.*
répondre	• **à** qqn • **que**	*Il t'a dit merci. **Réponds**-lui !* *Il te demande de l'argent ? **Réponds**-lui **que** tu n'en as pas.*
savoir	• qqch + <u>infinitif</u> • **que** • **comment** • **où** • **quand** • **pourquoi**	*Il ne **sait** pas <u>dessiner</u>.* *Tu **sais que** Camille sera là ce soir ?* *Je ne **sais** pas **comment** faire.* *Elle ne **sait** pas **où** aller.* *Tu **sais quand** ça commence ?* *Je ne **sais** pas **pourquoi** elle m'en veut.*
se souvenir	• **de** qqn • **de** qqch • **que**	*Il ne se **souvient** pas **de** son père.* *Tu te **souviens de** nos fous-rires ?* *Je me **souviens qu'**il faisait chaud !*
téléphoner	• **à** qqn	*Si tu as un problème, **téléphone**-moi !*
tenir	• qqch • qqn	***Tiens** bien ma main !* ***Tiens** ta petite sœur, elle va tomber.*
tourner	• + <u>partie du corps</u> • **à** + direction	*Il ne faut pas **tourner** <u>le dos</u> aux gens.* ***Tournez à** droite !*
venir	• + lieu	*Tu **viens** chez moi ?* *Il **vient** de Suède ou de Norvège ?*
vouloir	• qqch • + <u>infinitif</u>	*Vous **voulez** des croissants ?* *Elle ne **veut** pas <u>rester</u> toute seule.*

VERBES AUXILIAIRES

		PRÉSENT	PASSÉ COMPOSÉ	PASSÉ SIMPLE	IMPARFAIT	PLUS-QUE-PARFAIT	FUTUR SIMPLE	FUTUR ANTÉRIEUR	CONDITIONNEL PRÉSENT	CONDITIONNEL PASSÉ	SUBJONCTIF PRÉSENT	SUBJONCTIF PASSÉ
ÊTRE (été)	je-j'	suis	ai été	fus	étais	avais été	serai	aurai été	serais	aurais été	que je sois	que j'aie été
	tu	es	as été	fus	étais	avais été	seras	auras été	serais	aurais été	que tu sois	que tu aies été
	il/elle	est	a été	fut	était	avait été	sera	aura été	serait	aurait été	qu'il/elle soit	qu'il ait été
	nous	sommes	avons été	fûmes	étions	avions été	serons	aurons été	serions	aurions été	que nous soyons	que nous ayons été
	vous	êtes	avez été	fûtes	étiez	aviez été	serez	aurez été	seriez	auriez été	que vous soyez	que vous ayez été
	ils/elles	sont	ont été	furent	étaient	avaient été	seront	auront été	seraient	auraient été	qu'ils/elles soient	qu'ils aient été
AVOIR (eu)	je-j'	ai	ai eu	eus	avais	avais eu	aurai	aurai eu	aurais	aurais eu	que j'aie	que j'aie eu
	tu	as	as eu	eus	avais	avais eu	auras	auras eu	aurais	aurais eu	que tu aies	que tu aies eu
	il/elle	a	a eu	eut	avait	avait eu	aura	aura eu	aurait	aurait eu	qu'il/elle ait	qu'il ait eu
	nous	avons	avons eu	eûmes	avions	avions eu	aurons	aurons eu	aurions	aurions eu	que nous ayons	que nous ayons eu
	vous	avez	avez eu	eûtes	aviez	aviez eu	aurez	aurez eu	auriez	auriez eu	que vous ayez	que vous ayez eu
	ils/elles	ont	ont eu	eurent	avaient	avaient eu	auront	auront eu	auraient	auraient eu	qu'ils/elles aient	qu'ils aient eu

IMPÉRATIF ÊTRE : sois, soyons, soyez / AVOIR : aie, ayons, ayez

VERBES IMPERSONNELS

Ces verbes ne se conjuguent qu'à la troisième personne du singulier et avec le pronom sujet *il*.

	PRÉSENT	PASSÉ COMPOSÉ	PASSÉ SIMPLE	IMPARFAIT	PLUS-QUE-PARFAIT	FUTUR SIMPLE	FUTUR ANTÉRIEUR	CONDITIONNEL PRÉSENT	CONDITIONNEL PASSÉ	SUBJONCTIF PRÉSENT	SUBJONCTIF PASSÉ
FALLOIR (fallu)	il faut	il a fallu	il fallut	il fallait	il avait fallu	il faudra	il aura fallu	il faudrait	il aurait fallu	qu'il faille	qu'il ait fallu
PLEUVOIR (plu)	il pleut	il a plu	il plut	il pleuvait	il avait plu	il pleuvra	il aura plu	il pleuvrait	il aurait plu	qu'il pleuve	qu'il ait plu

VERBES EN -ER (PREMIER GROUPE)

		PRÉSENT	PASSÉ COMPOSÉ	PASSÉ SIMPLE	IMPARFAIT	PLUS-QUE-PARFAIT	FUTUR SIMPLE	FUTUR ANTÉRIEUR	CONDITIONNEL PRÉSENT	CONDITIONNEL PASSÉ	SUBJONCTIF PRÉSENT	SUBJONCTIF PASSÉ
PARLER (parlé)	je-j'	parle	ai parlé	parlai	parlais	avais parlé	parlerai	aurai parlé	parlerais	aurais parlé	que je parle	que j'aie parlé
	tu	parles	as parlé	parlas	parlais	avais parlé	parleras	auras parlé	parlerais	aurais parlé	que tu parles	que tu aies parlé
	il/elle	parle	a parlé	parla	parlait	avait parlé	parlera	aura parlé	parlerait	aurait parlé	qu'il/elle parle	qu'il ait parlé
	nous	parlons	avons parlé	parlâmes	parlions	avions parlé	parlerons	aurons parlé	parlerions	aurions parlé	que nous parlions	que nous ayons parlé
	vous	parlez	avez parlé	parlâtes	parliez	aviez parlé	parlerez	aurez parlé	parleriez	auriez parlé	que vous parliez	que vous ayez parlé
	ils/elles	parlent	ont parlé	parlèrent	parlaient	avaient parlé	parleront	auront parlé	parleraient	auraient parlé	qu'ils/elles parlent	qu'ils aient parlé

IMPÉRATIF PARLER : parle, parlons, parlez

CONJUGAISONS PARTICULIÈRES DE CERTAINS VERBES EN -ER

	PRÉSENT	PASSÉ COMPOSÉ	PASSÉ SIMPLE	IMPARFAIT	PLUS-QUE-PARFAIT	FUTUR SIMPLE	FUTUR ANTÉRIEUR	CONDITIONNEL PRÉSENT	CONDITIONNEL PASSÉ	SUBJONCTIF PRÉSENT	SUBJONCTIF PASSÉ
ACHETER (acheté)	achète	ai acheté	achetai	achetais	avais acheté	achèterai	aurai acheté	achèterais	aurais acheté	que j'achète	que j'aie acheté
	achètes	as acheté	achetas	achetais	avais acheté	achèteras	auras acheté	achèterais	aurais acheté	que tu achètes	que tu aies acheté
	achète	a acheté	acheta	achetait	avait acheté	achètera	aura acheté	achèterait	aurait acheté	qu'il/elle achète	qu'il ait acheté
	achetons	avons acheté	achetâmes	achetions	avions acheté	achèterons	aurons acheté	achèterions	aurions acheté	que nous achetions	que nous ayons acheté
	achetez	avez acheté	achetâtes	achetiez	aviez acheté	achèterez	aurez acheté	achèteriez	auriez acheté	que vous achetiez	que vous ayez acheté
	achètent	ont acheté	achetèrent	achetaient	avaient acheté	achèteront	auront acheté	achèteraient	auraient acheté	qu'ils/elles achètent	qu'ils aient acheté

IMPÉRATIF ACHETER : achète, achetons, achetez / ALLER : va, allons, allez

Les participes passés figurent entre parenthèses à côté de l'infinitif.

	PRÉSENT	PASSÉ COMPOSÉ	PASSÉ SIMPLE	IMPARFAIT	PLUS-QUE-PARFAIT	FUTUR SIMPLE	FUTUR ANTÉRIEUR	CONDITIONNEL PRÉSENT	CONDITIONNEL PASSÉ	SUBJONCTIF PRÉSENT	SUBJONCTIF PASSÉ
ALLER (allé)	vais	suis allé(e)	allai	allais	étais allé	irai	serai allé	irais	serais allé	que j'aille	que je sois allé
	vas	es allé(e)	allas	allais	étais allé	iras	seras allé	irais	serais allé	que tu ailles	que tu sois allé
	va	est allé(e)	alla	allait	était allé	ira	sera allé	irait	serait allé	qu'il/elle aille	qu'il soit allé
	allons	sommes allé(e)s	allâmes	allions	étions allés	irons	serons allés	irions	serions allés	que nous allions	que nous soyons allés
	allez	êtes allé(e)(s)	allâtes	alliez	étiez allés	irez	serez allés	iriez	seriez allés	que vous alliez	que vous soyez allés
	vont	sont allé(e)s	allèrent	allaient	étaient allés	iront	seront allés	iraient	seraient allés	qu'ils/elles aillent	qu'ils soient allés
APPELER (appelé)	appelle	ai appelé	appelai	appelais	avais appelé	appellerai	aurai appelé	appellerais	aurais appelé	que j'appelle	que j'aie appelé
	appelles	as appelé	appelas	appelais	avais appelé	appelleras	auras appelé	appellerais	aurais appelé	que tu appelles	que tu aies appelé
	appelle	a appelé	appela	appelait	avait appelé	appellera	aura appelé	appellerait	aurait appelé	qu'il/elle appelle	qu'il ait appelé
	appelons	avons appelé	appelâmes	appelions	avions appelé	appellerons	aurons appelé	appellerions	aurions appelé	que nous appelions	que nous ayons appelé
	appelez	avez appelé	appelâtes	appeliez	aviez appelé	appellerez	aurez appelé	appelleriez	auriez appelé	que vous appeliez	que vous ayez appelé
	appellent	ont appelé	appelèrent	appelaient	avaient appelé	appelleront	auront appelé	appelleraient	auraient appelé	qu'ils/elles appellent	qu'ils aient appelé
CRÉER (créé)	crée	ai créé	créai	créais	avais créé	créerai	aurai créé	créerais	aurais créé	que je crée	que j'aie créé
	crées	as créé	créas	créais	avais créé	créeras	auras créé	créerais	aurais créé	que tu crées	que tu aies créé
	crée	a créé	créa	créait	avait créé	créera	aura créé	créerait	aurait créé	qu'il/elle crée	qu'il ait créé
	créons	avons créé	créâmes	créions	avions créé	créerons	aurons créé	créerions	aurions créé	que nous créions	que nous ayons créé
	créez	avez créé	créâtes	créiez	aviez créé	créerez	aurez créé	créeriez	auriez créé	que vous créiez	que vous ayez créé
	créent	ont créé	créèrent	créaient	avaient créé	créeront	auront créé	créeraient	auraient créé	qu'ils/elles créent	qu'ils aient créé
MANGER (mangé)	mange	ai mangé	mangeai	mangeais	avais mangé	mangerai	aurai mangé	mangerais	aurais mangé	que je mange	que j'aie mangé
	manges	as mangé	mangeas	mangeais	avais mangé	mangeras	auras mangé	mangerais	aurais mangé	que tu manges	que tu aies mangé
	mange	a mangé	mangea	mangeait	avait mangé	mangera	aura mangé	mangerait	aurait mangé	qu'il/elle mange	qu'il ait mangé
	mangeons	avons mangé	mangeâmes	mangions	avions mangé	mangerons	aurons mangé	mangerions	aurions mangé	que nous mangions	que nous ayons mangé
	mangez	avez mangé	mangeâtes	mangiez	aviez mangé	mangerez	aurez mangé	mangeriez	auriez mangé	que vous mangiez	que vous ayez mangé
	mangent	ont mangé	mangèrent	mangeaient	avaient mangé	mangeront	auront mangé	mangeraient	auraient mangé	qu'ils mangent	qu'ils aient mangé
PRÉFÉRER (préféré)	préfère	ai préféré	préférai	préférais	avais préféré	préférerai	aurai préféré	préférerais	aurais préféré	que je préfère	que j'aie préféré
	préfères	as préféré	préféras	préférais	avais préféré	préféreras	auras préféré	préférerais	aurais préféré	que tu préfères	que tu aies préféré
	préfère	a préféré	préféra	préférait	avait préféré	préférera	aura préféré	préférerait	aurait préféré	qu'il/elle préfère	qu'il ait préféré
	préférons	avons préféré	préférâmes	préférions	avions préféré	préférerons	aurons préféré	préférerions	aurions préféré	que nous préférions	que nous ayons préféré
	préférez	avez préféré	préférâtes	préfériez	aviez préféré	préférerez	aurez préféré	préféreriez	auriez préféré	que vous préfériez	que vous ayez préféré
	préfèrent	ont préféré	préférèrent	préféraient	avaient préféré	préféreront	auront préféré	préféreraient	auraient préféré	qu'ils préfèrent	qu'ils aient préféré

IMPÉRATIF APPELER : appelle, appelons, appelez / CRÉER : crée, créons, créez / MANGER : mange, mangeons, mangez / PRÉFÉRER : préfère, préférons, préférez

AUTRES VERBES

	PRÉSENT	PASSÉ COMPOSÉ	PASSÉ SIMPLE	IMPARFAIT	PLUS-QUE-PARFAIT	FUTUR SIMPLE	FUTUR ANTÉRIEUR	CONDITIONNEL PRÉSENT	CONDITIONNEL PASSÉ	SUBJONCTIF PRÉSENT	SUBJONCTIF PASSÉ
CHOISIR (choisi)	choisis	ai choisi	choisis	choisissais	avais choisi	choisirai	aurai choisi	choisirais	aurais choisi	que je choisisse	que j'aie choisi
	choisis	as choisi	choisis	choisissais	avais choisi	choisiras	auras choisi	choisirais	aurais choisi	que tu choisisses	que tu aies choisi
	choisit	a choisi	choisit	choisissait	avait choisi	choisira	aura choisi	choisirait	aurait choisi	qu'il/elle choisisse	qu'il ait choisi
	choisissons	avons choisi	choisîmes	choisissions	avions choisi	choisirons	aurons choisi	choisirions	aurions choisi	que nous choisissions	que nous ayons choisi
	choisissez	avez choisi	choisîtes	choisissiez	aviez choisi	choisirez	aurez choisi	choisiriez	auriez choisi	que vous choisissiez	que vous ayez choisi
	choisissent	ont choisi	choisirent	choisissaient	avaient choisi	choisiront	auront choisi	choisiraient	auraient choisi	qu'ils choisissent	qu'ils aient choisi
CONNAÎTRE (connu)	connais	ai connu	connus	connaissais	avais connu	connaitrai	aurai connu	connaitrais	aurais connu	que je connaisse	que j'aie connu
	connais	as connu	connus	connaissais	avais connu	connaitras	auras connu	connaitrais	aurais connu	que tu connaisses	que tu aies connu
	connaît	a connu	connut	connaissait	avait connu	connaitra	aura connu	connaitrait	aurait connu	qu'il/elle connaisse	qu'il ait connu
	connaissons	avons connu	connûmes	connaissions	avions connu	connaitrons	aurons connu	connaitrions	aurions connu	que nous connaissions	que nous ayons connu
	connaissez	avez connu	connûtes	connaissiez	aviez connu	connaitrez	aurez connu	connaitriez	auriez connu	que vous connaissiez	que vous ayez connu
	connaissent	ont connu	connurent	connaissaient	avaient connu	connaitront	auront connu	connaitraient	auraient connu	qu'ils connaissent	qu'ils aient connu
CROIRE (cru)	crois	ai cru	crus	croyais	avais cru	croirai	aurai cru	croirais	aurais cru	que je croie	que j'aie cru
	crois	as cru	crus	croyais	avais cru	croiras	auras cru	croirais	aurais cru	que tu croies	que tu aies cru
	croit	a cru	crut	croyait	avait cru	croira	aura cru	croirait	aurait cru	qu'il/elle croie	qu'il ait cru
	croyons	avons cru	crûmes	croyions	avions cru	croirons	aurons cru	croirions	aurions cru	que nous croyions	que nous ayons cru
	croyez	avez cru	crûtes	croyiez	aviez cru	croirez	aurez cru	croiriez	auriez cru	que vous croyiez	que vous ayez cru
	croient	ont cru	crurent	croyaient	avaient cru	croiront	auront cru	croiraient	auraient cru	qu'ils croient	qu'ils aient cru
DEVOIR (dû)	dois	ai dû	dus	devais	avais dû	devrai	aurai dû	devrais	aurais dû	que je doive	que j'aie dû
	dois	as dû	dus	devais	avais dû	devras	auras dû	devrais	aurais dû	que tu doives	que tu aies dû
	doit	a dû	dut	devait	avait dû	devra	aura dû	devrait	aurait dû	qu'il/elle doive	qu'il ait dû
	devons	avons dû	dûmes	devions	avions dû	devrons	aurons dû	devrions	aurions dû	que nous devions	que nous ayons dû
	devez	avez dû	dûtes	deviez	aviez dû	devrez	aurez dû	devriez	auriez dû	que vous deviez	que vous ayez dû
	doivent	ont dû	durent	devaient	avaient dû	devront	auront dû	devraient	auraient dû	qu'ils doivent	qu'ils aient dû

IMPÉRATIF CHOISIR : choisis, choisissons, choisissez / CONNAÎTRE : connais, connaissons, connaissez / CROIRE : crois, croyons, croyez / DEVOIR : dois, devons, devez

Les participes passés figurent entre parenthèses à côté de l'infinitif.

CONJUGAISON

		PRÉSENT	PASSÉ COMPOSÉ	PASSÉ SIMPLE	IMPARFAIT	PLUS-QUE-PARFAIT	FUTUR SIMPLE	FUTUR ANTÉRIEUR	CONDITIONNEL PRÉSENT	CONDITIONNEL PASSÉ	SUBJONCTIF PRÉSENT	SUBJONCTIF PASSÉ
DIRE (dit)	je-j'	dis	ai dit	dis	disais	avais dit	dirai	aurai dit	dirais	aurais dit	que je dise	que j'aie dit
	tu	dis	as dit	dis	disais	avais dit	diras	auras dit	dirais	aurais dit	que tu dises	que tu aies dit
	il/elle	dit	a dit	dit	disait	avait dit	dira	aura dit	dirait	aurait dit	qu'il/elle dise	qu'il ait dit
	nous	disons	avons dit	dîmes	disions	avions dit	dirons	aurons dit	dirions	aurions dit	que nous disions	que nous ayons dit
	vous	dites	avez dit	dîtes	disiez	aviez dit	direz	aurez dit	diriez	auriez dit	que vous disiez	que vous ayez dit
	ils/elles	disent	ont dit	dirent	disaient	avaient dit	diront	auront dit	diraient	auraient dit	qu'ils disent	qu'ils aient dit
ÉCRIRE (écrit)	je-j'	écris	ai écrit	écrivis	écrivais	avais écrit	écrirai	aurai écrit	écrirais	aurais écrit	que j'écrive	que j'aie écrit
	tu	écris	as écrit	écrivis	écrivais	avais écrit	écriras	auras écrit	écrirais	aurais écrit	que tu écrives	que tu aies écrit
	il/elle	écrit	a écrit	écrivit	écrivait	avait écrit	écrira	aura écrit	écrirait	aurait écrit	qu'il/elle écrive	qu'il ait écrit
	nous	écrivons	avons écrit	écrivîmes	écrivions	avions écrit	écrirons	aurons écrit	écririons	aurions écrit	que nous écrivions	que nous ayons écrit
	vous	écrivez	avez écrit	écrivîtes	écriviez	aviez écrit	écrirez	aurez écrit	écririez	auriez écrit	que vous écriviez	que vous ayez écrit
	ils/elles	écrivent	ont écrit	écrivirent	écrivaient	avaient écrit	écriront	auront écrit	écriraient	auraient écrit	qu'ils écrivent	qu'ils aient écrit
FAIRE (fait)	je-j'	fais	ai fait	fis	faisais	avais fait	ferai	aurai fait	ferais	aurais fait	que je fasse	que j'aie fait
	tu	fais	as fait	fis	faisais	avais fait	feras	auras fait	ferais	aurais fait	que tu fasses	que tu aies fait
	il/elle	fait	a fait	fit	faisait	avait fait	fera	aura fait	ferait	aurait fait	qu'il/elle fasse	qu'il ait fait
	nous	faisons	avons fait	fîmes	faisions	avions fait	ferons	aurons fait	ferions	aurions fait	que nous fassions	que nous ayons fait
	vous	faites	avez fait	fîtes	faisiez	aviez fait	ferez	aurez fait	feriez	auriez fait	que vous fassiez	que vous ayez fait
	ils/elles	font	ont fait	firent	faisaient	avaient fait	feront	auront fait	feraient	auraient fait	qu'ils fassent	qu'ils aient fait
FINIR (fini)	je-j'	finis	ai fini	finis	finissais	avais fini	finirai	aurai fini	finirais	aurais fini	que je finisse	que j'aie fini
	tu	finis	as fini	finis	finissais	avais fini	finiras	auras fini	finirais	aurais fini	que tu finisses	que tu aies fini
	il/elle	finit	a fini	finit	finissait	avait fini	finira	aura fini	finirait	aurait fini	qu'il/elle finisse	qu'il ait fini
	nous	finissons	avons fini	finîmes	finissions	avions fini	finirons	aurons fini	finirions	aurions fini	que nous finissions	que nous ayons fini
	vous	finissez	avez fini	finîtes	finissiez	aviez fini	finirez	aurez fini	finiriez	auriez fini	que vous finissiez	que vous ayez fini
	ils/elles	finissent	ont fini	finirent	finissaient	avaient fini	finiront	auront fini	finiraient	auraient fini	qu'ils finissent	qu'ils aient fini
METTRE (mis)	je-j'	mets	ai mis	mis	mettais	avais mis	mettrai	aurai mis	mettrais	aurais mis	que je mette	que j'aie mis
	tu	mets	as mis	mis	mettais	avais mis	mettras	auras mis	mettrais	aurais mis	que tu mettes	que tu aies mis
	il/elle	met	a mis	mit	mettait	avait mis	mettra	aura mis	mettrait	aurait mis	qu'il mette	qu'il ait mis
	nous	mettons	avons mis	mîmes	mettions	avions mis	mettrons	aurons mis	mettrions	aurions mis	que nous mettions	que nous ayons mis
	vous	mettez	avez mis	mîtes	mettiez	aviez mis	mettrez	aurez mis	mettriez	auriez mis	que vous mettiez	que vous ayez mis
	ils/elles	mettent	ont mis	mirent	mettaient	avaient mis	mettront	auront mis	mettraient	auraient mis	qu'ils mettent	qu'ils aient mis
MOURIR (mort)	je-j'	meurs	suis mort	mourus	mourais	étais mort	mourrai	serai mort	mourrais	serais mort	que je meure	que je sois mort
	tu	meurs	es mort	mourus	mourais	étais mort	mourras	seras mort	mourrais	serais mort	que tu meures	que tu sois mort
	il/elle	meurt	est mort	mourut	mourait	était mort	mourra	sera mort	mourrait	serait mort	qu'il/elle meure	qu'il soit mort
	nous	mourons	sommes morts	mourûmes	mourions	étions morts	mourrons	serons morts	mourrions	serions morts	que nous mourions	que nous soyons morts
	vous	mourez	êtes morts	mourûtes	mouriez	étiez morts	mourrez	serez morts	mourriez	seriez morts	que vous mouriez	que vous soyez morts
	ils/elles	meurent	sont morts	moururent	mouraient	étaient morts	mourront	seront morts	mourraient	seraient morts	qu'ils meurent	qu'ils soient morts
NAÎTRE (né)	je-j'	nais	suis né(e)	naquis	naissais	étais né(e)	naîtrai	serai né	naîtrais	serais né	que je naisse	que je sois né
	tu	nais	es né(e)	naquis	naissais	étais né(e)	naîtras	seras né	naîtrais	serais né	que tu naisses	que tu sois né
	il/elle	naît	est né(e)	naquit	naissait	était né(e)	naîtra	sera né	naîtrait	serait né	qu'il/elle naisse	qu'il soit né
	nous	naissons	sommes né(e)s	naquîmes	naissions	étions né(e)s	naîtrons	serons nés	naîtrions	serions nés	que nous naissions	que nous soyons nés
	vous	naissez	êtes né(e)(s)	naquîtes	naissiez	étiez né(e)s	naîtrez	serez nés	naîtriez	seriez nés	que vous naissiez	que vous soyez nés
	ils/elles	naissent	sont né(e)s	naquirent	naissaient	étaient né(e)s	naîtront	seront nés	naîtraient	seraient nés	qu'ils naissent	qu'ils soient nés
PARTIR (parti)	je-j'	pars	suis parti(e)	partis	partais	étais parti	partirai	serai parti	partirais	serais parti(e)	que je parte	que je sois parti
	tu	pars	es parti(e)	partis	partais	étais parti	partiras	seras parti	partirais	serais parti(e)	que tu partes	que tu sois parti
	il/elle	part	est parti(e)	partit	partait	était parti	partira	sera parti	partirait	serait parti(e)	qu'il/elle parte	qu'il soit parti
	nous	partons	sommes parti(e)s	partîmes	partions	étions partis	partirons	serons partis	partirions	serions parti(e)s	que nous partions	que nous soyons partis
	vous	partez	êtes parti(e)(s)	partîtes	partiez	étiez partis	partirez	serez partis	partiriez	seriez parti(e)s	que vous partiez	que vous soyez partis
	ils/elles	partent	sont parti(e)s	partirent	partaient	étaient partis	partiront	seront partis	partiraient	seraient parti(e)s	qu'ils partent	qu'ils soient partis

IMPÉRATIF DIRE : dis, disons, dites
ÉCRIRE : écris, écrivons, écrivez
FAIRE : fais, faisons, faites
FINIR : finis, finissons, finissez
METTRE : mets, mettons, mettez
MOURIR : meurs, mourons, mourez
NAÎTRE : nais, naissons, naissez
PARTIR : pars, partons, partez

Les participes passés figurent entre parenthèses à côté de l'infinitif.

	PRÉSENT	PASSÉ COMPOSÉ	PASSÉ SIMPLE	IMPARFAIT	PLUS-QUE-PARFAIT	FUTUR SIMPLE	FUTUR ANTÉRIEUR	CONDITIONNEL PRÉSENT	CONDITIONNEL PASSÉ	SUBJONCTIF PRÉSENT	SUBJONCTIF PASSÉ
POUVOIR (pu)	peux peux peut pouvons pouvez peuvent	ai pu as pu a pu avons pu avez pu ont pu	pus pus put pûmes pûtes purent	pouvais pouvais pouvait pouvions pouviez pouvaient	avais pu avais pu avait pu avions pu aviez pu avaient pu	pourrai pourras pourra pourrons pourrez pourront	aurai pu auras pu aura pu aurons pu aurez pu auront pu	pourrais pourrais pourrait pourrions pourriez pourraient	aurais pu aurais pu aurait pu aurions pu auriez pu auraient pu	que je puisse que tu puisses qu'il/elle puisse que nous puissions que vous puissiez qu'ils/elles puissent	que j'aie pu que tu aies pu qu'il ait pu que nous ayons pu que vous ayez pu qu'ils aient pu
PRENDRE (pris)	prends prends prend prenons prenez prennent	ai pris as pris a pris avons pris avez pris ont pris	pris pris prit prîmes prîtes prirent	prenais prenais prenait prenions preniez prenaient	avais pris avais pris avait pris avions pris aviez pris avaient pris	prendrai prendras prendra prendrons prendrez prendront	aurai pris auras pris aura pris aurons pris aurez pris auront pris	prendrais prendrais prendrait prendrions prendriez prendraient	aurais pris aurais pris aurait pris aurions pris auriez pris auraient pris	que je prenne que tu prennes qu'il/elle prenne que nous prenions que vous preniez qu'ils/elles prennent	que j'aie pris que tu aies pris qu'il ait pris que nous ayons pris que vous ayez pris qu'ils aient pris
RÉUSSIR (réussi)	réussis réussis réussit réussissons réussissez réussissent	ai réussi as réussi a réussi avons réussi avez réussi ont réussi	réussis réussis réussit réussîmes réussîtes réussirent	réussissais réussissais réussissait réussissions réussissiez réussissaient	avais réussi avais réussi avait réussi avions réussi aviez réussi avaient réussi	réussirai réussiras réussira réussirons réussirez réussiront	aurai réussi auras réussi aura réussi aurons réussi aurez réussi auront réussi	réussirais réussirais réussirait réussirions réussiriez réussiraien	aurais réussi aurais réussi aurait réussi aurions réussi auriez réussi auraient réussi	que je réussisse que tu réussisses qu'il/elle réussisse que nous réussissions que vous réussissiez qu'ils/elles réussissent	que j'aie réussi que tu aies réussi qu'il ait réussi que nous ayons réussi que vous ayez réussi qu'ils aient réussi
SAVOIR (su)	sais sais sait savons savez savent	ai su as su a su avons su avez su ont su	sus sus sut sûmes sûtes surent	savais savais savait savions saviez savaient	avais su avais su avait su avions su aviez su avaient su	saurai sauras saura saurons saurez sauront	aurai su auras su aura su aurons su aurez su auront su	saurais saurais saurait saurions sauriez sauraient	aurais su aurais su aurait su aurions su auriez su auraient su	que je sache que tu saches qu'il/elle sache que nous sachions que vous sachiez qu'ils/elles sachent	que j'aie su que tu aies su qu'il ait su que nous ayons su que vous ayez su qu'ils aient su
SORTIR (sorti)	sors sors sort sortons sortez sortent	suis sorti(e) es sorti(e) est sorti(e) sommes sorti(e)s êtes sorti(e)(s) sont sorti(e)s	sortis sortis sortit sortîmes sortîtes sortirent	sortais sortais sortait sortions sortiez sortaient	étais sorti(e) étais sorti(e) était sorti(e) étions sorti(e)(s) étiez sorti(e)(s) étaient sorti(e)(s)	sortirai sortiras sortira sortirons sortirez sortiront	aurai sorti auras sorti aura sorti aurons sorti aurez sorti auront sorti	sortirais sortirais sortirait sortirions sortiriez sortiraient	serais sorti(e) serais sorti(e) serait sorti(e) serions sorti(e)(s) seriez sorti(e)(s) seraient sorti(e)(s)	que je sorte que tu sortes qu'il/elle sorte que nous sortions que vous sortiez qu'ils/elles sortent	que j'aie sorti que tu aies sorti qu'il ait sorti que nous ayons sorti que vous ayez sorti qu'ils aient sorti
VENIR (venu)	viens viens vient venons venez viennent	vins vins vint vînmes vîntes vinrent	suis venu(e) es venu(e) est venu(e) sommes venu(e)s êtes venu(e)(s) sont venu(e)s	venais venais venait venions veniez venaient	étais venu(e) étais venu(e) était venu(e) étions venu(e)s étiez venu(e)s étaient venu(e)s	viendrai viendras viendra viendrons viendrez viendront	serai venu seras venu sera venu serons venus serez venus seront venus	viendrais viendrais viendrait viendrions viendriez viendraient	serais venu(e) serais venu(e) serait venu(e) serions venu(e)s seriez venu(e)s seraient venu(e)s	que je vienne que tu viennes qu'il/elle vienne que nous venions que vous veniez qu'ils/elles viennent	que je sois venu que tu sois venu qu'il soit venu que nous soyons venus que vous soyez venus qu'ils soient venus
VIVRE (vécu)	vis vis vit vivons vivez vivent	ai vécu as vécu a vécu avons vécu avez vécu ont vécu	vécus vécus vécut vécûmes vécûtes vécurent	vivais vivais vivait vivions viviez vivaient	avais vécu avais vécu avait vécu avions vécu aviez vécu avaient vécu	vivrai vivras vivra vivrons vivrez vivront	aurai vécu auras vécu aura vécu aurons vécu aurez vécu auront vécu	vivrais vivrais vivrait vivrions vivriez vivraient	aurais vécu aurais vécu aurait vécu aurions vécu auriez vécu auraient vécu	que je vive que tu vives qu'il/elle vive que nous vivions que vous viviez qu'ils/elles vivent	que j'aie vécu que tu aies vécu qu'il ait vécu que nous ayons vécu que vous ayez vécu qu'ils aient vécu
VOIR (vu)	vois vois voit voyons voyez voient	ai vu as vu a vu avons vu avez vu ont vu	vis vis vit vîmes vîtes virent	voyais voyais voyait voyions voyiez voyaient	avais vu avais vu avait vu avions vu aviez vu avaient vu	verrai verras verra verrons verrez verront	aurai vu auras vu aura vu aurons vu aurez vu auront vu	verrais verrais verrait verrions verriez verraient	aurais vu aurais vu aurait vu aurions vu auriez vu auraient vu	que je voie que tu voies qu'il/elle voie que nous voyions que vous voyiez qu'ils/elles voient	que j'aie vu que tu aies vu qu'il ait vu que nous ayons vu que vous ayez vu qu'ils aient vu

IMPÉRATIF PRENDRE : prends, prenons, prenez
POUVOIR : *n'existe pas*
RÉUSSIR : réussis, réussissons, réussissez
SAVOIR : sache, sachons, sachez
SORTIR : sors, sortons, sortez
VENIR : viens, venons, venez
VIVRE : vis, vivons, vivez
VOIR : vois, voyons, voyez
VOULOIR : veuille, voulons, veuillez

Les participes passés figurent entre parenthèses à côté de l'infinitif.

LIVRE DE L'ÉLÈVE - UNITÉ 1

Piste 1 — 1B

- **Journaliste :** Mélanie Bourdin, vous avez récemment écrit un article sur les idées reçues en nutrition. Et elles sont nombreuses ! Commençons par la banane ; on dit qu'elle fait grossir. Vrai ou faux ?
- **Mélanie Bourdin :** Faux ! La banane est même conseillée dans les régimes alimentaires car c'est un excellent coupe-faim, tout comme les crudités d'ailleurs.
- **Journaliste :** On voit de plus en plus de gens consommer du basilic. Y-a-t-il une raison médicale ?
- **Mélanie Bourdin :** Les épices et les herbes ont toutes des vertus médicinales ; et le basilic aide à mieux digérer. Mais on en consomme aussi beaucoup depuis que la cuisine italienne s'est imposée dans notre alimentation.
- **Journaliste :** Et quelles sont les idées reçues sur l'alimentation que vous avez entendues le plus souvent en préparant votre article ?
- **Mélanie Bourdin :** Oh, il y en a tellement... Euh... On répète toujours aux enfants qu'il faut manger des épinards parce qu'ils contiennent beaucoup de fer. C'est une légende ! Ils en ont un peu mais beaucoup moins que la viande rouge, les œufs ou les lentilles par exemple. Ils sont surtout bons pour la santé car il sont riches en vitamines B et C. Un autre exemple : le café qui ne serait pas bon pour la santé ; eh bien, en plus de nous réveiller, le café est bénéfique en cas de migraine et en prévention de problèmes cardio-vasculaires. Et puis, comme le chocolat, il a des effets positifs sur notre humeur. Mais il ne faut pas en abuser.
- **Journaliste :** Quelque chose m'a étonné dans votre article... Les yaourts 0 %... Vous pouvez nous en dire plus ?
- **Mélanie Bourdin :** Désolée de vous décevoir, mais contrairement à ce que l'on pense, ils peuvent contenir jusqu'à 5 % de matières grasses, ce qui est autorisé par la loi. De plus, comme ils sont constitués à 80 % d'eau, ils contiennent en réalité entre 15 et 20 % de matières grasses.
- **Journaliste :** Et le citron, on dit qu'il acidifie notre corps...
- **Mélanie Bourdin :** Bien au contraire, il neutralise les brulures d'estomac.
- **Journaliste :** Et, l'avocat ? Vous dites que c'est un aliment diététique mais c'est quand même très gras, non ?
- **Mélanie Bourdin :** Bien sûr ! Il est un peu gras, mais il est indiqué pour prévenir le cancer, d'autant qu'il est riche en vitamines E, B et C.
- **Journaliste :** Pour conclure, en France, on dit souvent que boire un verre de vin par jour, c'est bénéfique pour la santé...
- **Mélanie Bourdin :** C'est bon pour le cœur si on n'en boit pas plus ! Le mot de la fin... je dirais que tout est une histoire de modération.

Piste 2 — 3A

- **Journaliste :** Moufida, vous avez créé la page « Pénélope tisse, Moufi pâtisse » avec de nombreuses photos de vos créations pâtissières. Pourquoi avez-vous voulu rendre visible votre passion pour la cuisine ?
- **Moufida :** Parce que je trouve que prendre des photos avec des mises en scène, c'est très sympathique. Et je voulais partager ça avec mes amis. Donner envie à mes collègues, à mes amis.
- **Journaliste :** Comment avez-vous développé vos talents de pâtissière ?
- **Moufida :** Ben un soir, je m'ennuyais, et puis j'ai fait un gâteau, et puis après, ça a été une espèce de thérapie pour pas rien faire à la maison. Et maintenant ça fait deux ans que je cuisine pratiquement tous les soirs.
- **Journaliste :** Et vous ne faites que de la pâtisserie ?
- **Moufida :** Non. La pâtisserie c'est ce que je préfère et ce pour quoi... je suis le plus douée ! Mais je teste aussi de nouvelles recettes de plats salés. Et j'en invente aussi.
- **Journaliste :** Comment faites-vous pour avoir autant d'idées ?
- **Moufida :** En fait je lis beaucoup de magazines et je suis des blogs aussi. Et puis, de temps en temps je vais dans des restaurants qui ont développé d'autres concepts... euh, vous savez, les restaurants qui vendent des produits bios. Ils vendent aussi leurs propres livres de cuisine et je craque parfois. Faut dire que les livres de cuisine, c'est pas ce qui manque aujourd'hui, il y a des rayons spécialisés dans les librairies.
- **Journaliste :** Oui, la cuisine est un véritable phénomène de mode en Europe aujourd'hui. Et, avez-vous suivi des ateliers de cuisine ? C'est très à la mode en France.
- **Moufida :** Oui, j'en ai fait deux : pour les macarons et pour les muffins salés et j'ai A-DO-RÉ ! Et j'en suivrai certainement d'autres. Mais sinon, je suis aussi les émissions de cuisine à la télé. Je zappe d'une émission à l'autre, mais j'aime bien cette émission sur M6, je ne la rate pas, même si parfois ça me paraît impossible de réaliser des gâteaux en si peu de temps.
- **Journaliste :** C'est vrai qu'il y a de plus en plus d'émissions de téléréalité en cuisine...
- **Moufida :** Oui, et comme ça je peux trouver de nouvelles idées d'une émission à l'autre.
- **Journaliste :** Mais tout cela a un coût...
- **Moufida :** Oh oui, mais quand on aime, on ne compte pas. Ce qui coûte cher c'est le matériel, euh, les ustensiles sont très importants en cuisine, et il y a de plus en plus de magasins spécialisés. Et ça c'est vraiment bien. C'est là que je trouve mon bonheur.

Piste 3 — 6A

- **Sophie :** Hier, je me suis brûlée en sortant le gâteau du four... ça me fait encore mal ! J'ai montré la brûlure à ma mère : elle m'a dit que c'était une brûlure légère mais qu'elle me laisserait une cicatrice si je ne la soignais pas.
- **Patrick :** On m'a toujours dit qu'il fallait mettre du dentifrice sur une brûlure. Essaie !
- **Lola :** Ah non, surtout pas ! Ce sera encore pire. Frotte-toi plutôt avec de la tomate !
- **Sophie :** Tiens, c'est dingue, j'ai lu un article hier qui recommandait de se frotter avec de la tomate en cas de brûlure. Mais ma mère m'a dit que ça n'avait jamais marché.
- **Patrick :** Je pense surtout qu'elle n'a jamais essayé ! Dans tous les cas, je crois que ça ne pourra pas te faire de mal.
- **Lola :** C'est sûr, j'ai testé et je te confirme que ça aide à cicatriser la peau !

Piste 4 — EX. 3

- **La chercheure :** De plus en plus de gens utilisent des produits naturels pour se soigner... Êtes-vous d'accord avec ça ?
- **Le docteur :** Oui, je confirme votre impression. Et je vais même plus loin : dans un futur proche, il faudra recenser les remèdes de grand-mère qui ont des effets bénéfiques sur la santé et communiquer nos résultats au grand public.
- **La représentante du ministère :** Au ministère, nous nous intéressons beaucoup à ce phénomène. Mais existe-t-il des études statistiques sérieuses sur ce type de remèdes ?

- **Le docteur :** À ma connaissance, non.
- **La représentante du ministère :** Alors, je vous invite à mener une enquête dans ce cas.
- **La chercheure :** En fait, j'ai lu une étude en anglais à ce sujet, il y a quelques années. Mais ça date et, en français... je n'ai rien trouvé. Mais je dois quand même vous dire que nous n'avons pas les moyens de mener une telle enquête sans le soutien de l'État. Pouvons-nous espérer une aide de la part du ministère de la Santé ?

UNITÉ 2

Piste 5 — 1C

- **Journaliste :** On peut « prendre un coup de vieux » à 15 ans comme à 50. C'est le moment où l'on réalise qu'on a vieilli, qu'on a passé un cap, qu'une page se tourne. Et vous, quand est-ce que vous avez pris un coup de vieux ?
- **Alain :** Quand on m'a laissé une place dans le bus parce que j'avais l'air « vieux » !
- **José :** Il y a un peu plus d'un mois, quand ma fille a fêté ses 18 ans !
- **Louise :** Quand j'ai reçu ma première fiche de paie !
- **Mamadou :** La semaine dernière, je n'ai pas reconnu un chanteur à la télévision. Une cousine beaucoup plus âgée que moi m'a lancé en riant : « Ben ça alors, t'es plus dans le coup, Mamadou ! »
- **Amina :** Lorsqu'on m'a dit « Madame » pour la première fois. Je me suis sentie beaucoup plus vieille que mon âge !

Piste 6 — 8B

- Nous abordons dans cet exposé un sujet d'actualité : la colocation entre personnes âgées, qu'on appelle aussi les « seniors ». On évoque de plus en plus ce sujet, par exemple dans le livre *Les Pétillantes* ou le film récent *Et si on vivait tous ensemble ?* La colocation, c'est une façon alternative de se loger, qui coûte moins cher et permet de vaincre la solitude. Je me suis donc demandée dans cet exposé s'il s'agissait d'une mode ou d'un phénomène de réelle ampleur. Comme vous pouvez le voir sur le Power Point, nous allons successivement évoquer la solitude des seniors en France, puis les avantages et les inconvénients de ce mode d'hébergement. D'une part, on parle souvent des retraités qui ont de l'argent et voyagent, mais rarement des retraités qui n'ont pas assez d'argent. D'autre part, on se demande comment vaincre la solitude des personnes âgées, mais on ne propose pas de solutions concrètes. La solitude touche de nombreuses personnes âgées. Comme on le voit sur ce graphique, cette solitude est aggravée pour les personnes disposant de revenus modestes et pour les personnes résidant en ville. Dans ces circonstances, la colocation permet aux seniors de retrouver un cocon familial, de la convivialité et de partager des moments avec leurs colocataires. La colocation constitue aussi un réel soulagement économique puisque l'on partage le loyer, mais aussi les petites dépenses du quotidien. Il y a beaucoup de demandes et de nombreux sites Internet pour trouver ce type de logement. Vous pouvez par exemple voir ici le site « Coloc.fr : le nouveau site de colocation des seniors ». Pourtant, la colocation entre seniors n'a pas que des avantages. D'abord, il faut avoir envie de vivre avec d'autres gens, s'adapter aux règles de vie collective, être capable de vivre avec les autres, ce qui n'est pas facile à cet âge ! Ensuite, dans certaines colocations, il n'existe pas de valeurs de partage, voire pire, des conflits surgissent car les colocataires ne s'entendent pas ! Dans ce cas, la colocation peut devenir un véritable enfer... Pour synthétiser, je dirais donc que la colocation entre seniors est une bonne solution car elle permet à des personnes à faibles revenus ou seules de partager leur quotidien. Mais, il est important de s'y préparer et de bien choisir ses colocataires ! Avant de conclure, j'aimerais parler de mon expérience personnelle puisque ma grand-mère héberge une amie depuis plusieurs années. Même si elle est très proche de cette amie, la cohabitation est difficile, en particulier pour des questions de caractère. En conclusion, on peut dire que tout comme les jeunes, de plus en plus de seniors souffrent de la crise économique et de la solitude. C'est pour cela qu'ils choisissent de vivre en colocation. Je trouve que c'est une bonne option, qui revient moins cher qu'une maison de retraite si les seniors sont en bonne santé.

UNITÉ 3

Transcription de la vidéo

- **Écrit sur l'écran :** *Voici Lilette. Nous avons demandé à des passants ce qu'ils pensaient d'elle.*
- **Personne 1 :** Euh... Elle m'inspire une certaine forme de calme.
- **Personne 2 :** Elle a... Elle ressemble à une... jolie mamie.
- **Personne 3 :** Mmm... J'la vois bien... soit à la retraite... soit s'occupant de ses p'tits-enfants à plein temps.
- **Personne 2 :** Ses passe-temps... euh... J'pense qu'elle aime bien s'balader en ville avec ses amis. Un peu d'lecture aussi.
- **Personne 1 :** P't'être... jouer aux cartes.
- **Personne 3 :** La lecture, aller au marché...
- **Personne 4 :** Écouter de la musique ?
- **Personne 5 :** Plus tranquille, « je me la coule douce chez moi » quoi.
- **Écrit sur l'écran :** *Lilette a 76 ans. Elle est bénévole à Emmaüs Chambéry depuis 30 ans. L'hiver dernier, elle faisait face aux forces de l'ordre pour soutenir les migrants à Calais.*
- **Personne 6 :** C'est génial !
- **Personne 4 :** Je... Je suis... un peu « émotionnée ». Oui oui.
- **Personne 3 :** C'est fantastique.
- **Personne 2 :** Félicitations ! Je dis que... bravo ! Vraiment !
- **Personne 5 :** Ben c'est vrai qu'ça s'voit pas.
- **Écrit sur l'écran :** *Méfiez-vous des gens ordinaires ! Ils peuvent être extraordinaires. Emmaüs : ne pas subir, toujours agir. Retrouvez d'autres extraordinaires sur www.les-extraordinaires-emmaus.org.*

Piste 7 — 5B

- **Journaliste :** Bonjour Pyropat, vous êtes l'inventeur d'un médicament pas comme les autres : le Préjugix ! Il n'a qu'un an, mais il rencontre déjà beaucoup de succès ! On n'a pu le trouver dans les pharmacies de l'agglomération du Grand-Villeneuvois que le 12 décembre 2015. Cette opération a bien fonctionné et elle sera renouvelée cette année. Prejugix ne concerne pas que des questions de santé ! Expliquez-nous ça.
- **Pyropat :** Il est vrai que Préjugix ne guérira ni vos maux de ventre, ni vos migraines ! Sauf si les idées reçues vous rendent malade ! Dans ce cas, vous ne pourrez plus vivre sans lui car c'est un médicament anti-préjugés !
- **Journaliste :** Rien que pour nos auditeurs, pouvez-vous nous révéler le secret de son efficacité ?
- **Pyropat :** Le secret, c'est qu'il ne traite pas uniquement

de maladies mais se penche aussi sur différentes questions de société, comme la reconversion professionnelle, les violences conjugales ou l'homosexualité. Mais pour bien comprendre, vous allez devoir lire les notices !

Piste 8 — EX. 2

1.
● Allo chéri ! J'ai claqué la porte de la maison, et les clés sont restées à l'intérieur...
○ Ah ben c'est malin ! C'est vraiment intelligent ça !

2.
● J'ai eu zéro sur vingt à mon examen.
○ Bravo ! Félicitations mon fils ! Tu peux être fier de toi, continue comme ça !

3.
● Tu rentres à quelle heure ce soir ?
○ Mais je te l'ai dit mille fois ! Tu n'écoutes jamais rien !

4.
● Tu as rencontré son nouveau petit copain ?
○ Ouais, il est plutôt pas mal...

5.
● Il est mignon, n'est-ce pas ?
○ Tu plaisantes ?! C'est un véritable Dieu vivant !

Piste 9 — LEXIQUE — 4

● **Témoignage 1 :** Il m'arrive parfois, lorsque je reçois un nouveau client dans mon garage, d'entendre des remarques de ce genre : « Confier la réparation de ma voiture à une femme, jamais ! » Pourtant je suis bien mécanicienne !
○ **Témoignage 2 :** Avec un ami, on a la même formation et le même CV. Mais quand on s'est mis à chercher un stage dans la même entreprise, il a été pris et pas moi. Bon, en même temps, c'est le fils du patron !
■ **Témoignage 3 :** Souvent quand on sort en boite avec mes potes, c'est toujours le même qui a des problèmes à l'entrée. Moi ! Devinez pourquoi ? Je suis noir.
▷ **Témoignage 4 :** Je n'avais qu'un léger problème à la jambe. Et rien qu'une canne pour m'aider à me déplacer. Mais souvent mes collègues riaient en me voyant arriver le matin.

UNITÉ 4

Piste 10 — 1D

● **Voix masculine :** Tu sais, après la nuit qu'on a passée ensemble, je sais pas ce qui m'arrive, quand je te vois, je me sens bizarre. J'ai chaud, j'ai froid, j'ai des frissons. Je sens des choses qui me chatouillent dans le ventre, comme des papillons, tu vois. Je crois que je suis amoureux...
● **Voix féminine :** Non, je crois pas non, je crois que je t'ai refilé ma gastro.
● **Voix masculine :** C'est où les toilettes ?!
■ **Autre voix masculine :** Attention, les symptômes du coup de foudre et de la gastro-entérite peuvent être confondus. Avant de faire votre déclaration d'amour, consultez un médecin. Ceci était un message de la prévention psychologique.
▷ **Autre voix féminine :** Ça va pas la tête !

Piste 11 — 5B

● Mercredi 21 janvier 2015, 21e jour de l'année ! Ce mercredi est une journée exceptionnelle. Si si, car le 21 janvier est la Journée internationale des câlins. Alors bon, évidemment, cette Journée internationale des câlins n'est pas vraiment une journée « officielle », créée par l'ONU ou l'UNESCO. C'est juste, au départ, un événement qui figurait dans l'équivalent américain de notre almanach Vermot. L'idée d'une « Journée nationale du câlin » aurait ensuite été relancée aux États-Unis en 1986 par un certain Kevin Zaborney. Un humaniste, ce Kevin, ou tout simplement un gros câlineur, qui pensait que les gens iraient mieux s'ils se touchaient plus souvent. Rien d'officiel donc dans cette journée internationale des câlins, mais ce n'est pas une raison pour ne pas la célébrer ! D'autant que les câlins, c'est très important pour la santé. Une étude parue en décembre dernier sur un site médical américain encore a même démontré que prendre quelqu'un dans ses bras régulièrement, c'est le meilleur moyen de lutter contre les maladies. Ça peut paraître étonnant alors que nous sommes en pleine période de grippe et de gastro-entériques, et pourtant c'est scientifiquement prouvé !

Piste 12 — 7B

● **Présentatrice :** Tout de suite, le micro-trottoir du jour avec vous Arnaud. Quel est le thème du jour ?
○ **Journaliste :** Aujourd'hui je me suis intéressé à l'amitié au travail, mais surtout les rencontres et les occasions manquées.
■ **Personne 1 :** J'ai une super collègue au boulot avec qui je travaille souvent en binôme, on rigole bien, on peut parler de tout. Le problème, c'est qu'on n'a pas du tout la même vie, elle a une famille, donc peu de temps libre, et c'est vraiment dommage qu'on ne se voie pas à l'extérieur, car on pourrait très bien s'entendre.
▷ **Personne 2 :** J'ai rencontré un formateur lors d'un séminaire avec qui le courant est vraiment bien passé. Tout y était : la bonne entente côté boulot, beaucoup de goûts en commun, beaucoup de rires. Et puis malheureusement, le dernier jour, j'ai appris qu'il vivait à 800 km de chez moi. Difficile d'entretenir une amitié récente avec une si grande distance...
✱ **Personne 3 :** Quand j'ai commencé à travailler, on était une bandes de collègues tous à peu près du même âge, on sortait souvent ensemble, bref on était super proches ! Puis plusieurs ont démissionné, d'autres ont déménagé, résultat : je me retrouve tout seul ! On se voit toujours de temps en temps, mais je regrette tous les jours l'ambiance qu'on avait créée au travail !

UNITÉ 5

Piste 13 — 2C

● **Journaliste :** L'environnement et la consommation durable motiveraient moins les Français. Quelques mois avant la COP21, ils sont un quart à se désintéresser totalement des sujets liés aux enjeux environnementaux. L'an dernier, ils n'étaient que 15 % dans ce cas. [...] Les résultats publiés dans le cadre de cette semaine du développement durable ne sont pas réjouissants. Elisabeth Pastorice, directrice de Greenflex.
○ **Elisabeth Pastorice :** Cette année, on constate quand même que la majorité des Français impliqués sur les sujets notamment environnementaux et les sujets de consommation

responsable sont plutôt en baisse. Le nombre de sceptiques, c'est à peu près un quart de la population, c'est le rejet. La seule chose qui pourrait les faire bouger, c'est s'il y a un gain financier.

- **Journaliste** : La baisse très significative du nombre de personnes impliquées dans l'environnement et la consommation responsable est en partie due au désengagement des hommes.
- ○ **Elisabeth Pastorice** : Les plus engagés sont de plus en plus des femmes. Elles sont très préoccupées par la santé, par les valeurs, comment est fait le produit, le juste prix, donc quelle est sa valeur sociale. Le social est très très important : le lien humain, la proximité, les circuits courts, etc.

UNITÉ 6

Piste 14 — 5B

- **Sophie** : Pendant mon temps libre, j'ai choisi de m'occuper d'animaux, c'est plus utile que de faire du ménage ou des gâteaux ! Je ne supporte pas la maltraitance. Quand je vois arriver des chiens ou des chats mal-en-point par la faute des hommes, ça me révolte.
- ○ **Jean-Jacques** : Je n'arrive pas à comprendre que, dans notre monde actuel, il y ait autant de mal-logés et de sans-abris. Où est passée la solidarité ? L'entraide ? Dans mon association, on fait des rondes le soir, pour rencontrer les sans-domicile-fixe. On organise des bars à soupe en libre-service. C'est important d'être bienveillant envers son prochain.
- ■ **Malika** : On aide les sans-papiers, dans le respect et l'écoute. Par exemple, en les appuyant dans leurs démarches administratives qui sont souvent un véritable casse-tête. Pour moi, il est important que les étrangers se sentent les bienvenus dans mon pays.
- ▷ **Paolo** : Quand j'ai fait mon stage à l'hôpital, j'ai compris que le bénévolat n'était pas un simple passe-temps et qu'il fallait vraiment s'investir. Faire rire les gens, et leur apporter du bien-être, c'est un véritable savoir-faire !

Piste 15 — EX. 2

- **Gustave** : Quand j'ai commencé à être bénévole pour l'association Rire médecin c'était super dur de voir des enfants malades. Le soir quand je rentrais chez moi j'étais hyper triste. Et puis, petit à petit j'ai pris sur moi et je me suis rendu compte que ce qu'on faisait avec l'asso était ultra important. Les voir tous les jours avec un méga sourire quand on rentre dans leur chambre, ça me met la patate ! C'est vrai que je suis hyper sollicité mais je ne renoncerai pour rien au monde. Quand les enfants me disent que je suis archi cool, j'ai vraiment l'impression de servir à quelque chose !

Piste 16 — EX. 3

De nombreux changements ont énormément fait réagir sur les réseaux sociaux, notamment Twitter, avec l'apparition du mot-clé #JeSuisCirconflexe pour dénoncer la disparition de cette particularité graphique et autres simplifications. Rappelons néanmoins que cette réforme n'en est pas vraiment une. Ces modifications ne s'appliqueront qu'aux livres scolaires qui en font le choix. L'Académie française continuera d'accepter les deux orthographes comme elle le fait depuis plus de 25 ans.
« Aucune des deux graphies ne peut être tenue pour fautive. L'orthographe actuelle reste d'usage, et les recommandations du Conseil supérieur de la langue française ne portent que sur des mots qui pourront être écrits de manière différente sans constituer des incorrections ni être considérés comme des fautes. »

Du côté du ministère de l'Éducation, on se veut rassurant. « Cette réforme de 1990 était déjà en vigueur dans les programmes de 2008 et elle est facultative. Certains avaient déjà pris en compte cette réforme, il semble que d'autres décidé de la mettre en œuvre pour la rentrée 2016. Voilà pourquoi on en parle aujourd'hui », explique au HuffPost l'entourage de la ministre.

UNITÉ 7

Transcription de la vidéo

- **Nathalie Bondil, directrice et conservatrice, musée des beaux-arts de Montréal :** Alors, définitivement, Montréal peut se targuer d'être une ville très importante du point de vue de l'art public puisqu'il y a plus de mille œuvres qui sont étendues sur le territoire et qui ont été créées depuis 1809 avec le Monument à Nelson, place Jacques-Cartier, jusqu'à donc... des installations très contemporaines.
- ○ **Marie-France Brière, artiste :** L'art public dans une ville, c'est un marqueur de culture, c'est une couleur qui s'offre à la ville, c'est un moyen de communiquer : pour les artistes, de communiquer de façon concrète.
- ■ **Linda Covit, artiste :** D'avoir des œuvres dans nos jours quotidiens, c'est différent que d'être obligé d'aller dans une galerie, ou un musée pour le voir. Alors c'est une chance que les gens qui ont pas le temps ou peut être pas d'intérêt encore pour aller dans une galerie que faire une découverte dans leur intimité .. qui est plus facile, disons.
- ▷ **Annie Gérin, professeur au département d'histoire de l'art de l'UQAM :** Quand on pense à l'art public, on imagine souvent des œuvres monumentales comme des sculptures ou des fontaines. Mais on peut ouvrir cette définition pour y inclure des œuvres de types différents, comme des murales, des mosaïques, mais aussi des œuvres installatives, des œuvres médiatiques ou sonores. Et on peut même penser à des œuvres de design ou de mobilier urbain. Elles sont souvent en dialogue avec leur environnement. Donc, par leur forme ou en relation avec la morphologie d'un lieu, elles vont tisser un rapport de proximité ou de contraste.
- **Nathalie Bondil :** L'importance d'Art public Montréal, c'est de présenter la plus grande collection d'art public montréalaise.
- ▷ **Annie Gérin :** C'est une initiative qui va beaucoup plaire aux gens qui s'apprêtent à découvrir Montréal pour la première fois, mais aussi aux citoyens qui continuent de découvrir la ville et qui veulent profiter pleinement du dynamisme culturel.
- **Nathalie Bondil :** artpublic.montreal.ca permet à tous et à toutes des heures et des heures de plaisir et de parcours au travers de toute l'Île de Montréal.

UNITÉ 8

Piste 17 — 4A

- **Yann :** La première fois que je suis allé au Japon, je devais faire une présentation de mon entreprise devant plusieurs responsables d'une grande entreprise japonaise. J'avais préparé mes cartes de visite en nombre suffisant et en japonais. Au moment où j'ai échangé mes cartes rapidement avec tout le monde, j'ai bien senti que quelque chose n'allait pas. Au fur et à mesure que j'avançais dans ma présentation, je voyais bien qu'ils n'étaient pas très concentrés, mais j'ai pensé que ma façon de présenter l'entreprise était étrange pour eux. En fait, je n'avais pas respecté la cérémonie du *meishi*. Au Japon, lorsque l'on donne ou l'on reçoit une carte de visite, il faut légèrement s'incliner, saisir la carte à deux mains et prendre le temps de l'examiner en signe de respect.

○ **Filomène** : Cela fait deux ans que je vis en Ukraine. Je me souviens du jour où j'ai visité mon appartement. Le propriétaire m'attendait. Je sonne, il ouvre la porte. Je tends alors la main pour le saluer. À ma grande surprise, il s'écarte du passage et m'invite à entrer dans l'appartement. Il m'explique qu'on ne peut pas saluer une personne sur le pas de la porte, car ça porte malheur. Eh bien, depuis que je connais cette superstition, quand je rentre en France, je ne salue pas les gens sur le pas de la porte, tellement j'ai intégré ce code !

■ **Jérémie** : C'était ma première rencontre avec mon interlocuteur et mon premier séjour au Burkina Faso. Les salutations commencent et s'éternisent même un peu. Mon interlocuteur me demande, par exemple, de quel village je viens, qui sont mes parents, etc. Je suis un peu étonné. C'est étrange de parler de choses aussi privées alors qu'on ne se connaît pas encore. Et surtout lors d'une rencontre professionnelle ! Les jours suivants, chaque fois que j'ai un rendez-vous avec un client, c'est la même histoire. Je finis par comprendre qu'au Burkina Faso, avant d'entamer une négociation, il faut se connaître pour instaurer un rapport de confiance.

PHONÉTIQUE

UNITÉ 1

Piste 18 — PHONÉTIQUE — 3

1. Ail
2. Étoilé
3. Foie
4. Produit

Piste 19 — PHONÉTIQUE — 4

1. Gaspille
2. Papi
3. Gaspi'
4. Papille

Piste 20 — PHONÉTIQUE — 6

1. Un vieil avocat
2. Une vieille orange
3. Un conseil improvisé
4. Une oreille affûtée

UNITÉ 2

Piste 21 — PHONÉTIQUE —2

1. Pagne / pagne
2. Seine / saigne
3. Cligne / Cligne
4. Borne / Borgne

Piste 22 — PHONÉTIQUE —3

1. Campagne
2. Canne
3. Ligne
4. Jeune
5. Camping

Piste 23 — PHONÉTIQUE —5

1. Après avoir fait quelques recherche, je te concède que la « bof génération » désigne avant tout les personnes nées après les années 50.
2. Bien qu'il se plaigne à longueur de journée, je suis très proche de mon grand-père.
3. On a beau y avoir été tous les ans avec mes grands-parents, je n'ai jamais aimé aller en camping à la campagne.
4. Même si j'ai toujours fait du sport, le trekking est beaucoup trop dangereux à mon âge.

UNITÉ 3

Piste 24 — PHONÉTIQUE —2

1. Une halte
2. Un handicap
3. Un habit
4. Un hôtel
5. Une heure

Piste 25 — PHONÉTIQUE — 3A

1. Mon handicap sera une force pour aller tout en haut de l'échelle sociale.
2. Je ne peux rien attraper en hauteur car je suis trop petite.
3. Les hasards de la vie font qu'il y a des hauts et des bas.

UNITÉ 4

Piste 26 — PHONÉTIQUE — 2A

1. Lien
2. Craque
3. Rire
4. Corps
5. Aller

UNITÉ 5

Piste 27 — PHONÉTIQUE — 2

1. Accord
2. Ambitieux
3. Dernier
4. Construire
5. Facilitateur

UNITÉ 6

Piste 28 — PHONÉTIQUE — 2A

1. Je ne suis pas sûr qu'il faille donner de l'argent à une association pour être engagé.
2. J'suis pas sûre. J'veux pas forcément m'investir dans une assos'.
3. Faut qu'j'y aille! J'vais donner mon sang !
4. Oui, je sais. Il faut que j'aille m'inscrire sur les listes électorales.

Piste 29 — PHONÉTIQUE — 2A

1. Il faut qu'je fasse de la politique.
2. J'te l'ai déjà dit ! Ces trucs humanitaires, c'est pas pour moi.
3. J'aimerais m'engager plus, mais j'sais pas par où commencer.
4. Cette mission humanitaire à l'autre bout du monde arrive comme un ch'veu sur la soupe.

UNITÉ 7

Piste 30 — PHONÉTIQUE — 2A

1. C'est FORmidable !
2. C'est un chef-d'œuvre !
3. C'est mooooche.
4. Je n'aime PAS DU TOUT.

UNITÉ 8

Piste 31 — PHONÉTIQUE — 2A

1. Venir
Je vins
Tu vins
Il / Elle / On vint
Nous vînmes
Vous vîntes
Ils / Elles vinrent

2. Mettre
Je mis
Tu mis
Il / Elle / On mit
Nous mîmes
Vous mîtes
Ils / Elles mirent

Piste 32 — PHONÉTIQUE — 3

1. Je tins
2. Nous prîmes
3. Elles tinrent
4. Tu mis

Piste 33 — PHONÉTIQUE — 4A

1. Il vit
2. Il vécut
3. Il vint
4. Ils virent

PRÉPARATION AU DELF B2

Piste 34 — EX. 1

- **Daniel Fiévet :** « On n'empêche pas une mouette de prendre le large » : cette phrase, du navigateur et écrivain Bernard Moitessier, comme une mise en garde ou une prémonition, le jeune Jean-Louis Étienne l'a écrite en 1976 sur les murs de sa chambre alors qu'il entame une carrière dans une faculté de médecine toulousaine. Quelques mois plus tard, le jeune homme rend sa blouse et prend son envol pour un tour du monde à la voile. L'aventure ne fait que commencer, bien d'autres expéditions vont suivre : à travers les océans, à l'assaut des montagnes, jusqu'à la face nord de l'Everest. Mais rien ne semble étancher la soif d'espace et de lointain et c'est vers le pôle Nord que les yeux de l'explorateur se fixent.
- **Jean-Louis Étienne :** Ça fait douze ans que je fais des expéditions, un petit peu partout dans le monde, et j'avais envie un peu de faire une aventure qui m'appartienne, alors comme c'est une aventure qui est assez difficile, j'ai choisi de partir tout seul pour être maître à peu près de tous les instants et de toutes les choses qui pourraient m'arriver.
- **Daniel Fiévet :** Bien décidé à conquérir le sommet de ses ambitions, l'homme parvient bel et bien à se hisser aux pôles : les deux, le Nord puis le Sud. Jamais rassasié, il y retourne ! À ski, en traîneau ou en capsule dérivante ou par la voie des airs, qu'importe la monture pourvu qu'on ait l'ivresse des latitudes extrêmes. Après tout ça, l'infatigable voyageur, le sérial explorateur, Jean-Louis Étienne vient planter sa tente à France Inter le temps d'un bivouac en deux parties, tant il a à raconter.
- **Jingle :** Bon voyage !
- **Daniel Fiévet :** Bonjour à toutes et à tous, et bonjour Jean-Louis Étienne. [...] C'est un besoin vital, pour vous, comme ça, de partir loin et de préférence là où c'est très compliqué d'aller ?
- **Jean-Louis Étienne :** Vital, je dirais... oui. Vous avez commencé par, effectivement, ce que j'avais écrit sur les murs : « On n'empêche pas une mouette de prendre le large » ; j'ai l'impression qu'on ne m'empêchera pas de prendre le large. C'est ce côté vital, ce besoin d'aller voir ailleurs, d'explorer, d'explorer moi-même aussi, ça c'est très ancien, oui.
- **Daniel Fiévet :** Cette âme d'aventurier, vous l'aviez tout petit.
- **Jean-Louis Étienne :** Je crois. Je suis né à la campagne dans un village de 800 habitants donc dans le Tarn et je vivais beaucoup dehors. Il y avait toutes les périodes que j'aimais. Quand je dis les périodes, les saisons, ça correspondait à des choses, et on avait à la maison quelques éditions d'un magazine qui n'existe plus mais, j'ai appris qu'il vient d'être réédité, qui s'appelait *L'illustration*. *L'illustration* c'était le *National Geographic* français du siècle dernier, du temps où la France envoyait ses explorateurs dans l'Empire français qui était géant, que ce soit en Asie, en Océanie, en Afrique, dans les déserts, dans les forêts tropicales, et donc il y avait les récits de ces découvertes, des explorations qui étaient collectées dans *L'illustration* avec des dessins au crayon en général et je voyais, j'aimais ces caravanes. Et avec du recul je me rends compte je me projetais toujours dans cette idée de la caravane qui part, et donc j'ai retrouvé (après j'ai fait médecine) mais j'ai retrouvé cette idée de partir en exploration et ça ça m'a... c'est très ancien, oui.

Piste 35 — EX. 2

- **Jingle :** Deux heures et quart / avant la fin du monde / le futur, c'est maintenant ! / Essayons de procéder de façon rationnelle / Le futur, c'est maintenant ! / À la bonne heure ! Récapitulons une dernière fois toute la marche à suivre !

- **Journaliste 1 :** Côme Bastin, bonsoir !
- **Journaliste 2 :** Côme Bastin, bonsoir !
- **Côme Bastin :** Bonsoir Marie.
- **Journaliste 1 :** Alors ce soir, aujourd'hui pardon, on va parler de bars pas comme les autres, à soutenir pour la rentrée.
- **Côme Bastin :** Ouais, certains se préparent peut-être à quitter la France, mais ont-ils seulement pensé à la rentrée ? Sûrement pas ! Alors je m'en charge pour vous, et ma dernière, pour ma dernière chronique j'ai déniché des adresses un peu hors du commun qui lancent toutes leur campagne de crowdfunding pour ouvrir en septembre. La première adresse, certains la connaissent peut-être déjà puisqu'il s'agit du Freegan Poney.
- **Journaliste 2 :** Oui, on en parlait sur cette antenne, c'est le resto qui cuisine avec des aliments glanés à Rungis.
- **Côme Bastin :** Exactement. L'initiative avait soulevé l'enthousiasme du grand public et de la presse ; le Freegan Poney cuisine à partir des fruits et légumes invendus des marchés pour sensibiliser au gaspillage alimentaire, mais il avait malheureusement fermé depuis plusieurs mois, pour occupation illégale décrétée par la Mairie de Paris. Alors le lieu du litige c'est des locaux installés entre les murs de béton du périphérique parisien à la porte de la Villette. Eh bien ce restaurant qui fait la part belle à l'économie circulaire a finalement trouvé un accord avec la ville et va pouvoir rouvrir ses portes pour de bon à condition de réaliser des travaux importants estimés à environ 250 000 €.
- **Journaliste 2 :** Ah oui, grosse campagne de crowdfunding du coup.
- **Côme Bastin :** C'est ça. Pour financer les travaux d'Hercule qui lui permettront de rester ouvert, le Freegan Poney a donc lancé une campagne de crowdfunding à retrouver sur « Kiss kiss Bang bang » pour devenir la première cantine participative freegan d'Europe.
- **Journaliste 1 :** Euh... Beaucoup d'appels d'auditeurs au standard qui voudraient savoir ce que ça veut dire « freegan ».
- **Côme Bastin :** Bonne question : c'est le nom du restaurant mais c'est aussi un terme qui désigne le fait de se nourrir avec des aliments qui auraient normalement été gâchés ou jetés, à soutenir donc pour pouvoir manger des tagliatelles de courgettes confites à l'écume de menthe récupérées dans les marchés, dès la rentrée, pour 2 €. Et si la campagne réussit, l'objectif est clair : pérenniser et développer ce restaurant, notamment en l'ouvrant 7 jours sur 7 (alors qu'il était ouvert seulement le week-end auparavant) ou en passant des accords avec le marché de Rungis pour récupérer toujours plus de fruits et légumes pourris.
- **Journaliste 1 :** Alors, une autre campagne de crowdfunding en cours pour un autre type de bar, à Paris, ou pas ?
- **Côme Bastin :** Alors qui n'a pas déjà rêvé d'ouvrir son propre bar ? Justement, le Social Bar sera le premier bar dont les clients seront aussi les patrons. En fait, il s'agit cette fois d'une campagne de crowdlending pour être précis, donc de financement en capital ; concrètement en investissant 125 € dans le Social Bar vous en devenez donc actionnaires et vous possédez vraiment un bout du bar.
- **Journaliste 1 :** Et comment ça va se passer alors concrètement ?
- **Côme Bastin :** Alors l'établissement a lancé une campagne sur le site « 1001 impacts » avec là encore comme objectif de financer les travaux avant son ouverture à la rentrée. L'idée c'est vraiment que le bar appartienne à ceux qui auront pris une ou plusieurs parts, et qu'il devienne leur

lieu de rendez-vous, qu'ils puissent imaginer les événements qui s'y dérouleront. Les co-patrons auront donc un verre à leur nom, pourront choisir la musique du bar, passer derrière le comptoir, et surtout participer aux assemblées générales pour décider du programme. Une fois par an, chaque actionnaire pourra aussi y organiser sa propre soirée, de A à Z.

▪ **Journaliste 2 :** Et alors pour les auditeurs qui n'habitent pas Paris quand même ?

▷ **Côme Bastin :** C'est vrai, j'ai détaillé les projets dont j'avais entendu parler dans la capitale, mais utiliser le crowdfunding pour lancer son bar ça devient quelque chose de plus en plus courant. En ce moment par exemple à Lille se prépare l'ouverture du premier bar à chiens d'Europe, j'ai nommé Le Waf.

▪ **Journaliste 2 :** Bien nommé.

▷ **Côme Bastin :** Voilà, le bien nommé. Et le bar cherche à collecter donc 4 500 € pour acheter une dizaine de chiens auprès de la SPA et les vacciner pour qu'ils viennent tenir compagnie aux clients en manque de présence animale.

○ **Journaliste 1 :** Côme Bastin, merci beaucoup, pour... pour tout, pour toutes ces chroniques et toute cette année. Bonnes vacances !

▷ **Côme Bastin :** Merci à vous, bonnes vacances à tout le monde !

CAHIER D'EXERCICES

UNITÉ 1

Piste 1 — 6

1. Une petite faim et une grosse envie de rester chez vous ? Ne vous déplacez pas, téléphonez-nous ! Grâce à notre service de livraison à domicile à vélo, vous n'attendrez pas plus de 15 minutes avant de déguster le plat du jour de votre resto préféré. En partenariat avec les restaurants de la ville, Délivélo défie la vitesse de livraison habituelle. Et bien sûr, à vélo, on ne pollue pas !

2. Vous voulez éviter de consommer des plats préparés ? Vous cherchez l'originalité, des recettes aux saveurs exotiques, des suggestions pour varier vos dîners habituels ? Hellofresh vous livre une recette du monde et tous les ingrédients en quantité nécessaire pour la réaliser. Vous découvrez un nouveau plat sans vous compliquer la vie et, cerise sur le gâteau, zéro gâchis !

Piste 2 — Compréhension de l'oral

● **Journaliste 1 :** Eh oui parce qu'après l'opération « fruits et légumes moches » qui a été lancée au printemps dernier par une marque de la grande distribution voici donc les biscuits moches. C'est pas une campagne de pub : il s'agit en fait de lutter contre le gaspillage.

○ **Emmanuel Cugny :** Oui c'est très sérieux ; cette enseigne c'est Intermarché. Au printemps le groupe valorisait déjà, donc, vous le disiez, les fruits et légumes peu ragoûtants par leur aspect difforme, voués à la décharge. L'opération a tellement bien réussi figurez-vous qu'elle s'est élargie au fromage et aux céréales. Alors on ne sait pas vraiment ce qu'est une céréale moche, enfin ! Donc maintenant ce sont les biscuits, c'est-à-dire que début novembre, 150 magasins de la région parisienne vont proposer à la vente mais 30% moins chers, des paquets de gâteaux, alors, aux formes atypiques, et qui auront été cassés lors de leur fabrication voire de leur transport.

▪ **Journaliste 2 :** Alors ça ressemble un peu quand même à une opération marketing ou pas ?

○ **Emmanuel Cugny :** Oui et non. Oui, car on parle des enseignes qui ont pris cette initiative et puis non, car derrière il y a cette vraie intention louable de lutter contre le gaspillage alimentaire. Il faut savoir qu'en France, tous les ans, 7 millions de tonnes de denrées alimentaires sont mises à la poubelle par la grande distribution.

▪ **Journaliste 2 :** Et la législation quand même prévoit déjà un cadre en la matière ?

○ **Emmanuel Cugny :** Alors il y a des dispositions qui étaient prévues dans la loi sur la transition énergétique qui a été adoptée cet été à l'Assemblée nationale et promulguée d'ailleurs au mois d'août, mais les mesures concernant ce point précis avaient été retoquées par le Conseil constitutionnel. Donc un nouveau texte est en préparation mais les professionnels, eux, préfèrent anticiper. Par exemple, outre Intermarché et ses légumes moches, eh bien Carrefour a rallongé les dates limites de consommation de quelques 300 produits sous marques distributeurs. Les hypermarchés Leclerc, avec les frites McCain et le groupe de recrutement Randstad, se sont lancés dans la confection de soupes fraîches, concoctées à partir des invendus et proposées par des chômeurs de longue durée, ce qui a permis l'embauche de plusieurs personnes en CDD. C'est toute une chaîne qui s'est ainsi mise en place ; de la lutte contre le gaspillage sont nés des emplois, alors certes en nombre limité et à durée limitée, mais ça peut être le début d'un vrai mouvement de fond. On y pensera en tout cas lors de la journée nationale de lutte contre le gaspillage alimentaire, c'est vendredi prochain, le 16 octobre.

▪ **Journaliste 2 :** Et on a eu l'occasion déjà d'en parler sur France Info, ce sont les associations qui sont vraiment précurseurs en la matière.

UNITÉ 2

Piste 3 — 2

● **Journaliste :** Nous accueillons tout d'abord, Paul Le Marrec, sociologue, spécialiste de l'uniformisation générationnelle. Alors, savez-vous pourquoi il est de plus en plus courant de croiser des personnes qui paraissent plus jeunes qu'elles ne le sont réellement ?

○ **Paul Le Marrec :** C'est vrai que c'est un phénomène de plus en plus fréquent, et il s'explique de plusieurs façons. D'abord, par une meilleure hygiène de vie et la tendance à faire plus de sport qu'il y a 10-15 ans. Les gens montrent de moins en moins les signes physiques associés au vieillissement. Ensuite, par le brouillage, le mélange des marqueurs générationnels lancé par la mode vestimentaire. En effet, l'uniforme jean t-shirt convient aux gens de 7 à 77 ans. Il y a aussi les magasins, qui mettent en rayon les mêmes collections pour les 0-12 ans que pour les adultes. Les publicités, elles, représentent des trios grand-mère/mère/fille où la place de chacune est ambiguë : de cette manière, elles incitent les consommateurs à uniformiser leur style, à jouer sur ce mélange des générations. En plus de ces looks transgénérationnels, tout le monde adopte les mêmes gadgets technologiques : les smartphones ne sont plus réservés aux jeunes et si vous observez les passagers du métro, vous en verrez une majorité en train d'écouter de la musique avec les gros écouteurs qui étaient avant la marque des ados.

● **Journaliste :** Est-ce que c'est une bonne chose ?

○ **Paul Le Marrec :** Ce serait une bonne chose si cette tendance à l'uniformisation ne s'accompagnait d'une séparation des générations moins visible mais plus profonde. En segmentant les marchés, en ciblant telle génération pour tel produit et telle génération pour tel autre produit, le markéting divise aussi les générations. On peut même dire qu'il monte les générations les unes contre les autres et aggrave les malentendus générationnels. Pourtant, les personnes de différents âges – aussi bien les vieux que les jeunes – ont besoin les uns des autres. On en arrive à une situation paradoxale dans laquelle, plus les générations se mélangent en apparence, plus elles sont séparées en réalité, moins elles sont solidaires. Alors que s'entraider est évidemment beaucoup plus important que se ressembler.

Piste 4 — 10

- **Voisin retraité :** Nos nouveaux voisins du dessus ont à peine vingt ans et viennent d'entrer à l'université. C'est la première fois qu'ils habitent seuls et ils en profitent ! Ils répètent avec leur groupe de rock jusqu'à tard le soir, ils salissent les escaliers, ils regardent des films et des séries à plein volume... C'est insupportable, nous n'en pouvons plus ! En plus, ce qui nous énerve vraiment, c'est que quand on frappe à leur porte, ils ne veulent pas nous écouter. Ils pensent sûrement que nous sommes « des vieux » qui ne tolèrent rien, alors qu'on aimerait juste qu'ils essayent de nous comprendre.

Piste 5 — Compréhension de l'oral

- **Journaliste :** Avec 2 millions d'injections de Botox par an dans le monde, il semblerait que paraître jeune soit d'une importance majeure pour beaucoup d'entre nous. Mais connaissez-vous quelqu'un qui souhaiterait avoir l'air plus vieux ? On évoque rarement cette minorité de la population qui fait beaucoup plus jeune que son âge. C'est pourquoi nous avons décidé de leur donner la parole ce matin. Pourquoi certains d'entre nous ont-ils l'air d'avoir dix ou quinze ans de moins que leur âge réel ? Et surtout, en quoi est-ce problématique ?
- **Justine :** Je m'appelle Justine, j'ai 35 ans et j'en parais 20. Le souci n'est pas que je suis rejetée par ma propre génération, c'est plutôt que je ne suis pas prise au sérieux par celle d'avant. Les gens doutent de mes compétences et surtout de mon expérience, alors que je travaille depuis douze ans.
- **Journaliste :** Vous pensez que faire plus jeune réduit vos chances de trouver un emploi ?
- **Justine :** Complètement ! C'est un frein professionnel, comme j'ai l'air plus jeune, j'ai l'air moins mature qu'une trentenaire qui fait son âge. Et c'est tellement injuste. Ça m'énerve ! Je ne comprends pas pourquoi les gens sont aussi superficiels.
- **Journaliste :** Et vous Ismaël, vous avez 29 ans mais on vous en donne 17. Cela vous pose problème dans votre vie professionnelle ?
- **Ismaël :** Euh non, parce que je travaille dans la restauration où il y a beaucoup de gens très jeunes. Par contre, j'ai un gros problème dans ma vie personnelle. J'ai une fille de 4 ans et tout le monde me prend pour le baby-sitter – au mieux on croit que je suis le grand frère. En tout cas, les gens pensent et surtout me disent que je suis trop jeune pour m'occuper d'un enfant. Je me prends tout le temps des réflexions dans la rue, dans le bus et même au parc sur comment je devrais la porter, l'éduquer, lui parler. Je ne supporte plus que des inconnus me fassent des réflexions sur comment être le père de ma fille, alors qu'ils ne nous connaissent pas.

UNITÉ 3

Piste 6 — 9

1. Quelle chance tu as de partir en week-end avec ta tante à La Bourboule !
2. C'était la vie de château au camping : confortable, propre, le rêve !
3. Il a laissé ses clés chez lui et a fermé la porte ; c'est malin et très pratique
4. Des chaussettes dans des tongs ? Quel goût !
5. C'est hilarant, en effet. Comme tu es drôle.

Piste 7 — Compréhension de l'oral

- **Journaliste :** Il y a une discrimination à laquelle on ne pense pas immédiatement. Et pourtant, elle semble extrêmement présente dans la société française, et notamment dans le monde du travail. Bonjour Marlène Rodriguez.
- **Marlène Rodriguez :** Bonjour.
- **Journaliste :** Vous êtes docteure en sociolinguistique et vous avez enquêté, dans votre thèse, sur l'importance donnée à l'orthographe dans le monde du travail – une importance extrême, pour ne pas dire exagérée.
- **Marlène Rodriguez :** Oui, en effet. Je me suis rendu compte que, même dans les professions où la correction de l'écrit n'a pas une grande d'importance, à priori, on juge souvent de la qualité d'un travail à son orthographe. Et, par conséquent, celles et ceux qui maitrisent bien l'orthographe du français sont jugés plus sérieux, voire plus intelligents que celles et ceux qui ne la maitrisent pas. Alors que ça n'a évidemment rien à voir. Ce n'est pas parce que vous faites des erreurs d'orthographe que vous n'êtes pas compétent dans votre métier. On peut être un excellent professionnel et faire « des fautes ». Mais, pour des raisons historiques, les préjugés liés à la maîtrise de la langue sont extrêmement forts en France, entre les Français eux-mêmes.
- **Journaliste :** On aurait donc tendance à juger des compétences professionnelles de quelqu'un sur la seule base de l'orthographe ?
- **Marlène Rodriguez :** Oui, notamment lors du recrutement. Donc les gens qui cherchent un emploi doivent faire très attention, parce qu'une candidature avec des erreurs a trois fois plus de chances de finir à la poubelle qu'une candidature sans erreurs. Et les réactions de rejets peuvent apparaître dès la première erreur chez certains recruteurs.
- **Journaliste :** Donc si vous êtes à la recherche d'un emploi, faites bien attention à vos CV, mails et lettres de motivation...
- **Marlène Rodriguez :** Si vous pouvez, faites relire votre dossier à des gens de votre entourage (famille, voisins, amis, professeurs...) ou de Pôle Emploi. Si possible par deux ou trois personnes différentes.
- **Journaliste :** C'est vraiment un critère de discrimination. Et pourtant, il semblerait qu'on soit plus tolérants depuis qu'on écrit des textos – et qu'on fait tous des tas d'erreurs.
- **Marlène Rodriguez :** C'est vrai dans les relations personnelles, informelles. Comme les claviers et les correcteurs orthographiques augmentent le nombre d'erreurs, même des professeurs d'université et des éditeurs font des fautes d'orthographe. Mais les préjugés orthographiques restent encore très présents dans le monde du travail.

UNITÉ 4

Piste 8 — 6

- **Isa :** Ça va faire vingt ans qu'on se connaît et on est comme les doigts de la main, inséparables ! En ce moment, on est toutes les deux célibataires et on peut se voir tous les week-ends. C'était plus difficile lorsqu'on était en couple. Alors on se faisait une « soirée aux chandelles » toutes les deux semaines afin de garder le fil.
- ○ **Sophie :** Les bougies, y'en avait jamais, mais on essayait de dîner entre copines, ouais, tous les quinze jours, histoire de se raconter nos vies, ou d'aller à un concert, ou juste de marcher ensemble dans la rue.
- **Isa :** C'est super important d'avoir au moins une personne avec qui tu n'as jamais besoin de te censurer, à qui tu peux parler sans faire attention à tout ce que tu dis. Et, quand on est ensemble, on peut vraiment rire de tout. Ça fait du bien.
- ■ **Benjamin :** Avec Oscar, on est inséparables depuis l'école primaire. On a fait toute notre scolarité et toutes nos études ensemble. Un jour, j'ai même refusé un stage en Nouvelle-Zélande de peur qu'on s'éloigne trop ! Et maintenant qu'on vit dans deux villes différentes, on s'efforce de partager un maximum, même les petits riens du quotidien, de façon à garder le fil.
- ▷ **Oscar :** On s'envoie des textos, des photos, on se passe des coups de fil de deux minutes pour partager une remarque stupide entendue dans la rue... C'est grâce à tout ça qu'on reste les meilleurs amis du monde !
- ✶ **Stef :** À mon avis, si on tient tellement l'un à l'autre, c'est parce qu'on est super honnêtes. On a besoin de quelqu'un qui nous dise franchement ce qu'il pense, sans tricher, sans être poli. Et Mo, il me dit toujours ce qu'il pense, même si c'est dur à entendre. Je sais qu'il ne le fera jamais méchamment. C'est comme si on était frère et sœur quoi.
- ◇ **Mo :** Ça va de « Qu'est-ce que tu penses de ma barbe ? » à « Pourquoi je me suis fait larguer ? » On pose pas ces questions dans le but d'être réconforté, mais parce qu'on veut vraiment avoir un avis. Et je crois que, Stef, c'est la seule personne au monde qui peut me dire n'importe quoi sans me vexer. Je lui fais confiance.

Piste 9 — 8

- ● **Personne 1 :** Avant d'envoyer des lettres, Hannah les a d'abord reçues : sa famille n'utilisait ni les emails ni les textos, alors ils s'échangeaient des lettres quand elle était à l'université. Mais ces lettres étaient privées !
- ○ **Personne 2 :** C'est plus tard que les lettres de Hannah ont pris un caractère public. Elle a expliqué que l'amour était né du malheur : alors qu'elle était très déprimée, à New York, elle a commencé à composer des lettres aussi réconfortantes que celles qu'elle recevait quand elle était à la fac mais, au lieu de les envoyer à sa famille, elle les a dispersées partout dans New York. Elle en a même déposé à l'ONU ! Entre deux lettres, elle prenait le temps d'alimenter son blog.
- ● **Personne 1 :** C'est sur ce blog qu'elle a promis d'écrire une lettre d'amour à quiconque lui en demanderait une. Dès le lendemain, elle s'est mise à répondre aux centaines de personnes qui lui avaient écrit.
- ○ **Personne 2 :** Aujourd'hui, les lettres de Hannah ont séduit le monde : Hannah travaille désormais pour une ONG internationale, où elle encourage les autres à écrire des lettres d'amour. Les nouvelles lettres sont composées par des inconnus et pour des inconnus.
- ● **Personne 1 :** Ces lettres sont écrites pour échanger vraiment,

pour toucher les autres dans un monde où on discute depuis derrière son ordinateur. C'est un peu un retour aux sources en fait !
- ○ **Personne 2 :** Ce discours nous a donné envie de participer au projet, nous aussi on va se mettre à écrire, et pas de courts messages de 140 caractères : de vraies lettres !

Piste 10 — Compréhension de l'oral

- ● **Journaliste 1 :** Parce que c'est encore plus difficile d'oublier son ex quand on voit en permanence des photos de lui souriant de toutes ses dents, Facebook a décidé de nous donner un coup de pouce !
- ○ **Journaliste 2 :** Eh oui, bientôt, vous ne serez plus obligés d'éviter le réseau social de peur d'y trouver des clichés de votre ex et de sa nouvelle conquête : vous pourrez filtrer toute information se rapportant à votre ancienne bien-aimée.
- ● **Journaliste 1 :** Est-ce que cela revient à le ou la bloquer alors ?
- ○ **Journaliste 2 :** Pas du tout ! C'est d'ailleurs un des avantages de ce nouvel outil déjà utilisé aux États-Unis et qui ne devrait pas tarder à arriver en France : la personne ne saura pas que vous l'avez écartée, contrairement à un blocage ou à une suppression de votre liste d'amis, qu'elle remarquerait immédiatement.
- ● **Journaliste 1 :** Et qu'est-ce qui disparaît exactement ?
- ○ **Journaliste 2 :** Cela va de ses photos, vidéos et publications, qui ne s'affichent pas dans votre fil d'actualité, aux vôtres, qui ne sont visibles pour lui ou elle que si elles sont publiques ou si des amis communs y figurent. Et pour ne même pas avoir à lire son nom, celui-ci ne vous sera plus suggéré, ni pour identifier un visage sur une photo, ni dans un statut. Un ex fantôme !
- ● **Journaliste 1 :** Je dirais que cet outil n'est pas mal non plus pour ceux qui n'arrivent pas à se contrôler et consultent en permanence le profil de celui ou celle qui ne fait plus partie de leur vie : Facebook les forcera à arrêter...
- ○ **Journaliste 2 :** Oui, quoiqu'on choisit quand même ce qu'on veut ou ne veut pas voir, il s'agit donc, à la base, d'une décision de l'utilisateur... Même si cet outil lui est proposé dès qu'il change son statut de « en couple » à « célibataire » ! Facebook, le premier au courant des changements dans votre vie : pour le meilleur ou pour le pire ?

UNITÉ 5

Piste 11 — 7

- ● **Journaliste 1 :** L'heure est venue de répondre à nos auditeurs ! Tout d'abord, une question de Maxime, 7 ans, qui se demande : « Pourquoi la banquise fond-elle ? » Tu as remarqué Maxime que quand tu manges une glace et qu'il fait chaud, il faut la manger vite ? Ça, c'est parce que la chaleur fait fondre la glace. Et comme notre planète se réchauffe de plus en plus, ce qui est dû en partie à nos voitures et nos usines qui polluent l'atmosphère, la fonte des glaces continue malheureusement.
- ○ **Journaliste 2 :** On passe de la banquise à la forêt avec la question de Pierre : « Si les arbres disparaissent, c'est à cause de quoi ? » Bonne nouvelle Pierre, les arbres ne disparaissent pas ! Cependant, vu que les humains continuent de les couper pour en utiliser le bois ou pour planter autre chose à la place, leur nombre diminue. Ce phénomène s'appelle la déforestation. Tu peux la ralentir en demandant à tes parents de vérifier qu'ils achètent des meubles faits avec du bois local

par exemple.

- **Journaliste 1 :** Enfin, Lou, qui adore les animaux, ne comprend pas qu'il y ait toujours plein d'humains, mais que certaines espèces animales disparaissent. C'est notamment à la suite de la déforestation, dont on parlait il y a une minute, que les animaux, qui sont forcés de trouver un nouvel endroit pour vivre, ne réussissent pas à s'adapter et finissent par disparaître. Pour d'autres animaux, comme les baleines ou les rhinocéros, c'est à cause de la chasse qu'ils se font de plus en plus rares. Lou, si tu aimes tant les animaux, tu pourrais parler de ces menaces à tes camarades de classe : plus les gens sont au courant de ce qu'il se passe, plus on a de chance de les convaincre d'agir pour protéger la planète !

Piste 12 — 10

- **Bénévole :** Est-ce que vous essayez de privilégier les énergies renouvelables par rapport aux ressources non renouvelables ?
- **Lofred :** Pas vraiment, non ! Les énergies renouvelables, c'est vraiment une mode. On n'a pas encore assez de recul pour affirmer que leur utilisation a réellement un impact positif sur la planète, alors je ne perds pas mon temps à lire les résultats des recherches effectuées à ce sujet.
- **Leïla :** Je m'en fiche pas mal à vrai dire ! J'ai déjà tellement à faire avec mon Master, je ne me demande pas d'où vient l'énergie que j'utilise dès que j'allume la lumière ou que je monte dans ma voiture. Pourtant, sur le campus, c'est ce que les associations voudraient que je fasse, je sais... Elles nous culpabilisent sans arrêt, je commence à en avoir un peu marre. Laissez-nous vivre !
- **Akash :** Carrément ! C'est ma responsabilité en tant qu'humain qui vit, consomme, pollue une planète qui ne lui appartient pas. J'ai investi dans une ferme éolienne gérée par la mère d'une amie. La somme est minuscule et donc plus symbolique que réellement utile, mais quand même. J'en parle beaucoup autour de moi ; si tout le monde verse une petite somme, les énergies renouvelables prendront de plus en plus d'importance, au détriment des énergies polluantes.

Piste 13 — Compréhension de l'oral

- **Journaliste :** Nathalie Fontrel, l'agence de l'environnement et de la maîtrise de l'énergie est formelle : payer ce que l'on jette permet de réduire le volume de nos poubelles.
- **Nathalie Fontrel :** Alors ça ne doit pas être le cas chez vous, mais la redevance incitative a été adoptée par près de 200 collectivités. Les habitants payent leurs ordures non recyclables au poids ou au nombre de fois où ils sortent leurs poubelles. Le bac est équipé d'une puce pour identifier le jeteur, c'est le principe du « pollueur payeur » : je paye ce que je jette. Si on l'appelle « redevance incitative », c'est qu'elle doit inciter les habitants à trier, à séparer les emballages recyclables du reste des ordures ménagères. Plus ils allègent leurs poubelles destinées à l'incinération ou à la décharge, moins ils paient. L'enlèvement du bac de recyclage étant gratuit, eh bien, ça donne envie de trier !
- **Journaliste :** Et c'est efficace !
- **Nathalie Fontrel :** Avec une baisse de 30 à 50 % des quantités jetées ! Quand on donne un prix aux choses, eh bien on réfléchit : ai-je vraiment besoin de jeter autant ? En tout cas, c'est plus juste que la taxe sur l'enlèvement des ordures ménagères, calculée sur la surface habitée. Qu'on soit deux dans 50 m² ou 5, on paye la même chose ! Alors que lorsque l'on est 5, évidemment, on jette plus et la facture est noyée dans les impôts locaux.
- **Journaliste :** Mais au début payer ses ordures au poids peut générer des comportements étranges ?

- **Nathalie Fontrel :** Lorsque le système a été mis en place dans mon village, j'ai connu un chef d'entreprise qui mettait ses sacs poubelle dans le coffre de sa berline pour aller les déposer dans des conteneurs au supermarché voisin. Il ne voulait pas payer alors qu'il en avait largement les moyens. Les dépôts de sacs poubelle se sont aussi multipliés dans la nature. Des gens ont également jeté leurs déchets dans la poubelle du voisin. Et puis, tout est rentré dans l'ordre : on jette moins, on trie plus.
- **Journaliste :** Merci à vous Nathalie Fontrel.

UNITÉ 6

Piste 14 — Exercice 3

- **Bénévole 1 :** Bon, c'était loin d'être tout à fait fini quand on est arrivés, mais au moins le foyer a pu accueillir une trentaine de personnes au chaud avant l'hiver !
- **Bénévole 2 :** Et quel accueil, tout le monde nous a répété que c'était très convivial, vraiment chaleureux et qu'ils n'avaient rien à nous reprocher !
- **Bénévole 3 :** Malheureusement, on n'avait pas encore perfectionné nos compétences en cuisine...
- **Bénévole 1 :** Non mais ton café Lila, c'était du jus de chaussette, atroce !
- **Bénévole 2 :** Haha désolée, oui, c'était imbuvable, je l'avoue !
- **Bénévole 1 :** Enfin, mes repas, c'était pas mieux : la soupe était archisalée, impossible à manger. Je n'en avais jamais fait avant !
- **Bénévole 3 :** Le problème c'était aussi les plats principaux, qui avaient été réchauffés 3 fois avant d'être servis, à cause de notre mauvaise organisation, à la dernière minute...
- **Bénévole 1 :** Non, le pire, c'était l'état des salles de bain... Insalubres ! Heureusement que tout le monde était compréhensif...
- **Bénévole 2 :** Quand même, c'était inadmissible de laisser des gens pieds nus sur un sol aussi sale.
- **Bénévole 3 :** À la limite de l'imprudence même !
- **Bénévole 1 :** Super sympa, les pensionnaires nous ont aidé à tout remettre en état.
- **Bénévole 3 :** Oui, il n'y avait que des gens extrêmement gentils et souriants, j'étais agréablement surprise.
- **Bénévole 2 :** Maintenant que « L'hiver arrive » a pris ses marques, nous allons avoir le temps de revoir notre manière de cuisiner...
- **Bénévole 1 :** Et de réaménager les chambres peut-être, on pourrait facilement gagner de l'espace.

Piste 15 — Exercice 7

1. Les élus résident tous dans d'impressionnantes demeures ; il leur est aisé d'ignorer la question !
2. Comment j'étais vénère quand il a sorti qu'avec un bon boulot, on pouvait vivre confortablement ! N'importe quoi, vraiment !
3. Même en gueulant pour se faire entendre, ça marche que dalle ! On doit faire quoi alors, venir manifester avec nos gosses en pleurs pour que les élus pigent quelque chose ?
4. C'est chelou que mes potes n'aient pas réagi quand il a parlé des coopératives, c'est leur truc pourtant.
5. À priori, il ne saisit guère l'ampleur du problème.

Piste 16 — Compréhension de l'oral

- **Journaliste :** Bonjour et bienvenue dans « Deux minutes de réflexion » ! Aujourd'hui nous parlons de la mode du « sans engagement ». Elle a été rendue populaire par les forfaits de téléphone portable qu'on peut arrêter à tout moment. Mais je me demande si cet enthousiasme pour le désengagement n'était pas un peu symptomatique de notre société. Alors je pose maintenant la question à notre philosophe et sociologue. Bonjour Jean-Félix Gross !
- **Jean-Félix Gross :** Bonjour !
- **Journaliste :** Est-ce qu'il s'agit simplement des abonnements téléphoniques ou est-ce que les Français ont aussi peur de s'engager dans d'autres domaines ?
- **Jean-Félix Gross :** Les journaux évoquent assez fréquemment « la crise de l'engagement » en France. Est-ce que c'est justifié ? Bon, en partie ! Il y a de moins en moins de mariages, par exemple. Et on remarque que le bénévolat informel recule chaque année. Par bénévolat informel, j'entends les petits services et l'aide apportés à des proches ou à des voisins, mais en-dehors d'une association. En revanche, il y a de plus en plus de bénévoles dans les associations. On se retrouve donc avec le même nombre de personnes qui s'impliquent pour les autres, mais de façon plus officielle, moins spontanée.
- **Journaliste :** Cela paraît contraire à l'idée de désengagement national alors. On a plus d'obligations en devenant membre d'une association caritative qu'en donnant un coup de main, de temps en temps, à notre voisine qui ne peut plus jardiner.
- **Jean-Félix Gross :** C'est une façon plus rationnelle, plus formelle de s'engager – en s'obligeant à donner de son temps. Car, dans la crise de l'engagement informel, entre voisins, dans le couple ou entre amis, c'est bien le manque de temps qui pose problème.
- **Journaliste :** Que se passe-t-il dans la sphère professionnelle ?
- **Jean-Félix Gross :** Alors, ici on met le doigt sur un phénomène très intéressant. Et si les chefs d'entreprises nous écoutent, qu'ils tendent l'oreille car ils ont beaucoup à y gagner. Près de 9 cadres français sur 10 se sentent impliqués dans leur travail, où « impliqué » est synonyme de « je prends plaisir à travailler ». Tout va bien alors ? Non ! On calcule le prix du désengagement au travail en France à 60 milliards d'euros par an ! Argent gâché non dans les augmentations pour inciter les employés à rester, mais par de mauvaises manœuvres des entreprises, qui surchargent leurs employés de travail. Par manque de temps, on travaille dans l'urgence. Résultat : on bâcle, on se dépêche et, non seulement on travaille moins bien, mais on perd le plaisir de travailler. En général, si vous expédiez ce qu'il vous reste à faire, si vous rédigez un rapport en deux minutes sans avoir le temps de le relire, vous êtes moins satisfait du résultat. Et sous pression, évidemment, on prend moins de plaisir. Alors plutôt que d'offrir des augmentations aux salariés, on ferait mieux de réduire leur charge de travail.
- **Journaliste :** Le bénévolat informel en bénéficierait aussi...
- **Jean-Félix Gross :** Oui, on aurait plus de temps pour rendre des services informels. Et, qui sait, ça serait pas mal pour les amoureux, non ?

UNITÉ 7

Piste 17 — Exercice 9

1. La plus grande décoration murale en matériaux recyclés du monde : 720 m^2, des kilos de canettes de soda, tuyaux, pièces détachées de voitures.

2. La plus longue sculpture en allumettes du monde : 5 500 €, 32 000 heures de travail, 6 m 40 de long.

3. Le plus long concert d'accordéon : 35 h 32 min, l'artiste ne pouvait ni s'arrêter plus de 30 secondes ni improviser des chansons ; tout ce qu'il a joué était des morceaux connus.

4. La plus grande mosaïque composée de pinceaux de peinture du monde : 230 000 pinceaux disposés pour représenter Michael Jackson après sa mort en 2009.

Piste 18 — Exercice 10

- **Valérie :** On me considère artiste pour deux raisons : d'abord, je suis romancière. En plus d'écrire, je suis passionnée par la littérature, j'ai un doctorat et je donne souvent des conférences sur le mouvement littéraire du romantisme. Mais c'est surtout pour mon activité de violoniste que je suis reconnue : depuis mes 5 ans, mon violon et moi sommes inséparables ! SI je suis artiste, c'est pour pouvoir exprimer une foule d'émotions et en provoquer d'encore plus belles chez le public. Mais c'est aussi parce que j'adore éprouver les frissons de la scène ! Le moment le plus gênant de ma carrière d'artiste fut lorsque je multipliai les fausses notes lors d'un concert à la prestigieuse salle Pleyel. J'étais tétanisée, mais je n'ai pas renoncé, j'ai continué et après 3 longues minutes, je prenais de nouveau plaisir à jouer.

- **Ulysse :** J'aime croire que tout ce que je peux toucher peut devenir art. Ca peut être quelque chose de petit, d'un bol en argile à une mini-sculpture en chewing-gum, ou de plus grand, comme une installation avec des mobiles, des objets suspendus, des meubles, disposés de manière à déclencher une émotion. C'est ce que je recherche en tant qu'artiste : provoquer une émotion et contribuer à embellir l'espace, privé comme public. Évidemment, ça ne fonctionne pas toujours : une fois j'ai fait scandale en voulant susciter une réaction, je ne m'étais pas rendu compte que ma sculpture pouvait aussi être vue de manière obscène... Je fais attention maintenant !

Piste 19 — Compréhension de l'oral

- **Journaliste :** Le billet de théâtre suspendu fait des émules. Vous connaissez le principe du café suspendu : c'est une tradition qui vient de Naples. On boit son café dans un bar, on le paye ; et on en paye un deuxième pour qui veut. Un client se présente ensuite dans le même bistrot, il demande s'il y a des cafés suspendus et si oui donc il boit son café gratuitement. Et bien voici à présent la place de théâtre suspendue. C'est à Toulon qu'on a eu cette belle idée, on est en ligne avec Pascale Beuglin Reudier, bonjour !
- **Pascale Beuglin Reudier :** Bonjour !
- **Journaliste :** Vous êtes la directrice générale du théâtre Liberté à Toulon. Alors, c'est en ce moment que les gens réservent leur place pour la saison prochaine, pour les spectacles de septembre et ils peuvent acheter un billet suspendu. Comment ça marche ?
- **Pascale Beuglin Reudier :** Ben écoutez en effet, on a eu cette idée en entendant parler du fameux café suspendu. Et on s'est dit, ben pourquoi pas l'appliquer au théâtre ? On a lancé la chose le 8 juin au moment du lancement de saison. Voilà, la personne qui souhaite s'abonner ou acheter un billet peut acheter un second billet. Et il se trouve que comme en plus, nous sommes un organisme d'intérêt général, nous sommes éligibles à la loi sur le mécénat ce qui fait qu'il y a un double avantage. Donc, la personne achète un deuxième billet pour un bénéficiaire qu'il ne connaît pas, pour un tarif de 20 €. Mais avec la déduction fiscale de 66 %, le billet lui revient à 6 € 80. Donc voilà, c'est un geste solidaire qui est assez simple, qui est peu coûteux, puisque ça revient au donateur 6 € 80.
- **Journaliste :** Précision importante, on ne choisit pas le bénéficiaire ; on ne choisit pas à qui ira le billet suspendu.
- **Pascale Beuglin Reudier :** Pas du tout ! D'ailleurs on a symbolisé ça dans le hall du théâtre où se trouve la billetterie avec un petit fil, comme un fil à linge avec des épingles. Et on suspend les billets comme ça, au fur et à mesure qu'ils sont achetés. On ne choisit pas le bénéficiaire, on ne le connaît pas. On a déjà quatre personnes qui se sont présentées, là, depuis une dizaine de jours qu'on a lancé l'opération. Ou alors, nous mêmes avons déjà un service de toute façon qui fait un énorme travail depuis 5 ans avec les associations de champ social à Toulon et qui donc peut redistribuer de façon groupée, redistribuer ces places de façon groupée. Ce sont des associations qui venaient au théâtre pour un tarif solidaire de 5 €. Aujourd'hui on peut proposer un mix à ces associations qui viennent à 20 par exemple et ben voilà on peut leur dire ben voilà on peut vous faire 10 gratuités et dix billets à 5 €, donc c'est vraiment très intéressant.
- **Journaliste :** Donc les bénéficiaires de ces billets suspendus ce sont ceux qui bénéficient des minimas sociaux notamment ?
- **Pascale Beuglin Reudier :** On a ces trois catégories, après ça peut évoluer puisque c'est nous qui avons tout fixé. Pour l'instant on a décidé que ce serait les bénéficiaires des minimas sociaux, les étudiants boursiers et les personnes handicapées.
- **Journaliste :** Alors pourquoi ne pas offrir des places aux plus démunis tout simplement ?

UNITÉ 8

Piste 20 — 4

- **Journaliste :** À quel moment vous êtes-vous sentis vraiment à votre place au Luxembourg ?
- **Ryan :** Après avoir passé la douane. J'avais déjà mon visa quand j'ai atterri, je suis entré comme si j'habitais déjà là, alors j'ai immédiatement eu l'impression que ce pays était déjà mon pays.
- **Lucia :** Ah, pour moi, ça a été beaucoup plus tard. C'était plutôt quand j'ai commencé à aider les touristes, en leur donnant des renseignements en français... comme une vraie Luxembourgeoise !
- **Waseem :** C'est tous les jours que je prends conscience que je suis à ma place ici : quand je discute avec mes amis, quand je fais un tour en ville, quand j'en apprends plus sur la culture... J'étais fait pour vivre ici !
- **Marta :** Depuis le 21 novembre de l'année dernière, jour de mon anniversaire. Julio avait organisé une fête surprise au lycée et tout le monde avait participé, c'était vraiment touchant.

Piste 21 — 9

- **Personne 1 :** Ce que je préfère ici, c'est les restos. Il n'y a qu'à Montréal. Ici, on peut manger à la fois de la super cuisine indienne, de la super cuisine thaïlandaise, de la délicieuse cuisine syrienne. Il y a de bons restos italiens, français, mexicains. Et en plus il y a la poutine !
- **Personne 2 :** Alors, moi, quand je suis arrivée, j'avais très peur du froid, de l'hiver, de la glace. Je ne savais pas patiner, je ne savais pas skier non plus. Je dois même dire que je n'avais jamais touché de la neige, parce qu'il n'y a pas de neige, là d'où je viens. Et, en fait, je suis tombée amoureuse du hockey. Et le patin, c'est magique. Ça donne des sensations incroyables ! C'est comme si tu volais quoi. Et puis le hockey, comme sport d'équipe, c'est vraiment cool. Il y a une super ambiance pendant les matchs.
- **Personne 3 :** Les hivers sont un peu rudes, j'avoue. Par contre, l'été, Montréal est une ville merveilleuse. Y'a des concerts partout dans les rues, sur les places, des spectacles, de la danse, de l'humour, du jazz. C'est comme un immense festival qui dure tout l'été et c'est juste, ouais, c'est juste génial.
- **Personne 4 :** Ce qui me plaît ici, c'est l'ouverture des gens. Tout le monde vient d'ailleurs, dans cette ville, où tout le monde a de la famille ou des amis qui viennent d'ailleurs. Et c'est pas la seule ville au monde qui est comme ça. Je crois que toutes les grandes villes du monde sont multiculturelles. Mais ici, les gens ils savent que c'est une richesse et ils la valorisent vraiment. Alors c'est pour ça qu'on se sent bien ici à Montréal.

Piste 22 — Compréhension de l'oral

- **Journaliste :** Le thème de notre émission ce matin est un mal qui touche certains Français ayant vécu à l'étranger une fois rentrés en France, il s'agit du « choc culturel inversé », aussi appelé « dépression post-retour ». Pour en savoir plus, nous accueillons la psychologue Mathilde Jaunès, chargée du suivi psychologique des impatriés, les expatriés de retour dans leur pays d'origine. Tout d'abord, en quoi le choc culturel inversé se distingue-t-il d'une simple nostalgie de la vie à l'étranger ?

○ **Mathilde Jaunès :** C'est un mal bien plus sévère qu'un simple sentiment de nostalgie dans la mesure où il peut conduire à de vraies dépressions. Être nostalgique est parfois doux-amer, on est un peu déprimé(e) parce qu'on se remémore de très bons moments qui appartiennent désormais au passé. Dans le cas du choc culturel inversé, le patient, forcé de dire adieu à son ancienne vie, est en deuil. Il passe donc par les différentes phases du deuil, mais sans que son entourage ne comprenne vraiment ce qui lui arrive. Par conséquent, il ne reçoit pas toujours l'écoute et le soutien dont il aurait besoin et il se sent encore plus seul.

● **Journaliste :** En effet, le mal est méconnu. Avez-vous déterminé les causes de cet état dépressif ?

○ **Mathilde Jaunès :** C'est principalement le fait de ne pas se sentir chez soi, sentiment paradoxal car les impatriés sont désormais « chez eux ». Mais ils ont changé pendant ces années dans un ou plusieurs autres pays : ils ont adopté les façons de faire et de penser de leurs pays d'accueil, si bien que leur personnalité a évolué. En plus de dissimuler leur perte de repères à leurs proches, ils ont aussi l'impression de devoir cacher qu'ils sont devenus quelqu'un de différent, de peur de ne pas retrouver ce qu'ils avaient avant le départ. À cette situation angoissante s'ajoute une montagne de documents administratifs et de démarches à effectuer (sécurité sociale, impôts…), qui demandent du temps mais surtout de l'énergie et ne facilitent pas le retour des impatriés.

● **Journaliste :** En tant qu'experte, quelles solutions voyez-vous pour sortir de cet épisode dépressif ?

○ **Mathilde Jaunès :** Un premier pas vers la guérison pourrait être de consulter un professionnel qui aiderait l'impatrié à comprendre qui il est devenu. Ensuite, seuls, les impatriés doivent prendre le temps de renouer avec leur environnement : se promener dans leur ville et l'écouter, écouter les autres aussi, pour retrouver leur rôle d'ami et retisser des liens qui se sont affaiblis. Avec le temps, en général un an ou deux, le sentiment de normalité revient. L'impatrié(e) n'a pas forcément repris ses habitudes : elle s'est créé de nouveaux repères, qui correspondent mieux à la personne qu'elle est devenue.

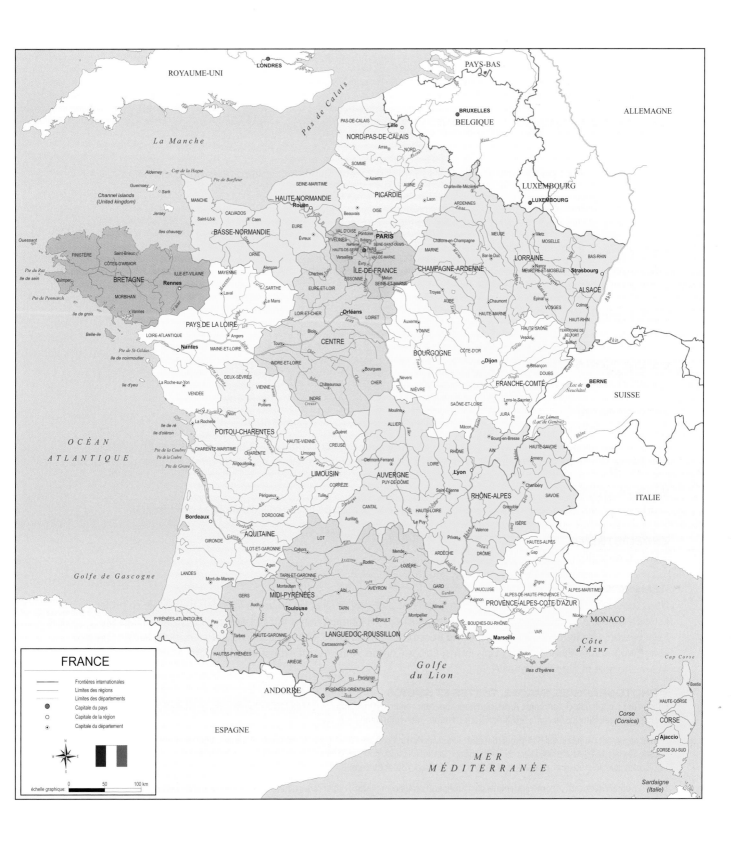

FRANCE

— Frontières internationales
— Limites des régions
— Limites des départements
● Capitale du pays
○ Capitale de la région
◉ Capitale du département

échelle graphique: 0   50   100 km

ENTRE NOUS – TOUT EN UN – MÉTHODE DE FRANÇAIS
LIVRE DE L'ÉLÈVE + CAHIER D'EXERCICES - NIVEAU B2

AUTEURS
Audrey Avanzi (unités 2, 4 et 5)
Céline Malorey (unités 3 et 6)
Neige Pruvost (unités 1 et 8)
Lisa Prunières (unité 7)

Charlotte Jade (*Cahier d'exercices* et *DELF*)
Grégory Miras (*Phonétique*)
Sylvie Poisson-Quinton (*Dossier culturel* et *Précis de grammaire*)
Virginie Karniewicz et Estelle Foullon (*Dossier de l'apprenant*)

ÉDITION
Virginie Karniewicz, Laetitia Riou, Estelle Foullon, Marie Rivière, Ginebra Caballero (*Précis de grammaire*)

RÉVISION PÉDAGOGIQUE
Agustín Garmendia, Virginie Karniewicz, Laetitia Riou

CORRECTION
Sarah Billecocq, Diane Carron, Laure Dupont (*Cahier d'exercices*), Isabelle Meslin (*Cahier d'exercices, Phonétique, DELF et Précis de grammaire*)

DOCUMENTATION
Virginie Karniewicz, Laetitia Riou, Estelle Foullon, Marie Rivière

CONCEPTION GRAPHIQUE ET COUVERTURE
Guillermo Bejarano

MISE EN PAGE
Guillermo Bejarano (introduction, unités 1, 3, 7 et 8)
Laurianne López (unités 2, 4, 5, 6 et *Dossier de l'apprenant, Dossier culturel, Cahier d'exercices 1 et 3*)
Ana Varela García (*Cahier d'exercices, Phonétique, DELF, Transcriptions, Précis de grammaire*)

ILLUSTRATIONS
Laurianne López (p. 13, 45, 77, 103, 119), Laura Désirée Pozzi (p. 68 et 187), David Revilla López (p. 200)

ENREGISTREMENTS
Studio d'enregistrement : Blind Records

REMERCIEMENTS
Nous tenons à remercier toutes les personnes qui ont participé de près ou de loin à la concrétisation de ce projet : Estelle Foullon, Agustín Garmendia, Marie Rivière, Massy Aït-Ahmed, Maria Vittoria Ambrosini, Nolwenn Balabaud, Émile Félix Basson, Lisa Bertot, Hilaire Besse, David Bocian, Julien Bouyssou, Mateo Caballero, Katia Coppola, Patrick Delpech alias Pyropat, Julie Elliott, Jamila Evans-Evans, Carlos Gordún, Anne Mocaër, Idriss Moutia, Núria Murillo, Francesco Rienzi, Maewenn Sort et Caroline Venaille.

Phonétique : Suljo/Dreamstime.com ; kotoyamagami/Fotolia.com

DELF : Scriblr/Fotolia.com ; Georges Seguin /wikipedia commons ; kupicoo/Fotolia.com ; photosvac/Fotolia.com

p. 165 : « Le temps d'un bivouac » France Inter diffusé le 15/08/2013

Cahier d'activités :

Unité 1 : Jules Romains/Folio ; al62/Fotolia.com ; tashka2000/Fotolia.com ; karaidel/Fotolia.com ; kidza/Fotolia.com ; Piumadaquila/Fotolia.com ; hello fresh/Flikcr ; baibaz/Istock.com

p171 *Knock*, Jules Romains, ©Gallimard ; p. 174 France Info

Unité 2 : CEFRIO_NETgeneration ; Martinan/Istock.com ; KatarzynaBialasiewicz/Istock.com ; Kemter/Istock.com ; kupicoo/Istock.com ; FilippoBacci/Istock.com

Unité 3 : simpled/Fotolia.com ; ktsdesign/Fotolia.com ; Irina/Fotolia.com ; domaine public/wikipedia

Unité 4 : Oleksandr Omelchenko/123rf ; bubaone/Istock.com ; Black & Grey Tradition Style Tattoo/Wikipedia Commons ; martinussumbaji/Fotolia.com

Unité 5 : serge parin/Fotolia.com ; esprit3d/Fotolia.com ; PeopleImages/Istock.com ; gpointstudio/Istock.com ; Alexi TAUZIN/Fotolia.com ; Sylvain Bilodeau/Fotolia.com

Unité 6 : Ariane Citron/Fotolia.com ; kobackpacko/Fotolia.com ; vvvita/Fotolia.com ; k2photostudio/Fotolia.com ; 9comeback/Istock.com ; denisgorelkin/Fotolia.com ; JFsPic/Istock.com

p. 190 « Planète environnement » France Inter diffusé le 8/12/2016

Unité 7 : zocchi2/Istock.com ; WildLivingArts/Istock.com ; Liudmila_Fadzeyeva/Istock.com ; FooTToo/Istock.com ; m-imagephotography/Istock.com ; Ikonoklast_Fotografie/Istock.com ; didecs/Istock.com ; kupicoo/Istock.com ; Monkey Business/Fotolia.com ; detailblick-foto/Fotolia.com ; Drobot Dean/Fotolia.com ; Andriy Solovyov/Fotolia.com ; eurobanks/Fotolia.com ; jeffbergen/Istock.com ; monkeybusinessimages/Istock.com

p. 198 « Ça va mieux en le faisant » France Inter diffusé le 21/06/2015

Unité 8 : Mike_Sheridan/Istock.com ; RanieriMeloni/Istock.com ; oscity/Istock.com ; kali9/Istock.com ; kali9/Istock.com ; Viktor_Solomin/Istock.com ; janetleerhodes/Istock.com ; PaolaV1/Istock.com ; Danielal/Dreamstime.com ; Neyya/Istock.com ; GiorgioMagini/Istock.com ; FotoimperiyA/Istock.com ; Janet Rhodes/Istock.com ; JLGutierrez/Istock.com

Précis de grammaire : Aleksey Boldin/Dreamstime.com ; 1MoreCreative / Istock.com ; syntika / Istock.com

Toutes les photographies sont issues de Fotolia.com, Dreamstime.com, iStockphoto.com, Getty, Album online, Pixabay, Iconovox
Toutes les photographies provenant de www.flickr.com et Wikipedia sont soumises à une licence de Creative Commons (Paternité 2.0 et 3.0).

Nous tenons à remercier France Inter et France Info pour leur aimable collaboration.

© Difusión, Centre de Recherche et de Publications de Langues, S.L., 2016
ISBN version internationale : 978-84-16347-94-0
ISBN version Alliance Française Mexique : 978-84-16943-10-4
ISBN édition Premium : 978-84-17249-76-2
Imprimé dans l'UE
Réimpression : novembre 2017

www.emdl.fr/fle

DANGER
LE PHOTOCOPILLAGE TUE LE LIVRE